살아있는 한국사 교과서 2

20세기를 넘어 새로운 미래로

살아있는 한국사 교과서 2

20세기를 넘어 새로운 미래로

전국역사교사모임 지음

전국역사교사모임 교과서 편찬위원회

자문위원

남궁효 박병섭 송 철 신병철 정용택 한재호

편찬위원

김육훈(전국회장) 김종훈(연구소장) 최현삼(사무국장) 김신영(연구부장) 조한경(정보통신부장)
박부경(총무부장) 이홍원(경기대표) 이정래(인천대표) 이예선(충남대표) 이재두(대구대표)
윤세병(대전대표) 민찬기(강원대표) 권익산(전북대표) 박병섭(전남대표) 김종화(경남대표)
손성호(울산대표) 홍혜숙(부산대표) 송기복(충북대표)

집필

김육훈 안정애 양정현 윤종배 신선호

검토위원

김용석 박병섭 박수성 박영숙 방지원 엄기환
유필조 이성호 이혜영 전효순 정회선 최홍연

책임기획 | 이재민(ljm002@ehumanist.co.kr)
아트디렉터 | 이준용
책임편집 | 신영숙
책임그래픽 | 김준희
컴퓨터 그래픽 | 플래픽스
일러스트 | 김정호
교정 | 김선경 박지홍
사진 | 이상엽 국수용 이경모

발행 (주)휴머니스트 퍼블리싱 컴퍼니

전국역사교사모임

전국역사교사모임은 올바른 역사교육을 실현하고자 하는 역사교사들의 자발적인 모임으로 1988년 '역사교육을 위한 교사모임'으로 창립하여 1991년 전국역사교사모임으로 발돋움했다. 전국역사교사모임은 전국 2,000여 역사교사가 회원으로 참여하여 연구모임, 지역모임의 활동을 통해 변화하는 학생과 교육환경에 알맞은 진지하고도 새로운 역사교육의 방법을 모색해왔으며, 역사교육 전문지인 계간『역사교육』과 각종 수업 지도안, 자료집, 단행본 등을 발행하였다.

150-982 서울시 영등포구 영등포 2가 139번지 대영빌딩 6층
전화 02-2631-2913 팩스 02-2635-5132 홈페이지 http://okht.njoyschool.net

머리말

역사를 읽는 힘과 역사를 체험하는 맛

1

누구에게나 그렇듯 교사에게도 꿈이 있습니다. 미래를 꿈꾸며 깨달음으로 성장하는 학생들과 눈을 맞추고 마음을 나누는 선생님이 되고 싶은 꿈입니다. 참 쉬운 일 같았지만 결코 쉽지 않았습니다. 교실에는 늘 메마른 교과서가 펼쳐져 있었습니다. 한 자도 빠짐없이 깡그리 외우지 않으면 안 될 것처럼 우리를 짓눌렀습니다. 그래서 앙상한 교과서를 기름지고 생기 있게 만들 궁리를 해 보았습니다. 다양한 사진과 풍부한 그림을 곁들여 보기도 하고, 아기자기한 연극과 재치 있는 발표로 즐겁게 꾸려보기도 하였습니다. 요즘에는 인터넷을 넘나들며 새로운 방법을 찾아보았습니다. 하지만 하룻밤을 지나면 책상 위에 엎드려 진짜로 꿈 속에 빠지는 학생들이 늘어났습니다. 교사들이 아무리 새로운 시도를 펼쳐도 학생들은 따분한 교과서 때문에 점점 흥미를 잃었습니다.

문제는 결국 교과서라고 생각했습니다. 우리 역사를 이야기하듯 쉽고 재미있게 들려주는 교과서, 때로는 나직하게 속삭이고 때로는 끓어오르는 분노로 주먹을 불끈 쥐게 만드는 교과서, 역사 속의 인물들이 교과서 밖으로 걸어나와 학생들에게 말을 건네는 교과서, 무엇보다도 학생들 스스로 저마다의 눈으로 관찰하고 나름대로 느낌을 이야기할 수 있는 살아 있는 교과서가 우리에게 절실하게 필요했습니다. 우리의 바람은 학생들의 마음을 움직이는 교과서를 교사들 손으로 직접 만들어보자는 쪽으로 이어졌습니다. 1999년 겨울, 2천 명이 넘는 전국 각 지역의 역사교사들이 이 일에 함께 나서기로 다짐했습니다.

2

우리는 학생들에게 공부하라고 말하기 전에 역사가 무엇이고 왜 배우는지를 자유롭게 이야기하고 싶습니다. 역사 지식을 많이 제시하기보다는 20세기의 지난 역사를 되돌아보고, 21세기 새로운 미래를 어떤 모습으로 가꿀 것인지를 생각해 보는 데 주안점을 두었습니다. 본문으로 들어가는 창에는 단원마다 역사 사진에 청소년 캐릭터를 넣어 역사 체험을 좀더 재미있고 생생하게 할 수 있도록 하였습니다.

본문은 한 호흡으로 읽어가며 흐름을 이해하도록 썼습니다. 19세기의 저녁에서 21세기의 아침까지 본문과 함께 화면을 수놓고 있는 사진과 그림들을 보면서 그 시대로 성큼 들어가 보십시오. 구경꾼이 아니라 스스로 역사가가 되어 과거를 탐구하다 보면 '역사를 읽는 힘과 역사를 체험하는 맛' 을 느낄 수 있을 것입니다. '나도 역사가' 나 '과거와 현재의 대화' 라는 꼭지가 실마리를 제공해 줄 것입니다.

본문 못지 않게 정성을 기울인 것은 특별 꼭지들입니다. '여성과 역사' 는 세상의 절반이면서도 잘 알려지지 않았던 여성들의 삶을 진지하게 들여다보는 곳입니다. '청소년의 삶과 꿈' 은 학생들이 우리 역사를 좀더 친숙하게 마주하며 단원을 마무리할 수 있도록 구성하였습니다. '역사의 현장' 은 근현대사에서 중요한 변화가 일어난 때를 특별히 부각시켜 생동감 있게 꾸몄습니다.

3

교과서는 그 자체가 한 권의 역사책입니다. 우리는 지금까지 나라에서 정한 교과서만을 읽어왔습니다. 교과서가 하나뿐인 교실은 이제 다양하고 창의적인 내일을 꿈꾸는 청소년들에게 어울리지 않는 일입니다. 우리가 국정교과서가 엄연히 있음에도 이 책을 교과서라 이름 붙인 것은 좀

더 알찬 교과서가 다양하게 선보여야 한다는 시대의 흐름 때문입니다. 우리는 이 책을 읽는 학생들이 지은이의 생각에 모두 따라야 한다고 생각하지 않습니다. 가르치는 교사의 뜻에 따라 새롭게 구성되고, 배우는 학생들이 저마다 다채롭게 익히는 과정에서 이 교과서의 의미가 살아날 수 있을 것입니다.

우리는 힘닿는 대로 교실 분위기가 고스란히 묻어나는 교과서를 쓰려고 하였습니다. 때로는 매서운 지적에 고개를 들지 못했고, 때로는 칭찬과 격려에 감격하면서 고쳐쓰기를 수 차례 반복했습니다. 탈고까지 꼬박 2년 동안, 우리는 너무나 많은 분께 도움을 얻었습니다. 방학 때마다 성심껏 검토하고 의견을 주신 전국역사교사모임의 수많은 선생님들과 학생들, 도움을 주신 전문 연구자 선생님들과 격려를 아끼지 않은 학부모님들께 감사의 말씀을 올립니다. 그분들이 있었기에 감히 이 책을 전국역사교사모임의 이름으로 펴낼 수 있었습니다. 『살아있는 한국사 교과서』가 교실을 살아있게 만들고, 역사 공부를 신명나게 만들어 우리 역사를 살찌우는 데 조금이나마 도움이 되기를 간절히 바랍니다.

2002년 3월

김육훈 안정애 양정현 윤종배 신선호

여성과 역사

차례

7 해방과 분단

8 전쟁으로 깊어지는 분단 구조

9 산업화와 민주화

청소년의 삶과 꿈

19세기의 저녁, 21세기의 아침

1

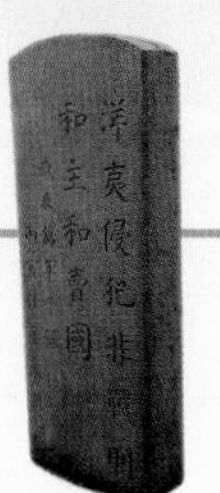

1 우리는 지난 100년 동안 어떻게 살았을까?

| 화륜거(火輪車) 구르는 소리가 우레와 같아 |

"화륜거(火輪車) 구르는 소리가 우레와 같아 천지가 진동하는 듯하고 (중략) 수레 속에 앉아 내다보니 산천 초목이 모두 움직이는 듯하고 나는 새도 미처 따르지 못하더라." —〈독립 신문〉1899. 9. 19—

범선과 화륜선

화륜거와 함께 근대화의 상징으로 이해된 것은 화륜선이었다. 외국의 화륜선은 범선을 중심으로 운영되어 오던 우리 해운업을 일거에 무너뜨렸다.

사진은 1871년 당시 우리의 범선(아래쪽)과, 개항 이후 원산항에 정박해 있는 2천톤급 화륜선(위)이다.

화륜거라는 말을 처음 쓴 사람은 1877년 일본을 다녀온 김기수라는 사람이었다. 강화도 조약 이후 일본을 처음으로 방문하였던 그는, 화륜(증기 기관)으로 달리는 기차의 모습을 처음 보았다.

1881년 조선에서는 일본에 대규모 시찰단을 보냈다. 그 때 파견된 관리들에게도 화륜거는 놀라움의 상징이었다. 당시의 충격을 어떤 관리는 "화륜이 순식간에 100리를 달리니 빠르기가 번개와 같다." 고 적었다.

화륜거는 근대화의 상징으로 이해되어 이를 운행하려는 노력이 전개되기도 하였다. 특히 미국에 외교관으로 가 있던 이하영이 귀국길에 철도 모형을 가져오면서 시급히 철도를 건설하자는 운동이 시작되었다.

우리 나라에 처음 철도가 운행된 것은 1899년으로, 노량진에서 제물포 사이에 건설된 경인선이었다. 그러나 이 철도는 우리 손으로 건설하지 못하였다. 철도를 건설할 만한 자본도, 기술도 충분치 못하였던 것이다.

경인선은 일본인의 손으로 만들어졌다. 일본인이 건설해서 일정 기간 운영한 다음, 운영권을 조선에 넘긴다는 계약에 따른 것이었다.

경인선 개통 당시의 기관차

철도는 우리 근현대사의 전개 과정을 상징적으로 보여 준다. 사진은 미국인 기술진에 의해 한국에서 조립된 최초의 기관차이다.

| 철도의 두 얼굴, 두 얼굴의 근대화 |

개통 당시에는 기차 손님이 많지 않았다. 요금도 비쌌고 철도에 대한 반감도 만만치 않았기 때문이다. 그러나 승객은 꾸준히 늘어났고, 화물 수송은 한층 더 빠르게 늘어났다. 무엇보다 대륙 침략에 철도를 이용하려던 일본은 대대적인 철도 건설에 나섰다. 경인선이 개통된 뒤, 러·일 전쟁을 전후로 경부선과 경의선이 개통되었다. 일제가 주권을 강탈한 뒤에도 철도 건설은 이어져 호남선, 장항선, 중앙선이 차례로 개통되었다.

철도가 개통되면서 사람들의 삶도 크게 달라졌다. 철도는 그 자체로서 근대화의 상징이었을 뿐 아니라, 수많은 근대 문물과 사람들을 나라 안팎으로 실어날랐다. 철도가 개통되면서 새로운 도시가 일어나기도 하였고 마을의 모습이 근본적으로 바뀌기도 하였다.

그러나 철도는 가난한 사람보다는 부자들을 더 많이 실어날랐고, 조선인보다는 일본인에게 더 필요한 것이었다. 이 땅을 침략한 일본군들이 철도를 통해 서울로 들어왔고, 수많은 우리의 식량과 자원이 철도를 통해 실려나갔다.

처형당하는 의병들

경부선이 개통된 후, 일본 군인을 실어나르는 철도를 보고 분하여 이를 파괴하였던 세 명의 조선인들이 일본군에 의해 처형되고 있다.

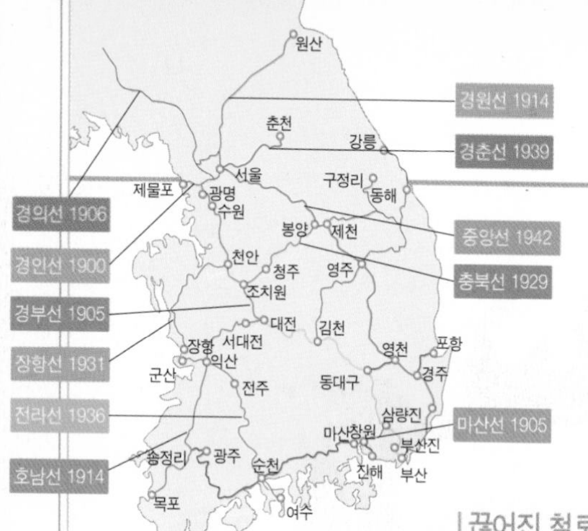

일제에 의해 개통된 철도들

서울을 중심에 놓고 남북을 가로질러 만들어진 철도들은 일본이 우리 나라의 자원과 식량을 수탈하고 우리 나라를 침략하는 데 봉사하였다.

1945 해방 – **해방자호**

'해방자호' 라고 이름 지은 열차가 1945년 우리 기관사에 의해 운행되었다.

1950 전쟁 – **철마는 달리고 싶다**

분단이 되면서 경의선, 경원선, 금강산선의 허리가 잘렸다.

1970 경제 개발 – **산업화의 역군**

해방 이후에도 영동선, 경북선, 태백선 등 많은 철도가 추가로 건설되었다.

2000 통일–**철도의 꿈**

남북 철도가 이어진다. 이제 철도의 꿈은 더 이상 꿈이 아니다.

| 끊어진 철로 다시 잇기 |

해방이 되었다. 이제 이 땅은 다시 우리 것이 되었다. 일본으로 만주로 끌려갔던 사람들이 철도를 통해 돌아왔고, 온 나라 사람들이 이제 철도의 주인이 되었다.

'해방자호' 라는 이름의 열차도 생겨났다. 그러나 철도는 더 이상 남북을 가로질러 달리지 못하였다. 1945년 9월, 해방된 지 채 한 달도 지나지 않아서였다.

우리 것이 된 철도는 새 사회 건설의 역군이 되었다. 광산에서 캐낸 석탄과 시멘트가 공업 단지로, 도시로 운반되었다. 공단에서 만들어진 컨테이너들이 수출 항구로 옮겨졌다. 그리고 농촌의 젊은이들을 서울로, 공업 도시로 실어날랐다. 철도에는 건설의 희망과 성공을 향한 꿈이 실려 있었다.

그러나 힘차게 달리는 철도도 어디에선가는 멈춰서야만 했다. 하루도 채 달리지 않아서.

'철도에 몸을 싣고 북으로 내달릴 수 있다면….'

'저 철도가 중국으로, 러시아로, 그리고 유럽으로 달릴 수만 있다면….'

그 동안 철도는 분단의 아픔을 대변해 왔다. 그리고 통일이 가까워지면 가장 먼저 기지개를 켤 것이다.

| 우리에게 근대의 의미는? |

철도는 자주 부강의 상징이었다. 그러나 그 철도가 남의 손으로 세워진 데서 우리 근대사의 비극은 시작되었다. 철도는 우리 민족의 피와 땀을 긁어 가고, 심지어는 수많은 동포를 끌고 가는 수단이었다. 철도가 우리 것이 되었을 때, 그 때는 또 반도의 허리가 잘려 있었다.

자주적 근대화의 실패와 주권 상실, 해방과 분단, 그리고 새로운 건설!

철도의 역사 속에는 우리 민족의 비극과, 비극 속에서 일구어 낸 성취가 고스란히 담겨 있다. 그리고 철도의 꿈 속에는 반드시 이루어야 할 우리 민족 모두의 소망이 담겨 있다.

나도 역사가

지난 1999년, 어느 신문에서는 '지난 100년간의 10대 사건'을 다음과 같이 정리하였다. 사진을 보고 다음 활동을 해 보자.

1. 내가 태어나던 해 우리 나라에는 어떤 일들이 있었을까?
2. 지난 100년 동안 나와 우리 가족에게는 무슨 일들이 일어났을까?

2 우리의 근대는 어떻게 시작되었나?

| 박규수, 베이징을 다녀오다 |

박규수(1807~1876)

실학자 박지원의 손자로, 자신이 살던 시대를 서양의 침략이 본격화되는 상황으로 이해하였다. 그래서 그는 외국과 적극적으로 교류하고, 선진 문물을 받아들여 자주적인 근대화를 이루어야 한다고 생각하였다.

> 서울에서 시작하여 전국으로 번진 공포를 다 설명할 수는 없다. 모든 일이 중단되었고 부자나 넉넉한 집안 사람들은 산골로 도망하였다. 관직을 그만두는 관리도 수두룩하였다. 처자식의 손에 보물을 쥐어 주고 서둘러 떠나보낸 대신들도 많았다. —「한국 천주교회사」—

다소 과장 섞인 이 글은 1860년 서울에 있던 어느 외국인의 기록이다.

이 무렵 영국과 프랑스는 중국을 침략하여 여러 차례 승리하였고 중국의 수도까지 함락시켰다. '중국은 세계의 중심이며, 세계의 최강국'이라 믿던 조선 사람들에게 당시의 상황은 대단한 충격이었다.

이와 함께 영국, 프랑스 배들이 우리 해안에도 잇달아 나타나고 있었으니, 조정으로서는 대단한 걱정이 아닐 수 없었다. 그래서 중국에 사람

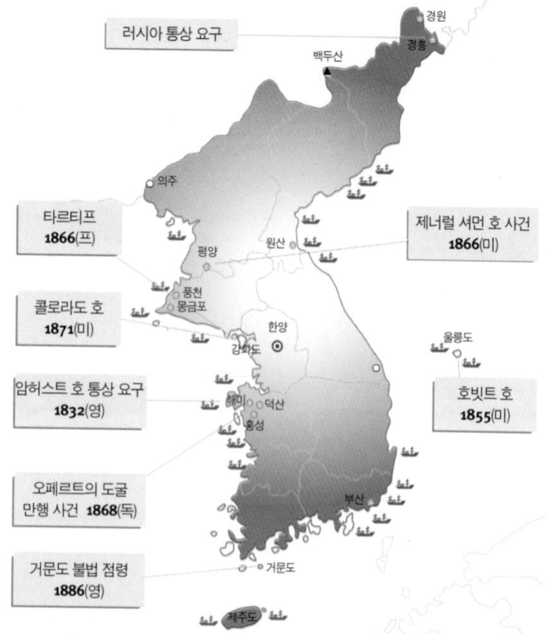

이양선이 나타나다

1800년대 조선 앞바다에 자주 나타났던 서양 배들을 이양선이라 하였다. 사진의 배는 1871년 남양 앞바다에 나타난 미국의 콜로라도 호이다.

을 보내 실상을 알아보기로 하였다. 이 때 박규수도 청을 다녀왔다.

여러 날이 걸려 중국에 도착한 박규수는 중국의 패배를 확인하였으며, 두려운 상대를 실제로 체험할 수 있었다. 그리고 조선이 자주와 독립을 유지하기 위해서는 새로운 문물을 적극 받아들여야 한다고 생각하였다.

하지만 변화는 쉽게 이루어지지 않았다. 오랜 세도 정치 때문에 정치는 부패해 있었고, 민심은 조정을 떠난 상태였다. 수많은 고을에서 농민들이 봉기를 일으켜 개혁을 요구하였지만, 조정은 그들의 요구에 귀 기울이지 않았다.

홍선 대원군(1820 ~1898)

철종의 뒤를 이어 홍선군 이하응의 어린 아들이 왕위에 올랐다. 왕의 아버지인 홍선군은 대원군이 되어 막강한 권력을 행사하였다.

| 대원군의 등장 |

민족적 위기가 깊어지고, 민심이 조정을 떠났다며 걱정하는 관리들이 늘어나 개혁의 필요성을 느끼는 사람도 점차 많아졌다. 이 무렵 고종이 즉위하여 홍선군 이하응이 대원군이 되어 정권을 잡았다.

대원군은 민심이 조정을 떠났다는 사실을 잘 알고 있었다. 그래서 정권을 잡자마자 가장 먼저 나라를 엉망으로 만들었던 세도 정권을 무너뜨렸다.

그리고 민중들의 원망을 사고 있었던 조세 제도를 뜯어고쳤다. 가장 말썽이 많던 환곡제를 폐지하였고, 군역 제도를 고쳐 양반에게까지 군포를 물렸다. 또 서원을 철폐하여 양반이 민중을 수탈하지 못하도록 하였다.

경복궁의 중건

경복궁은 조선 건국 당시 지어져 정궁으로 이용되었다. 임진왜란 때 불에 타 폐허로 남아 있었는데, 1863년부터 1868년 사이에 다시 지어졌다. 두 차례의 화재로 공사 기간이 길어지고, 막대한 비용이 들어갔는데, 이를 마련하는 과정에서 많은 무리가 따랐다.

대원군은 왕권을 세워야 나라가 바로 선다고 생각하였다. 그래서 어려운 나라 살림에도 불구하고 경복궁을 다시 짓는 데 엄청난 돈을 쏟아부었다. 수많은 농민들이 세금과 강제 노동으로 큰 고통을 겪었음은 말할 나위가 없었다.

대원군에게도 서양에 대한 위기감은 있었다. 하지만 늘 나라 안을 안정시키는 것이 더 중요하다고 생각하였다. 그러기 위해서는 천주교의 확산을 막음으로써 전통 풍속을 지키고, 서양인과 내통하지 못하도록 하여야 했다.

| 프랑스와 미국의 침략을 물리치다 |

대원군의 개혁에 박규수는 지지를 보냈다. 개혁으로 사회가 안정되면, 새로운 문물을 받아들여 부강한 나라를 만들 수 있다고 생각하였기 때문이다.

대원군도 새로운 문물에 관심이 많은 박규수를 나쁘게 생각하지는 않았다. 그래서 박규수에게 높은 관직을 주어 자신의 뜻을 펴도록 도왔으며, 박규수의 생각처럼 신무기를 개발하려는 노력을 기울이기도 하였다.

1866년, 프랑스 군대가 강화도를 침략하였다. 대원군이 천주교를 탄압하면서 프랑스 신부를 살해한 것을 구실로 군대를 파견한 것이다. 프랑스는 사과와 손해 배상, 그리고 통상을 요구하였다.

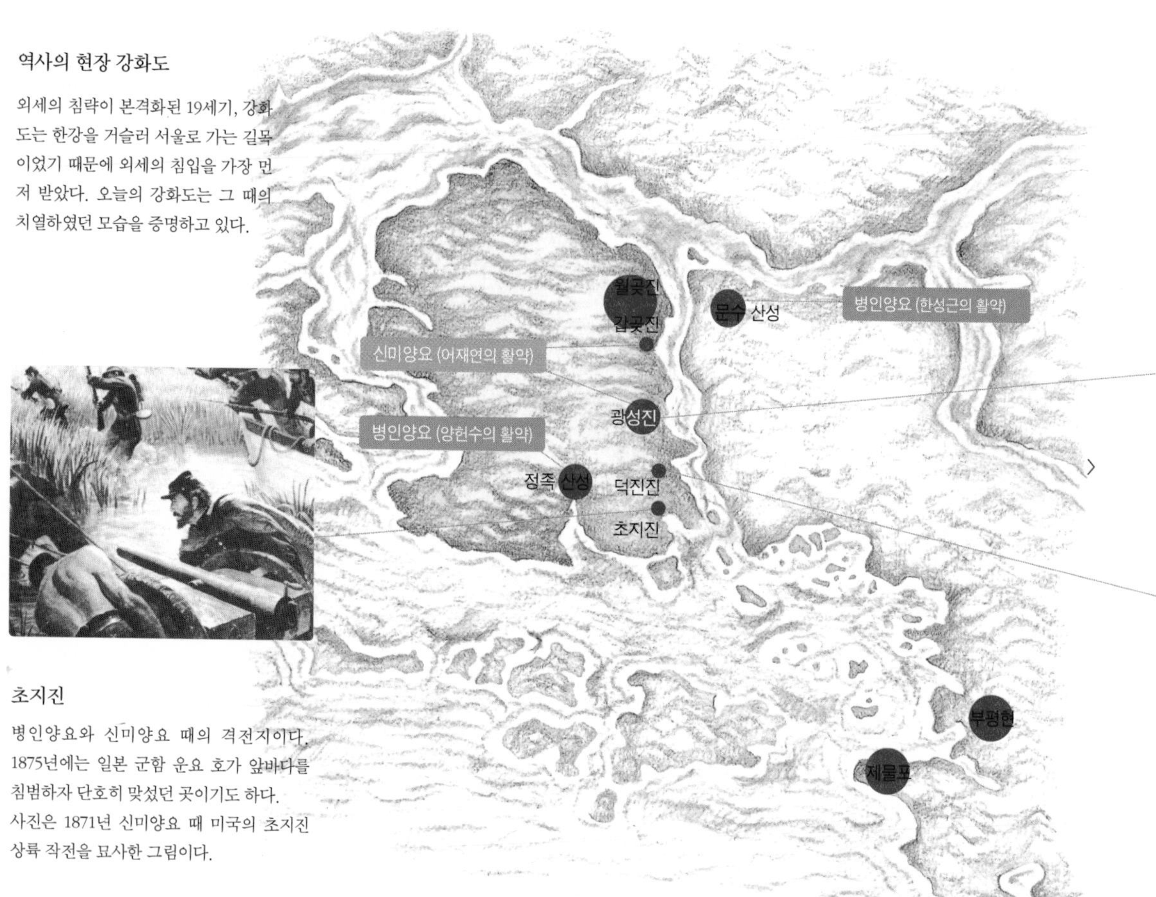

역사의 현장 강화도

외세의 침략이 본격화된 19세기, 강화도는 한강을 거슬러 서울로 가는 길목이었기 때문에 외세의 침입을 가장 먼저 받았다. 오늘의 강화도는 그 때의 치열하였던 모습을 증명하고 있다.

초지진

병인양요와 신미양요 때의 격전지이다. 1875년에는 일본 군함 운요 호가 앞바다를 침범하자 단호히 맞섰던 곳이기도 하다. 사진은 1871년 신미양요 때 미국의 초지진 상륙 작전을 묘사한 그림이다.

외규장각 주위를 행진하는 프랑스군

강화도에는 왕실 도서관이 있었는데, 1866년 프랑스군에 의해 6000여 권이 불에 타고 300여 권을 약탈당하였다.

그러나 대원군은 이 모두를 거부하였다. 대원군은 "괴로움을 참지 못하고 화친을 허락한다면 이는 나라를 파는 것"이라 선언하고, 모든 이들에게 맞서 싸울 것을 호소하였다.

프랑스 군대는 강화도를 점령하고 서울로 진격하려 하였다. 그러나 조선 군대는 여러 곳에서 침략자를 물리쳤고, 결국 프랑스는 수많은 재물을 약탈한 뒤 철수하였다(1866. 병인양요).

이로부터 5년 뒤, 이번에는 미국이 조선을 침략하였다. 미국인들은 미국 상인이 대동강에서 행패를 부리다가 배가 불에 탄 사건(1866. 제너럴셔먼 호 사건)을 추궁하였다. 그리고 사과와 통상 교섭을 요구하여 왔다.

대원군은 이들의 주장도 받아들이지 않았다. "서양 오랑캐가 쳐들어왔다. 싸우지 않으면 그들의 주장을 받아들여 화친하여야 하는데, 화친을 주장함은 나라를 파는 것과 같다." 이것이 대원군의 답이었다.

전투가 다시 벌어졌다. 미군은 강화도를 공격하였고, 수많은 조선 병사들이 장렬하게 싸움을 벌였다. 그들은 결국 물러갔다.(1871. 신미양요)

광성진

신미양요 당시 초지진과 덕진진을 점령한 미군이 이 곳으로 몰려왔을 때, 어재연이 이끈 조선군은 마지막 한 사람까지 장렬히 순국하는 항쟁으로 미군의 퇴각을 이끌어 냈다. 사진은 광성진 전투에서 전사한 우리 군인들이다.

강화 역사 문화 연구소
http://www.kanghwado.org
강화 군청
http://kanghwa.incheon.

조선군의 방어 지역

덕진진

신미양요 때 덕진진을 점령한 미군이다.

| 대원군과 박규수 |

서양 세력이 침략해 왔을 때, 박규수의 생각도 대원군과 다르지 않았다. 외세의 부당한 요구에는 당당히 맞서야 하고, 침략해 온 적은 군대로써 물리쳐야 한다고 생각하였다.

그러나 두 차례의 전쟁을 치른 뒤에는 두 사람의 생각에 많은 차이가 생겼다. 대원군은 여전히 '우리는 오랜 문화 민족이고, 저들은 오랑캐일 뿐' 이며, 다시 싸워도 이길 수 있을 것이라고 생각하였다. 그래서 서양 문물의 유통을 금지하고, 서양 종교인 천주교의 전파를 막았다. 서양 사람들과 교류하자는 주장도 완전히 틀어막으려 하였다. 하지만 박규수는 '싸우면 반드시 이길 것' 이라는 생각에 동의하지 않았다. 이제라도 그들과 평화적으로 국교를 맺고 통상 교류를 시작하여야 한다고 생각하였다. 그들은 과학 기술이나 경제, 군사면에서 우리보다 훨씬 앞서 있어, 하루라도 빨리 이들의 문물을 받아들일 필요가 있다고 판단하였던 것이다.

척화비

"화의를 주장하는 것은 나라를 파는 것" 이라 적혀 있는 이 비석은 미국과의 전쟁을 끝낸 후 전국에 세워졌다. 외세를 침략자로 이해하고, 그래서 우리 자신을 지키고자 하였던 많은 국민들은 대원군의 정책에 동의하였다.

▲ **1840**년(아편 전쟁) ▲ **1860**년(베이징 함락) ▲ **1862**년(임술 농민 봉기) ▲ **1863**년(대원군의 집권)

▲ **1866**년(프랑스와의 전쟁－병인양요) ▼ **1871**년(미국과의 전쟁－신미양요) ▼ **1873**년(대원군이 물러남) ▼ **1876**년(일본과 조약 체결)

시간이 지나면서 박규수는 대원군을 점점 어려워하게 되었고, 대원군도 박규수를 점차 멀리하였다.

| 이 난국을 어떻게 할 것인가? |

1860년대, 우리 민족에게 이 때는 외세의 침략이 본격화되는 위기의 순간이기도 하였지만, 근본적 개혁을 통해 근대 국가로 탈바꿈할 수 있는 기회의 순간이기도 하였다. 이 시대를 살았던 사람들의 다양한 생각을 들어 보자. 여러분들은 어느 의견에 동의할 것인가?

오경석(1831~1879)
중인 신분. 통역관으로 중국을 자주 방문.

"지금은 서양의 침략에 나라를 지킬 수 있느냐 없느냐를 판가름하는 시기이다. 외국과 국교를 맺고 선진 문물을 수용하여 나라의 힘을 길러야 한다."

이항로(1792~1868)
조선 후기의 대표적인 양반 유학자. 그의 제자들 가운데 상당수가 훗날 항일 의병 활동에 나섬.

"서양은 침략자일 따름이다. 우리 문화에 대한 자부심으로 이들과 당당히 맞서자."
"경복궁을 다시 짓기보다 민생 안정에 힘써야 한다."

최제우(1824~1864)
몰락한 양반 가문 출신. 동학을 창시.

"서양의 침략으로 나라가 위기에 빠지고 있다. 나라를 구하고 민중 생활을 개선할 수 있는 특별한 방안이 필요하다."
"서양에 맞서 싸워 우리 문화를 지키자."
"신분 · 남녀 차별을 없애 평등한 세상을 만들자."

자주적 근대 국가 수립을 향하여

2

갑오 농민 전쟁

문 너의 이름은 무엇인가?
답 전봉준이다.
문 나이는 몇 살인가?
답 41살이다.
문 살고 있는 곳은 어디인가?
답 태인 산외면 동곡리이다.
문 무슨 일을 하는 사람인가?
답 글방 선생을 하고 있다.
(중략)
문 너는 고부 군수에게서 피해를 입지 않았는데 왜 군사를 일으켰는가?
답 세상이 날로 잘못되고 있어 세상을 한 번 건져 보고자 하였다.
문 너와 함께 일을 꾸민 손화중, 최경선 등은 모두 동학을 대단히 좋아했었는가?
답 그렇다.
문 소위 동학이라는 것은 어떤 주장을 하고 있는가?
답 마음을 지켜 충효로 본을 삼고 보국 안민하고자 하는 것이었다.
문 네가 군대를 일으킬 때 거느린 사람이 모두가 동학 교도인가?
답 접주는 다 동학이나 그 나머지는 충의를 위해 일어선 보통 사람들이다.

–전봉준에 대한 조사 기록에서–

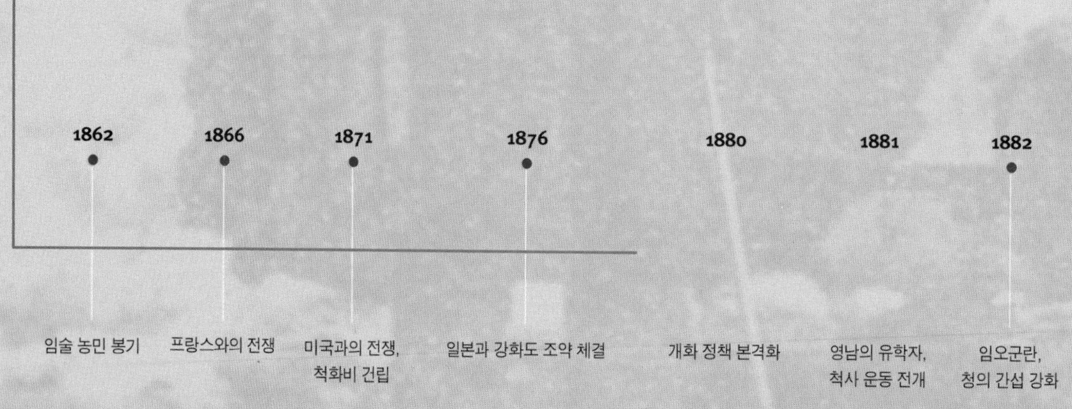

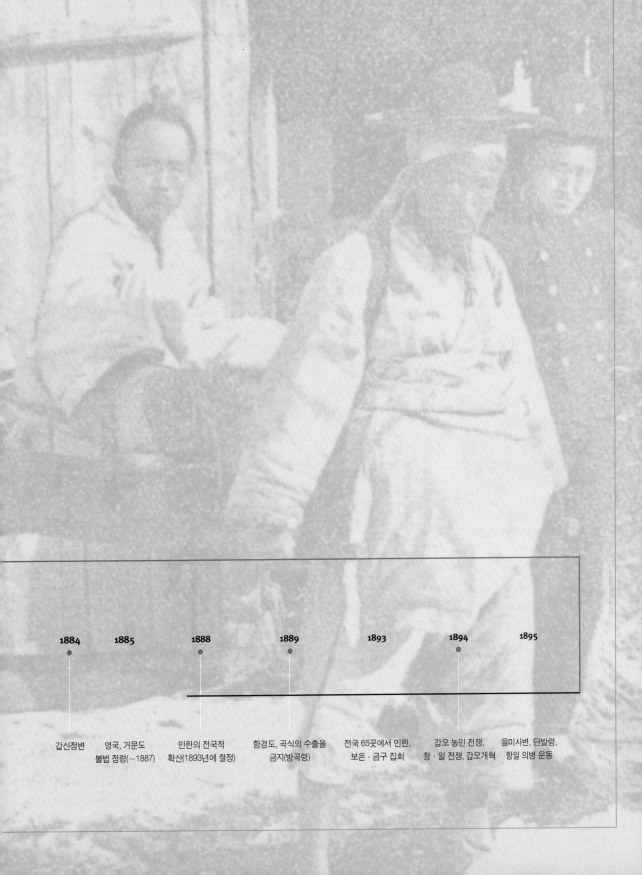

1884	1885	1888	1889	1893	1894	1895
갑신정변	영국, 거문도 불법 점령(~1887)	민란의 전국적 확산(1893년에 절정)	함경도, 곡식의 수출을 금지(방곡령)	전국 65곳에서 민란, 보은 · 금구 집회	갑오 농민 전쟁, 청 · 일 전쟁, 갑오개혁	을미사변, 단발령, 항일 의병 운동

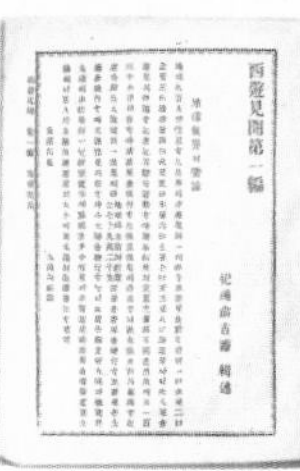

1 위기의 시작, 반외세 운동이 시작되다

군인들은 분노하였다. 그리고 폭동을 일으켜 부패한 관리를 처단하고 궁궐을 점령하였으며 일본 공사관을 공격하였다. 그리고 대원군을 추대하여 '외세의 눈치를 보지 않는 나라, 민중들이 설움받지 않는 나라'를 만들어 줄 것을 요청하였다.

■가 볼 곳 | 강화도 ■만날 사람 | 최익현, 대원군 ■주요 사건 | 강화도 조약, 임오군란

| 위기가 시작되다 |

1875년 초겨울, '운요 호'라는 일본 군함이 아무런 통보도 없이 강화도 앞에 나타났다. 조선 군대는 철수를 요구하면서 전투 준비에 들어갔다. 하지만 이 배는 철수는커녕, 오히려 강화도를 점령하려 들었다.

조선 군인들은 즉각 대포를 발사하였다. 그러자 일본군은 이미 계획되었다는 듯이 마구 대포를 쏴 강화도의 여러 포대를 파괴하였다. 그리고 수비가 약하였던 영종도에 상륙하여 파괴와 약탈, 살인을 저질렀다.

강화성 남문
일본군들이 성문을 굳게 닫고 출입을 금지하고 있는 가운데 조약의 경위를 알기 위해 성문 밖에 군중들이 모여 있다.

강화도 앞바다

조약을 맺고 평화적으로 교류하자던 일본은 1876년 1월, 6척의 군함에 신무기와 군대를 잔뜩 싣고 나타났다. 그리고 한반도와 가까운 규슈 지역에 육군을 준비시켜 놓고 있었다.

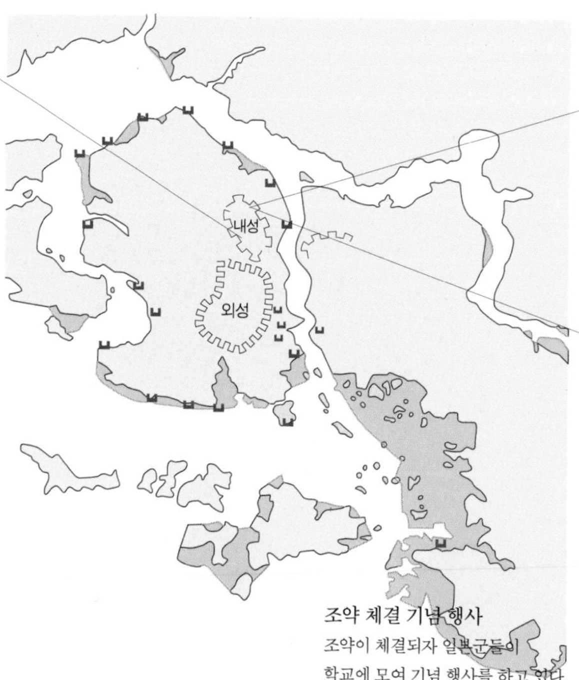

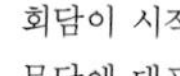

연무당 밖
회담이 시작되자 일본측이 연무당에 대포를 배치하고 조약 체결을 강요하고 있다.

연무당 안
양국 대표들이 회담을 하고 있다.

조약 체결 기념행사
조약이 체결되자 일본군들이 학교에 모여 기념 행사를 하고 있다.

부산 개항

1876년에 부산이 개방되었으며 원산(1880), 인천(1883)이 잇달아 개방되었다.

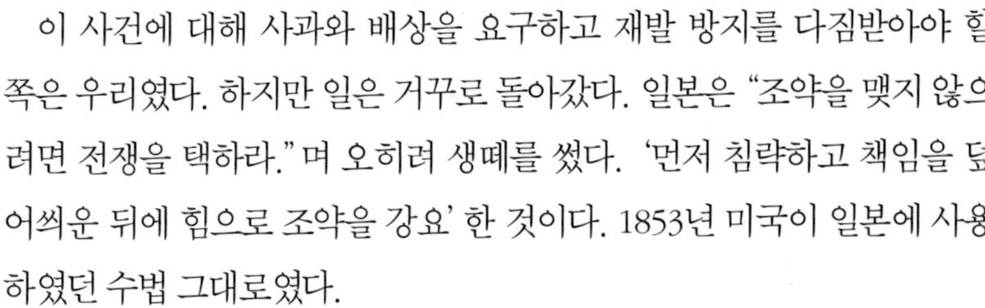

이 사건에 대해 사과와 배상을 요구하고 재발 방지를 다짐받아야 할 쪽은 우리였다. 하지만 일은 거꾸로 돌아갔다. 일본은 "조약을 맺지 않으려면 전쟁을 택하라."며 오히려 생떼를 썼다. '먼저 침략하고 책임을 덮어씌운 뒤에 힘으로 조약을 강요' 한 것이다. 1853년 미국이 일본에 사용하였던 수법 그대로였다.

조정의 대신부터 이름 없는 민중들까지 일본의 침략에 분노하였다. 민중들은 자발적으로 항전에 나섰다. 총을 든 포수들이 서울로 몰려들었고, 수많은 민중들이 군사비에 보태라며 쌈지를 풀었다.

대원군이 물러난 조정에서는 심각한 논쟁이 오갔다. '싸워서 물리쳐야 한다.' 는 주장에 반대하는 사람은 거의 없었다. 하지만 싸워서 이길 수 있다는 자신감을 가진 사람은 많지 않았다.

| 이 도끼로 내 목을 치소서! |

조약을 맺을 것인가 말 것인가 이야기가 거듭되는 동안 양반 유학자들을 중심으로 일본을 규탄하고 조약 체결에 반대하는 운동이 크게 일어났다. 하지만 조정에서는 '전쟁을 피하기 위해서는' 조약 체결이 필요하다는 결론을 맺었다. 결국 일본과 조약을 맺고 서로 왕래하며 무역 활동을 하기로 하였다(1876. 강화도 조약).

최익현(1833~1906)

최익현은 "지금 일본인들은 서양 옷을 입고, 서양 총을 사용하며, 서양 배를 탔으니 왜가 곧 서양"이라며, 서양 세력을 물리친 것처럼 일본과의 교섭을 중단할 것을 주장하였다. 그는 대궐 문 앞에 거적을 깔고 자신의 요구를 받아들이지 않으려면 도끼로 자신의 목을 치라며 상소 운동을 벌였다.

조선과 일본이 맺은 조약의 주요 내용

- 일본은 조선의 해안을 자유롭게 다닐 수 있다.
- 조선에서 일본인이 죄를 지어도 조선 정부가 재판하거나 처벌할 수 없다.
- 조선에서 일본 화폐를 자유롭게 사용한다.
- 조선은 일본 상품에 대하여 일체의 관세를 부과하지 않는다.

조약을 맺은 뒤에도 왕래는 소극적이었다. 하지만 조금씩 왕래가 늘면서 더 많은 교류를 주장하는 사람들이 힘을 얻었다. 일본과 청의 변화된 모습이 점차 알려진 때문이었다.

별기군

조정에서는 새로운 부대를 편성하고 일본인 군사 교관을 초청하여 신식 군사 훈련을 시켰다. 이 과정에서 구식 군인들은 심각한 차별 대우를 받았을 뿐 아니라 별기군이 확대되어 결국 자신들이 실직할 것으로 여겼다.

결국 조정에서도 신문물 도입에 나서는 한편, 일본과 청에 시찰단과 유학생을 파견하고 서양 여러 나라들과의 국교 수립을 시도하였다.

일이 이렇게 되자 많은 사람들이 반발하였다. 특히 양반 유학자들은 곳곳에서 반대 모임을 열었으며, 많은 사람들이 서명한 상소문을 들고 궁궐 앞에서 시위를 하기도 하였다.

이들은 서양과 일본은 다 같이 침략자일 따름이고, 우리 문물이 결코 서양 문물에 뒤지지 않는다고 생각하였다. 하기에 서양과의 교류에 반대하고 유교 문화와 전통적인 제도를 지키자고 주장하였는데, 이들의 운동을 위정 척사 운동이라 한다.

| 민중들, 반외세 운동에 나서다 |

일본과 수시로 왕래하고 외국 문물을 받아들이는 것에 반대하기는 민중들도 마찬가지였다. 그리하여 양반 유학자들이 시작한 척사 운동은 민중들의 반외세 운동으로 이어졌다.

반외세 운동은 조정의 지시에 복종하여야 할 군인들에게서 시작되었다. 조정은 부패해 있었을 뿐 아니라, 새 정책을 추진하느라 재정이 바닥

군인에 쫓겨 달아나는 일본인들

폭동을 일으킨 하급 군인들은 정부에 고용된 도시의 하층민들로, 대부분 군인으로 복무하면서 생계를 잇기 위해 상업과 수공업에 종사하고 있었다. 이들은 일본과의 무역이 시작되면서 크게 타격을 받았다. 군인들이 일본 공사관을 공격한 이유 중에는 이런 경제적인 측면도 있었다.

청 복장을 한 대원군

임오군란 때 납치된 대원군은 3년 동안 청에 머물러야 하였다. 이 기간 동안 조선에 대한 청의 내정 간섭이 크게 강화되었다.

나 이들에게 월급조차 주지 못하는 상황이었다.

1882년 6월, 군인들은 실로 13달 만에 밀린 월급을 받게 되었다. 하지만 이들이 받은 쌀에는 모래와 겨가 뒤섞여 있었다.

군인들은 분노하였다. 그들은 폭동을 일으켜 부패한 관리를 처단하고 궁궐을 점령하였다. 또한 일본 공사관을 습격하여 일본인들을 나라 밖으로 내쫓았다(1882. 임오군란). 그러고는 대원군을 추대하여 '외세의 눈치를 보지 않는 나라, 민중들이 설움받지 않는 나라' 를 만들어 줄 것을 요청하였다.

대원군은 문제가 많았던 신문물 도입을 중단시켰고, 민중 생활을 악화시켰던 일본과의 무역을 재검토하도록 하였다. 그리고 부패한 관리들을 쫓아내고, 민중 생활을 개선할 수 있는 방안을 찾으려 하였다.

하지만 일이 대원군의 뜻대로 되지는 않았다. 일본이 배상을 요구하며 서울로 군대를 들이밀었고, 뒤이어 청이 더 많은 군대를 이끌고 서울로 들어왔기 때문이다. 특히 청은 대원군을 납치하여 청으로 끌고 갔고, 폭동을 일으켰던 군인들을 학살하였다. 그리고 서울에 군대를 주둔시킨 뒤 조선의 정치를 제멋대로 주무르려 하였다.

이로써 반외세 운동이 크게 약화되었으며, 자주적으로 추진하던 신문물 도입 노력도 청의 눈치를 보아야 하는 상황이 되었다.

최초의 태극기

임오군란 이후 일본은 전쟁 위협을 하면서 불리한 조약을 강요하였고, 조선에서는 사신을 보내 사과하였다. 이때 일본에 가던 사절단이 처음으로 태극기를 사용하였다.

저요, 저요

1. 우리 나라가 일본과 맺은 최초의 근대적 조약은?
2. 양반 유학자들은 외세의 침략에 맞서 우리 전통 문화를 지키자는 □□ □□ 운동을 벌였다.

한국 언론 재단 종합 뉴스 데이타베이스
http://www.kinds.or.kr

나도 역사가

인터넷의 검색 엔진이나 신문 자료를 이용하여 최익현에 관한 일화를 조사해 보자. 그리고 그의 주장을 다음과 같이 정리해 보자.

최익현의 생각

1) 서양을 어떻게 생각하였나? 2) 서양의 침략에 어떻게 대응하려 하였나?

3) 그가 생각한 바람직한 사회의 모습은 어떤 것이었나?

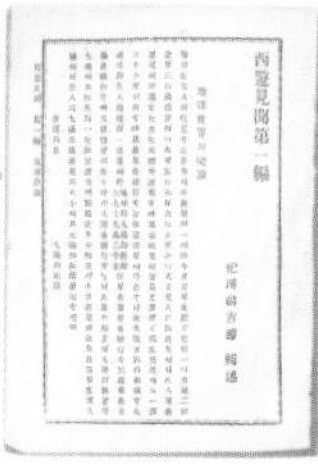

2 근대 국가를 건설하자!

"조선의 개혁은 하루를 늦출 수 없을 정도로 시급하다. 조금이라도 개혁을 늦추게 될 경우, 이미 그 때의 조선은 우리의 조선이 아닐 것이다." 김옥균은 갈수록 초조해졌다. 결국 그는 정변을 일으켜 권력을 잡고 개혁을 앞장서서 이끌기로 작정하였다.

■가 볼 곳 | 우정국, 창덕궁 ■만날 사람 | 김옥균 ■주요 사건 | 갑신정변

| 개화란 무엇인가? |

조사 시찰단의 보고서

1881년, 정부는 12명의 고위 관리가 이끄는 64명의 시찰단을 일본에 파견하였다. 이들은 4개월 동안 일본의 중앙 관청과 산업, 군사, 교육, 문화 시설 등을 직접 방문하고 많은 일본인들을 만나 변화하고 있는 일본의 모습을 꼼꼼히 살피고 돌아왔다. 그리고 수십 권에 이르는 상세한 보고서를 작성하였다.

일본과 강화도 조약을 맺은 뒤 백성들 사이에서 외세에 반대하는 기운이 높아졌지만 새로운 문물을 받아들이려는 정부의 정책은 꾸준히 진행되었다.

이 같은 정책을 앞장서서 이끌고 적극적으로 뒷받침하였던 사람들은 김윤식, 김홍집, 김옥균, 박영효 등 개혁 성향의 관리들로, 대부분 박규수로부터 가르침을 받았다.

이들은 청과 일본의 근대화 과정을 주의 깊게 관찰하였다. 그리고 외세가 침략해 오는 상황에서 나라가 부강해져야만 자주 독립을 유지할 수 있다고 판단하였다.

그래서 외국의 산업 시설과 군사 시설을 살피고, 그들의 무기와 기계를 도입하려 하였으며, 많은 유학생을 일본과 청에 보내려 하였다. 또 신문을 발행하여 개혁이 필요함을 널리 알리고자 하였다. 이처럼 여러 분야에 걸친 새로운 문물을 받아들여 부강한 나라를 만들려던 움직임을 개화 운동이라 한다.

| 청의 간섭에서 벗어나자 |

임오군란으로 집권한 대원군은 개화 정책을 중단시켰다. 하지만 대원군이 곧장 물러나자 조정에서는 개화 정책을 본격적으로 추진하겠다고 선언하였으며, 전국의 척화비를 모두 뽑았다. 하지만 군란을 진압한 청

김윤식(1835~1922)

서양의 우수한 기술 문명은 받아들이되, 우리의 전통과 정신 문명을 지키는 것이 중요하다고 생각하였다. 김옥균 등이 일본과 가까웠던 것과 달리 김윤식은 청을 통해 개화를 이룩하려 하였으며 청이 임오군란과 갑신정변을 탄압할 때 관여하기도 하였다.

은 군대를 계속 주둔시킨 채 조선이 마치 자기 나라의 속국이나 되는 것처럼 감시하고 감독하려 들었다. 개화 정책도 청이 인정하는 범위 안에서 이루어질 수밖에 없었다. 신식 군대가 다시 창설되고 새로운 문물이 도입되었지만, 군인들의 훈련을 맡은 것도 청이었고 새 문물의 도입도 청을 통해야만 가능하였던 것이다.

청의 개입은 오랫동안 독립을 지켜 왔던 조선으로서는 참을 수 없는 일이었다. 이에 청의 개입에 반대하는 세력이 점차 형성되었다. 김옥균과 박영효가 중심이 된 개화당도 그 가운데 하나였다. 개화당은 '청으로부터 독립하는 것이 절대 필요하다.' 며 청에 의존하는 관리를 몰아내고 청군의 철수를 요구하여야 한다고 생각하였다.

또한 " 조선의 개혁은 하루를 늦출 수 없을 정도로 시급하다. 조금이라도 개혁을 늦추게 될 경우, 이미 그 때의 조선은 우리의 조선이 아닐 것이다."라며 시급한 개혁을 주장하였는데, 서양의 기술 문명은 물론 정치 제도와 종교까지 받아들이자는 것이 이들의 주장이었다.

| 3일 동안의 꿈 |

김옥균 등이 더욱 활발하게 활동하면서 개화 세력 내부에서도 틈이 생겨났다. 그리고 청의 방해와 견제도 점차 심해졌다.

결국 김옥균 등은 세력을 결집하여 정변을 일으키기로 결정하였다. 마침 프랑스와 전쟁을 벌이던 청이 서울에 주둔하고 있던 청군을 상당수 철수시킨 것이 계기가 되었다. 김옥균은 거사가 성공할 것이라 믿었고, 프랑스와 싸우느라 바쁜 청이 더 이상 군사 개입을 할 수 없을 것이라고

개화당의 주요 인물

박규수로부터 자주적인 개화의 중요성을 배웠으며, 정부의 개화 정책을 추진하는 실무 담당자 역할을 하였다. 일본의 개혁을 모델로 삼아 근본적인 정치 개혁을 추진하려 하였다. 왼쪽에서부터 김옥균, 서광범, 박영효, 홍영식이다.

판단하였다.

1884년 10월 17일, 개화당 인사들은 일본과 손을 잡고 정변을 일으켜 정권을 잡았다. 그리고 새로운 정책을 발표하였다(1884. 갑신정변).

갑신정변 직전의 개화파

앞줄 가운데 앉은 사람이 박영효, 그 옆에 앨범을 든 사람이 서광범, 뒷줄 왼쪽에서 네 번째가 유길준이다.

> 청에 의존하지 않고 자주 독립을 튼튼히 하며,
> 양반 중심의 신분 제도를 개혁하며,
> 조세 제도를 고치고 민중 생활을 돌보며,
> 왕의 친척들이 정치에 참여하지 않도록 하며,
> 중요 정책은 대신들이 의논해서 결정한다.

바야흐로 낡은 신분 제도를 무너뜨리고 새로운 정치 제도를 바탕으로 근대 국가의 모습을 갖추기 위한 새출발이 이루어지고 있었다.

하지만 새로운 정책이 발표된 그 순간, 서울에 주둔하고 있던 청군이 궁궐을 공격하였다. 개화당의 군사로는 청군을 막아 내기에 역부족이었고, 정변은 3일 만에 실패로 끝났다.

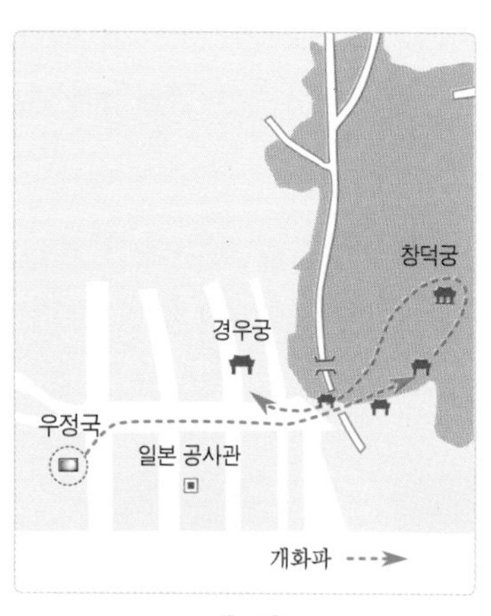

제1일

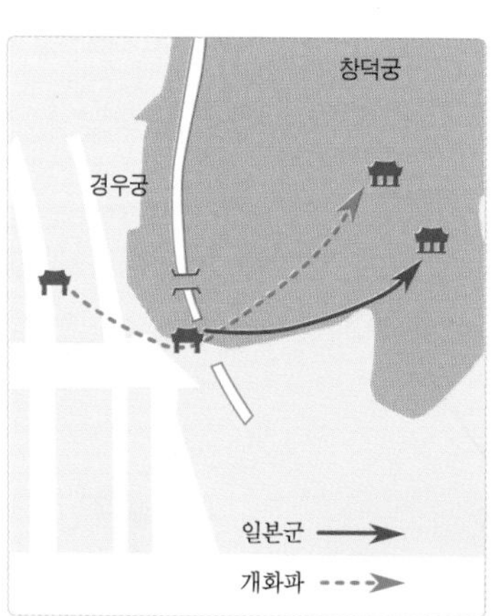

제2일

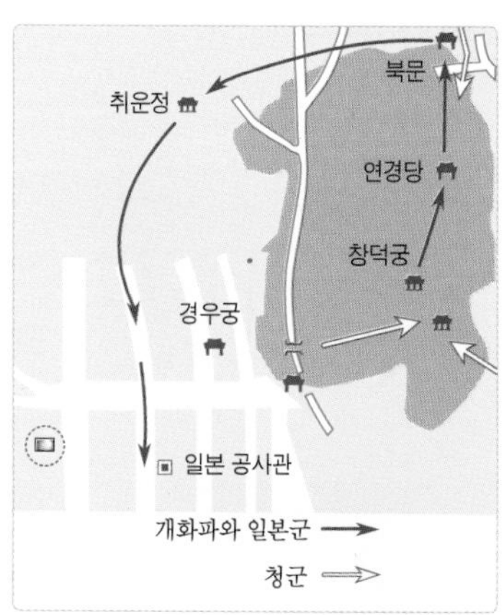

제3일

갑신정변

개화당 인사들은 우정국 개국 축하연이 열리는 저녁에 거사를 단행하였다.
축하연이 진행되는 동안 화재를 일으킨 다음 당황하여 나오는 대신들을 살해하고 궁궐을 장악하였다.
그러고는 반대 세력을 제거하고 개혁 정책을 발표하였다.

| 이 나라를 어찌할 것인가? |

거문도 사건

영국이 거문도를 점령하자 조선은 문제 해결을 청에 요청하였다. 청은 영국, 일본과 함께 조선을 침략하지 않겠다는 약속을 러시아로부터 받아냈고, 영국은 군대를 물렸다. 사진은 거문도를 불법 점령하였던 영국 군함이다.

갑신정변을 제압한 다음, 청은 조선을 더욱 심하게 간섭하였고, 일본도 물러서지 않으려 하였다. 여기에 러시아, 영국이 개입하여 자주 독립을 지키는 일은 점점 어려워져 가고 있었다.

하지만 조정에서는 정변에 조금이라도 관련이 있는 인사를 몰아냈고 개혁을 추진하기보다는 러시아를 끌어들여 상황을 극복하고자 하였다. 하지만 이 정책은 또 다른 외세를 불러왔다. 이번에는 영국이 우리 문제에 끼어들어 거문도를 부당하게 점령한 것이다(거문도 사건. 1885~1887).

자주적 근대 국가로 탈바꿈하지 못한 상태에서, 한반도가 외세의 치열한 경쟁터가 되고 있었다.

저요, 저요

1. 선진 문물을 도입하여 부강한 나라를 만들려는 움직임을 □□ 운동이라 한다.
2. 갑신정변을 주도한 인물을 세 사람만 들어 보자.

나도 역사가

거문도 사건이 일어난 1885년은 강대국들에 의해 우리의 운명이 크게 요동치던 해였다. 다음 글을 참고하여 조선이 자주 독립을 유지할 수 있는 방법이 무엇이었을지 토론해 보자.

"중국이 중심이 되어 영국, 프랑스, 일본, 러시아 등 아시아 지역과 관계 있는 나라들을 모두 모으고, 여기에 조선도 참가하여 중립화를 위한 조약을 맺자. 조선의 중립화야말로 모든 나라의 안전을 보장하는 길이다."

유길준

"밖으로 외교를 잘하고 안으로는 정치를 개혁하고 인민을 교육하면, 상업을 일으켜서 경제력을 키우고 군대를 양성하는 일도 어려운 일이 아니다. 이같이 하면 영국은 거문도를 돌려 줄 것이요, 다른 나라도 침략할 생각을 끊을 것이다."

김옥균

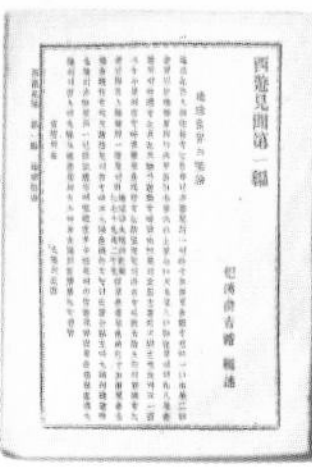

3 왜양을 몰아내자!

"났네 났어 난리가 났어 에이 참 잘 되얏지
그냥 이대로 지내서야
백성이 한 사람이나 어디 남아 있겠나."
1894년 역사적인 갑오 농민 전쟁이 일어나기 직전의 농촌 사회는 이러하였다. 농민들에게 격문을 보내 항쟁에 동참할 것을 요청하자, '날마다 난이 일어나기를 노래하던 이들이 곳곳에서 봉기하는 그 날이 오기를 기다렸다.' 는 것이다.

■만날 사람 | 최시형, 어윤중 ■주요 사건 | 보은 · 금구 집회

| 온 나라가 민란의 물결 |

임술년(1862)의 농민 봉기 이후에도 농민들의 항쟁은 이어졌다. 농민들이 요구하였던 조세 제도의 개혁도, 탐관 오리의 제거도 이루어지지 못하였기 때문이다. 게다가 개화 정책이 추진되면서 세금은 늘어났고, 외국 상인들이 활개를 쳐 살기는 더욱 어려워지고 있었다.

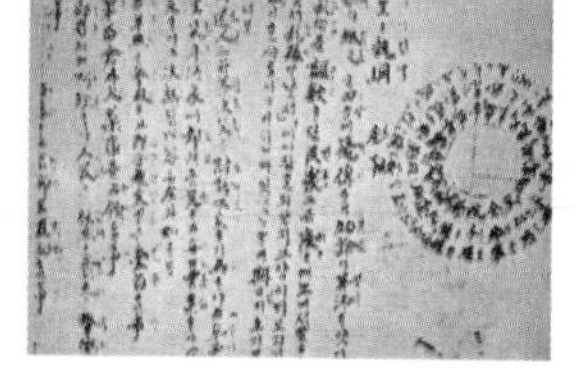

사발 통문
민란은 주동자들이 마을마다 집회의 개최를 알리고 동참을 기대하는 통문을 돌리는 데서부터 시작한다. 사진은 1893년 고부에서 작성된 사발 통문이다.

온갖 잡세에 허리가 휘고 부정한 관리의 탐욕에 시달리던 농민들은 고을 단위로 봉기를 일으켰다. 농민들은 관청으로 쳐들어가 못된 관리를 혼내 주고, 부당하게 빼앗겼던 곡식들을 나누어 가졌으며, 수령을 고을 밖으로 내쫓았다.

이같이 진행된 '민란' 은 1889년을 고비로 급격히 퍼져 나갔으며, 1893년에는 한 해에 65곳에서 민란이 일어나는 등 그야말로 '민란의 시대' 에 접어들었다. 이제 농민의 힘을 한데 모을 수만 있다면 전국적인 항쟁이나 혁명도 가능할 상황이었다.

| 왜양을 몰아내자! |

민란은 항상 고을 단위로 일어났고, 항쟁에 나선 농민들도 고을 경계를 넘어서서 행동하지는 않았다. 그러나 농민들은 자신들의 어려움이 몇몇 탐관 오리 때문만은 아니라는 것을 점차 깨닫게 되었다.

온갖 잡세를 만들어 자신의 재산을 빼앗고 뇌물을 받아먹고 탐관 오리를 다시 등용하는 조정이 문제의 근원이라는 점을 알게 되었다. 게다가

외국에서 들어온 물품이 자신의 수공업을 짓누르고, 외국으로 팔려가는 쌀들이 자신의 쌀값을 올리고 있다는 점도 알게 되었다.

그리하여 고을의 경계를 넘어서서 도 단위로, 전국적으로 단결하여 무엇인가를 해 봐야 한다는 생각이 일어나기 시작하였다. 원님 쫓아내기를 넘어서서, 아예 세상을 뒤집어야 한다고 생각하는 사람들이 점차 늘어났다. 이어 일본과 서양 세력을 몰아내는 척왜양 운동에 나서야 한다는 주장도 급격히 성장하였다.

이런 분위기 속에서 동학이 빠른 속도로 농민들 속으로 퍼져 나갔다.

1890년대의 대외 무역

이 시기의 무역은 일본 상인이 면제품을 가지고 와서 우리 쌀을 사가는 방식으로 이루어졌다. 이에 따라 농촌 수공업이 타격을 입고, 쌀가격이 급격히 올라 농민의 생활은 크게 악화되었다.

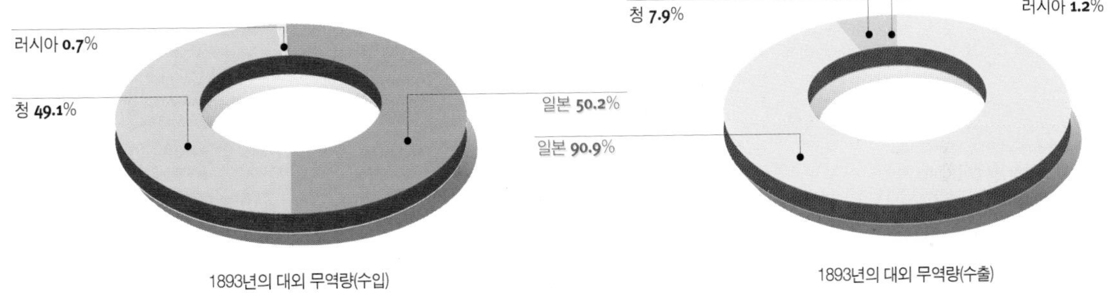

1893년의 대외 무역량(수입)

1893년의 대외 무역량(수출)

농민들, 역사의 주인으로 일어서다

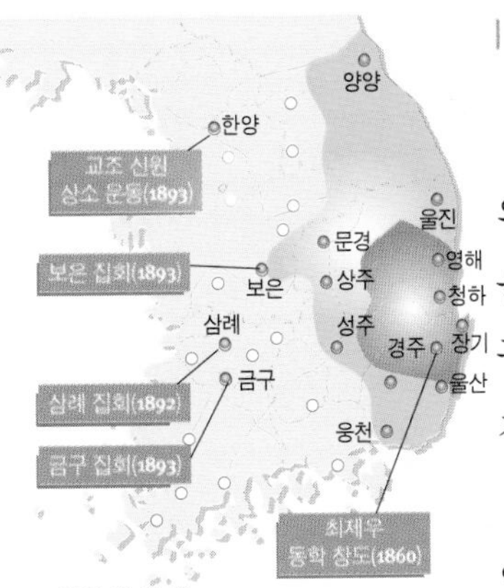

동학의 확산

동학의 평등 사상과 새 세상이 올 것이라는 예언은 민중들 속에서 큰 호응을 얻었다. 또한 사회를 바꾸고자 하는 사람들이 동학 조직에 참가하여 교도들과 함께 사회 개혁 운동에 나서려 하였다.

동학이 확산되면서 농민들의 활동 방식도 달라졌다. 분산적이던 농민의 불만과 요구는 동학 조직과 연결되면서 순식간에 큰 힘을 얻었다. 고을 단위로 활동하던 예전과 달리, 도 단위로 집회를 열어 관찰사에게 요구 조건을 내기도 하고, 전국에서 대표를 뽑아 대궐 앞 상소를 벌이거나 전국적인 농민 집회를 열기도 하였다.

1893년 3월, 충청도 보은에는 수많은 농민들이 모여들었다. 전국 곳곳에서 몰려든 수만 명의 농민들은, "척왜양 창의!"라고 써붙인 깃발을 들고 여러 날 동안 행진과 집회를 거듭하였다. 같은 때, 전라도 금구에서도 비슷한 집회가 열리고 있었다. 특히 금구의 농민들은 보은에 모인 농민들과 합세하여 당장에라도 서울로 올라가자고 주장하기도 하였다.

당황한 조정에서는 여러 차례 높은 관리들을 보내 농민들과 대화를 시도하였다.

최시형(1827~1898)

동학의 2대 교주로 경전을 정리하고 교단 조직을 만들었다. 사회 개혁을 위한 농민 항쟁보다는 동학 교세의 확장을 중시하였다.

어윤중(1848~1896)

개화 정책 추진에 많은 노력을 하였던 어윤중은 보은 집회에 참가한 사람들을 "재주와 기개는 있으나 뜻을 이루지 못한 자, 탐학이 자행되는 것을 분하게 여겨 백성을 위하여 목숨을 걸고 탐학을 제거하려는 자, 외국 오랑캐가 우리의 이권을 침탈하는 것을 분하게 여겨 반대하는 자, 탐관 오리들의 가렴주구에 시달리면서도 호소하여 억울함을 풀 길이 없는 자 (중략)"들이라고 보고하였다.

농민– "일본과 서양 오랑캐가 나라 안을 차지하고 있으니, 한양은 이미 적의 소굴이 되었다."

관리– "이 일은 조정에서 충분히 의논하여 결정한 일이다. 어찌 번거롭게 너희들이 끼어들려고 하는가?"

농민– "외국에는 나라마다 민회라는 것이 있어서, 여기서 중요한 사항을 결정한다고 한다. 국민의 한 사람으로서 우리의 행동은 당연한 것이다."

결국 자신들의 의사를 정책에 충분히 반영하기로 약속한 관리들의 설득으로 농민들은 해산하였다. 그러나 여러 날에 걸친 집회 기간 동안, 농민들은 고을 단위로 일어났던 민란의 경험을 서로 나눌 수 있었으며, 자신들의 단결된 힘이 조정을 당황하게 할 정도라는 사실을 알고 자신감을 얻게 되었다.

이제 자신들은 스스로 역사의 주인임을 주장하기 시작하였으며, 자신들이 세상을 바꿀 수 있음을 실감하게 되었다.

저요, 저요

1893년, 농민들은 □□과 □□에서 집회를 열어 개혁과 외세 배척을 요구하였다.

나도 역사가

1880년대 이후 동학이 농민들 속으로 확산된 이유를 설명해 보자.

〈여성과 역사〉

청춘 과부의 재가를 허용하라!

아하 칭칭 나네
그달 그믐 허송하고 새달 초승 들었구나
이월이라 한식 날에 나무마다 꽃이 피고
가지마다 잎이 피고 어얼하다 우리 님아
기우대가 잦아지고 꽃피는 줄 왜 모르노
잎 피는 줄 왜 모르노 (중략)

—울산 지방에 전해지는 민요—

새 달이 되고, 가지마다 잎이 피고, 꽃이 피어도 돌아올 수 없는 님을 그리는 젊은 과부의 가슴 아픔을 누가 함께 해 줄 수 있을까?

양반입네 하는 집일수록 청춘 과부의 새 시집가기는 불가능하였다. 그에게는 평생 동안 한숨과 눈물만이 기다리고 있었다. 그리고 죽은 뒤에는 그를 위해서가 아니라, 그의 가문을 위해 작은 홍살문이 하나 세워질 뿐이었다.

청춘 과부의 재가, 그것은 여성을 인격을 가진 존재로 볼 때 가능한 것이었다. 남편을 위해 봉사하는, 자식을 낳아 대를 잇는 수단으로서가 아니라 여성의 삶 그 자체가 목적으로 여겨질 수 있어야 하였다.

동학에서는 여성도 똑같이 존중받았다. 그렇기 때문에 여성을 통한 신내림도 가능하다고 믿었다. 그리고 신내림을 받기도 하였다. 1894년 농민군의 장흥 공격 때, 그들의 선두에 서서 농민군을 이끌었던 지도자는 여성이었다. 23살의 청춘 과부 이소사가 바로 그였다.

여성들도 사람으로서 존중되고, 여성들이 뭇 남성을 지도하며 새 세상 만들기에 참가할 수 있는 세상을 활짝 열기 위하여 농민들은 "청춘 과부의 재가를 허용하라!" 고 외쳤다.

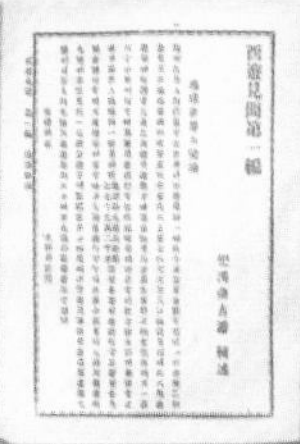

4 보국 안민의 깃발을 들고

"우리가 의로운 깃발을 들어 여기에 이르렀음은, 안으로 못된 관리의 머리를 베고, 밖으로 횡포한 외적을 쫓아 내몰고자 함이라." 힘차게 격문을 낭독하자 백산은 온통 함성으로 뒤덮혔다.

■가 볼 곳 | 황토재, 우금고개 ■만날 사람 | 전봉준, 김개남, 손화중 ■주요 사건 | 갑오 농민 전쟁

전봉준(1853~1895)

가난한 양반 출신으로 고부의 동학 접주였다. 동학 교도들을 조직하여 "못된 관리를 몰아내고 보국 안민의 업을 이루기 위해" 1892년 동학에 가입하였다고 말하였다.

김개남(1853~1895)

1890년 동학에 참가하였으며 태인의 접주였다.

손화중(1861~1895)

1880년대 말 동학에 참가하였으며 무장을 중심으로 큰 세력을 형성하였다.

| 고부성을 함락하고 서울로 가자! |

보은, 금구 집회 이후 전라도의 동학 교도들은 본격적인 투쟁을 준비하였다. 특히 전봉준과 손화중, 김개남 등 금구 집회에 참여하였던 동학 지도자들은 1893년 가을부터 여러 차례 모임을 갖고 여러 고을에서 동시에 봉기를 일으켜 대규모 투쟁으로 확대하기로 의견을 모았다. 그리고 '고부성을 함락하여 군수 조병갑의 목을 벤 다음, 전주성을 함락시키고 서울로 곧바로 쳐들어갈 것'을 주요 내용으로 하는 구체적인 봉기 계획을 세웠다.

이 무렵 고부의 농민들 사이에서 부정을 저지른 군수를 상대로 강력한 저항 운동이 일어났다. 농민들은 군수와 전라 관찰사에게 잘못을 바로잡도록 요구하였다. 평화적인 시위가 먹혀들지 않자, 고부의 농민들은 전봉준이 봉기를 이끌기를 바랐고, 전봉준은 앞장을 섰다.

고부 농민들은 동헌을 공격하여 무기를 빼앗고 억울하게 잡혀 있던 죄수들을 풀어 주었으며, 창고를 열어 부당하게 빼앗긴 재물을 되찾았다(1894. 1. 고부 민란).

| 안으로 못된 관리의 머리를 베고 |

뜻한 바를 이룬 농민들은 해산하기 시작하였다. 그러나 전봉준 등 농민군 지도부는 군사력을 유지하면서 이웃 고을 농민들의 봉기를 촉구하는 격문을 발표하였다. 그리고 손화중, 김개남 등 이웃 고을 동학 지도자들과 접촉하면서 대규모 봉기를 추진하였다.

만석보 터에 세워진 비석

만석보는 고부 민란의 발단이 되었다. 전봉준은 "고부 군수가 새로 만석보를 만들어 부당한 물세를 거두었으며, 자기 아버지의 비석을 세운다고 돈을 거두고, 부모에게 효도하지 않는다, 이웃끼리 화목하지 않다 등등 말도 안 되는 이유로 수없이 많은 돈을 거두었기 때문에 봉기를 일으켰다."고 말하였다.

이 해 3월 20일, 고부 고을의 승리에 힘을 얻은 이웃 고을 민중들이 무장으로 모여들었다. 무장에 모인 농민군들은 "나라를 바로 잡고 민중의 생활을 개선하자(보국 안민)." 며 본격적인 투쟁을 선언하였다(1894. 3. 무장기포). 그리고 고부를 다시 점령한 다음 백산에 진을 치고,

> "우리가 의로운 깃발을 들어 여기에 이르렀음은, 안으로 못된 관리의 머리를 베고, 밖으로는 횡포한 외세를 우리 손으로 내쫓고자 함이라." – 〈격문〉 –

고 선언하였다. 바야흐로 갑오 농민 전쟁이 불붙기 시작하였다.

당황한 전라 관찰사는 긴급하게 정부군의 파견을 요청하는 한편, 전라도 일대의 모든 군대를 동원하여 농민군을 공격하려 하였다. 그러나 농민군은 여러 고을을 공격하여 잘못된 행정을 바로잡고, 못된 관리와 양반 부호들을 응징하면서 전투를 준비하였다.

백산으로 몰려드는 농민군들

백산에 진을 친 뒤, 죽창을 손에 쥔 수많은 농민군들이 몰려들었다. 앉으면 죽창만 드러나고, 일어서면 흰옷만 하얗게 보여 "앉으면 죽산, 서면 백산"이라는 말이 생겨났다.

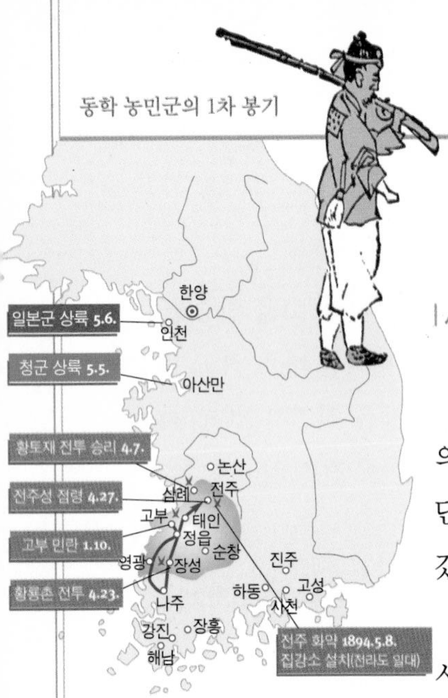

| 새로운 세상을 만들자 |

농민군과 관군의 대규모 전투는 고부의 황토재에서 치러졌다. 농민들의 전폭적인 지지를 받고 있던 농민군은 허겁지겁 조직된 전라 감영군을 단숨에 물리쳤다. 그리고 여세를 몰아 여러 고을로 한꺼번에 밀고 들어갔다.

전라도 관군이 농민군에 패하였다는 소식이 서울로 전해지자, 조정에서는 급히 서울의 정예 부대를 파견하였다. 그러나 농민군은 진격에 진격을 거듭하면서 이들을 물리치고 전주성을 점령하였다.

관군의 거듭되는 패배에 당황한 조정에서는 청에 농민군을 진압할 군대를 파견해 줄 것을 요청하였다. 청이 군대를 보내자, 일본도 뒤질세라 과거에 맺은 청과의 조약을 근거로 조선에 군대를 파견하였다.

외세의 침략으로 상황이 급변하자 농민군은 대개혁을 요구하며 조정과 협상을 벌였다. 조정이 개혁 정책 실천을 약속하자 전주성에서 철수하였다(1894. 5. 전주 화약).

전주에서 물러난 농민들은 당당하게 자기 고을로 돌아가, 고을마다 도소, 혹은 집강소라 불리는 농민 자치 기구를 두고 그 동안의 잘못된 행정을 뜯어고쳤다. 못된 양반 · 부자를 혼내 주고 노비 문서를 불태웠다. 그리고 토지를 골고루 나눌 것을 주장하였다.

조정에서도 조세 행정을 고치고 탐관 오리를 내쫓으며 신분제를 폐지하는 등 농민들의 요구를 받아들인 개혁을 추진하였다. 이제 농민 전쟁은 겉으로 드러난 잘못된 행정을 고치는 수준을 넘어서 새로운 사회를 건설하고자 하는 혁명이 되고 있었다.

인천에 상륙한 일본군

1894년 6월, 보병과 기마병으로 구성된 일본군이 인천에 상륙하였다. 갑신정변 때 청에 굴복했던 일본은, 청을 가상의 적으로 삼고 10년 동안 전쟁을 준비하여 왔다.

청 · 일 전쟁

대규모 군대를 파견한 일본은 청군을 기습 공격한 다음 전쟁을 선포하였다. 이듬해 초 전쟁이 종결되었는데, 청은 조선에서 완전히 철수하고, 대만과 요동 반도까지 일본에 넘겨 주었다.

| 일본군을 물리치고 혁명을 완수하자! |

일본군은 청과 전쟁을 벌이는 한편, 조선을 보호국으로 만들기 위한 계획을 밀어부쳤다. 이를 위해 가장 강력한 항일 세력인 농민군을 공격하려 들었다.

동학 농민군의 2차 봉기

그 해 9월, 농민들은 '나라의 주권을 지키기 위해, 농민 전쟁을 통해 이룩한 혁명의 성과를 지키기 위해' 다시 일어섰다(1894. 9. 2차 봉기).

"우리 군은 훈련이 안 되어 있고 무기는 장난감과 같았다. 무기가 우수하고 잘 훈련된 일본군을 이길 수 있다고는 처음부터 믿지 않았다. 그러나 나라가 흔들리고 있으니 죽더라도 일어서는 것이 옳다." —〈동경 조일 신문〉, 1895. 3. 5.—

이런 전봉준의 마음은 모든 농민군의 마음이었다.

농민군은 일본의 정예 부대와 관군, 양반들로 조직된 민보군에 맞서 과감한 투쟁을 벌여 나갔다. 하지만 공주 우금고개 전투를 분기점으로 농민군의 항쟁은 좌절되고 말았다.

농민들의 봉기는 끝내 성공하지 못하였다. 하지만 부패하고 무능한 정권을 무너뜨려 개화파 관료들이 근대적 개혁을 추진할 수 있는 분위기를 만들었다. 무엇보다 이름 없는 민중들이 국가의 주인임을 선언함으로써, 민중들이 앞장선 근대화와 반외세 운동을 본격적으로 열어젖혔다.

저요, 저요

1. 고부 민란을 주도하였으며 갑오 농민 전쟁의 최고 지도자였던 인물은?
2. 농민들은 도소, □□□ 라는 농민 자치 기구를 두어 개혁을 실천하였다.

정읍시청 역사 문화관
http://culture.chongup.chonbuk.kr
전북 교육 정보 과학원 동학 농민 혁명
http://i.cein.or.kr
갑오 농민 혁명 계승 사업회
http://www.donghak.or.kr

나도 역사가

오른쪽 사진은 정읍시 고부면에 있는 '무명 동학 농민군 위령탑'이다. 왼쪽의 사이트를 참고하여 농민 전쟁의 전개 과정을 순서대로 정리하고, 관련된 유적지의 사진을 모아 보자.

〈역사의 현장〉

집강소를 찾아서

늦잠을 잔 것도 아닌데 해는 벌써 중천에 떠 있었다. 서둘러 아침을 먹고 동헌으로 나갔다. 오늘은 하루 종일 동헌에 머물면서 우리 고을이 어떻게 돌아가는지 살펴보려 한 날이었다. 아버지께서 왜 농민군에 가담하셨는지, 그리고 어떤 세상을 만들려 하시는지 알고 싶었기 때문이다.

동헌이 가까워지면서 창이나 칼을 든 사람들이 곳곳에 늘어서 있는 것이 보였다. 그러나 늘 호령하듯 나타나던 무서운 포졸의 느낌은 전혀 찾을 수 없었다. 동헌 문을 들어서니 뜰 아래 여러 명의 군인들이 늘어서 있는데 뜰 위에 서 있는 집강 아저씨의 모습에 위엄이 있었다.

집강 아저씨의 호위군인 아버지가 나를 반가이 맞아 주셨다. 그러고는 오늘 아침에 있었던 일을 귀띔해 주셨다. 집강 아저씨와 원님은, 함부로 거두어들인 세금을 돌려 주고, 나쁜 짓을 많이 한 향리들을 혼내 주기로 합의하였다고 하셨다. 그리고 조세 제도 개선을 요구하는 상소문을 원님이 작성하기로 하였다며 자랑스럽게 말씀하셨다.

점심 때가 되었을 무렵, 동헌 문 밖이 갑자기 시끄러워졌다. 얼른 달려가 보니, 우리 마을의 김 진사님이 원님을 찾아온 것이었다. 도포 자락에는 흙이 묻어 있었고, 갓도 뒤틀려 있었다.

"미련한 종놈이 글쎄 종문서를 내놓으라고 행패를 부리지 뭐요. 양반과 상놈의 차별이 엄연한데, 저 무식한 상놈들이 글쎄, 내 옷을 이 모양으로 만들고, 허, 참…."

지난 겨울에 소작료를 가지고 갔을 때 보았던 김 진사의 위엄은 찾기 어려웠다.

날이 어둑해지면서 많은 사람들이 동헌에 몰려들었다. 그 무섭던 동헌 마당에서 아저씨들은 이야기 꽃을 피웠다.

나는 아버지 옆에 쪼그리고 앉아 어른들이 나누는 이야기를 들었다.

"올 가을부터는 지주가 세금을 내도록 했으면 좋겠어."

"왜 아니야, 원래 지주가 내야 할 세금을 우리가 모두 냈지. 그나마 소작지 떼일까 봐 대꾸 한 번 못하고."

"아니야, 그 정도론 안 되지. 아예 소작료를 줄여 달라고 해야지."

"땅을 빼앗기고 외지로 떠났다는 복동이네도 불러들여야지. 그리고 그 사람들에게 농사지을 땅을 마련해 주어야 해."

"에이, 그 놈의 땅이 무엇인지. 농사짓는 이들이 골고루 땅을 가질 수 있다면 얼마나 좋겠나."

오늘 나는 아주 늦게야 집으로 돌아왔다.

우리 아버지, 그리고 모든 이들의 소망이 꼭 이루어졌으면 좋겠다.

1894년 7월 ㅇㅇ일

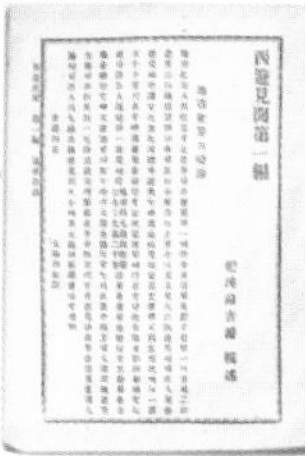

5 자주와 근대화의 갈림길

개혁이 진행되면서 왕실과 양반층의 격렬한 반대가 일어났다. 궁지에 빠진 개화 정권은 일본군에 의존하여 농민군을 공격하는 길을 선택하였다. 농민군이 제압되고 개혁은 계속되었다. '근대화' 조치가 발표되었지만 아무도 달가워하지 않았다.

■가 볼 곳 | 경복궁 ■만날 사람 | 유길준, 김홍집 ■주요 사건 | 갑오개혁, 을미사변, 을미 의병

| 농민 전쟁이 근대적 개혁을 끌어내다 |

갑신정변이 실패로 끝난 뒤, 개혁을 주장하던 세력은 큰 타격을 받았다. 정변에 관련된 자들은 물론이고 관련되지 않은 사람들도 관직에서 밀려났으며 정치는 왕실 측근 세력을 중심으로 이루어졌다. 신문물 도입조차 청이 설정해 준 범위 안에서만 소극적으로 이루어졌다.

1894년, 전라도에서 터져나온 농민 전쟁은 개혁 세력이 본격적으로 움직이는 계기가 되었다. 유길준 등은 "전라도 인민들이 폭동을 일으킨 것은 관리들의 부정과 비리에서 비롯되는 것"으로 생각하였다. 그리고 "서둘러 수습하지 않을 경우 청·일의 개입을 불러와 나라의 주권이 흔들릴 것"이라며, 개혁을 추진할 정권을 세우기 위해 노력하였다.

한편 청군과 함께 조선을 침략한 일본은 청·일 전쟁을 도발하고 조선에 대한 지배권을 굳힐 수 있는 기회를 엿보고 있었다. 일본은 조선의 내정 개혁을 요구하며 경복궁을 점령한 뒤, 김홍집, 유길준 등을 중심으로 하는 개화파 정권을 탄생시켰다.

김홍집(1842~1896)
일찍이 일본의 발전된 문물 수입을 주장하였던 개화파 정치인이다. 갑오개혁의 중심 인물이었으며, 반일 분위기가 확산된 1896년 민중들에게 살해당하였다. 사진은 1880년 일본을 방문하였을 때 모습이다.

| 근대 사회로의 변화 |

개화파 정권은 특별 개혁 기구로서 군국 기무처를 조직하였다. 군국 기무처 의원들은 동등한 자격으로 토론에 참가하고 다수결 방식으로 정책을 결정하면서 수많은 개혁 정책을 만들어 냈다(1894, 갑오개혁).

개화파 정권은 양반과 상민·천민의 차별을 폐지하고 귀천의 구별 없이 인재를 고루 등용할 것이며, 지방민들이 고을의 행정에 참여할 수 있

개혁 안건을 토론하는 군국 기무처

경복궁을 점령한 일본은 왕을 압박하여 정치에서 손을 떼게 한 다음, 군국 기무처를 통해 정책을 결정, 집행할 수 있도록 하였다.

는 길을 열겠다고 선언하였다. 그리고 농민 전쟁의 직접적인 원인이 되었던 조세 행정을 고치고 부패한 관료들을 몰아냈으며, 과거 제도를 폐지하고 중앙 정치 제도를 개혁하였다.

군국 기무처의 이러한 개혁 정책은 곧바로 한글로 인쇄되어 전국 각지에 공포되었으며, 온 나라 사람들에게 엄청난 충격을 주었다.

국왕 — "일본을 끌어들여 짐을 핍박하였으며 임금을 허수아비로 만들고 있다. 짐은 이를 결코 용서하지 않을 것이다."

양반들 — "반상의 구별은 엄연한 것, 도적(농민군)들에 억눌려 오랜 전통을 무시하고, 외세를 끌어들여 임금을 위협하는 일은 참을 수 없다."

농민들 — "우리의 요구가 받아들여져 다행이다. 그러나 토지 개혁이 뒤따르지 않는다면 이 모든 조치가 허구화될 것이다. 청과 일본이 우리 땅에서 전쟁을 벌이고 있는데, 이들의 철수를 요구하라."

천민들 — "세부 지침이 빨리 내려져 모든 천민의 해방이 이루어져야 할 것이다. 그렇지 않으면 우리 손으로 자유를 쟁취할 것이다."

| 자주와 근대화의 갈림길에서 |

개혁이 시작되면서 농민 전쟁은 수습 단계에 접어들었다. 농민들은 개혁의 진행을 지켜보면서 대규모 봉기를 자제하고 집강소를 중심으로 비교적 질서 있는 활동을 전개하고 있었다.

그러나 개혁에 대한 왕실과 양반 계층의 반발은 거셌다. 왕실과 정부를 분리시키고, 대신들이 합의에 의해 정치를 운영한다는 방침에는 왕실이 강력히 반발하였다. 또 양반들의 특권을 없애고 노비 해방을 추진하려던 조치에는 양반층도 강하게 반발하였다.

궁지에 몰린 개화파 정권은, 일본군에 의존하고 양반들을 끌어들여 농민군을 공격하는 길을 선택하였다. 신분제의 완전 폐지는 문벌의 폐지로 축소되고, 농민들이 그토록 바랐던 토지 개혁은 검토조차 하지 않았다.

농민군이 제압된 뒤에도 개화 정권은 개혁 조치를 잇달아 발표하였다. 하지만 농민은 그 개혁을 지지하지 않았고, 양반 지배층도 그들을 못마땅하게 생각하였다. 이들에게 근대화는 일본을 닮아 가는 것으로 받아들여졌고, 일본은 우리를 침략한 자들이기 때문이었다. 개화파 정권은 점점 더 일본에 의존해야만 하였다.

옥호루

명성 황후가 시해된 장소이다.

이런 가운데 개혁에 불만을 품은 왕실과 일부 세력이 러시아를 끌어들여 일본에 의존한 개화파 정권을 무너뜨리려 하였다. 그러자 일본은 군대를 동원하여 왕비를 살해하고(1895. 을미사변) 새로운 정권을 세웠다.

새 정권은 양력 사용, 단발령 시행, 의복 제도 근대화 등의 조치를 발표하였다. 하지만 개화파 정권은 이제 친일 정권으로 받아들여졌고, 그들이 무슨 이야기를 하든 그것은 반발의 대상이 되고 있었다.

명성 황후의 장례식(1897.11.)

청·일 전쟁으로 일본의 세력이 커지자, 러시아는 프랑스와 독일을 끌어들여 일본을 견제하였다. 일본이 궁지에 몰리자 왕실은 친러 정권을 수립하여 일본에 맞서려고 하였다. 외세의 틈바구니에서 친청, 친러 정책을 유연하게 구사하였던 명성 황후(1851~1895)가 이 움직임의 중심에 서 있었다.

저요, 저요

1. 개화파 인사들이 개혁 정권을 수립할 수 있는 계기가 된 농민 운동은?
2. 신분제 폐지, 왕실과 정부의 분리 등 근대적 개혁이 이루어진 사실을 일컫는 말은?

나도 역사가

다음 글을 읽고 단발령 실시에 얽힌 여러 가지 이야기를 조사해 보자.

단발령 실시

한국 언론 재단 종합 뉴스데이타베이스
http://www.kinds.or.kr

을미사변 이후 성립된 개화파 정권은 단발령을 실시하려고 하였다.

'상투를 자르고 망건을 폐하자.' 는 단발령은 당시로서는 엄청난 충격이었다. 그래서 심각한 토론이 계속되었다. 한편에서는 "단발은 위생적이고 편하다." 며 근대적인 삶의 상징이니 서둘러야 한다고 주장하였다. 그러나 한편에서는 "우리의 아름다운 전통을 지키는 것은 생활의 편리 그 이상의 것이다." 라며 강하게 반대하였다. 이 같은 논란은 음력을 폐지하고 양력을 사용하자는 조치에 대한 논란으로도 이어졌다.

토론은 쉽게 끝나지 않았다. 그러자 개화파 대신들은 군대를 동원하여 국왕과 관리들의 상투를 강제로 잘랐다. 그 다음, 단발령을 정식으로 내려 경찰과 관리들이 곳곳에서 길을 막고 강제로 상투를 잘랐다.

단발을 하려는 자와 당하지 않으려는 자들 사이의 숨바꼭질이 곳곳에서 계속되었다. 특히 유학자들은, "내 목을 칠 수는 있어도 상투만은 건드릴 수 없다." 며 강하게 반발하였다. 그리고 의병을 일으켜 일본 침략자들과 친일 개화파 정권을 무너뜨리기 위한 무력 항쟁을 시작하였다.

과거와 현재의 대화 – 두발 단속의 찬반론

다음 두 주장을 읽고 자신의 생각을 자유롭게 이야기해 보자.

"학생은 공부가 본분이다.
머리를 짧게 자르면 잡념 없이
공부하는 데 좋다."

"머리 모양을 어떻게 하느냐는
개인의 자유에 관한 문제다.
어른들이 이러쿵저러쿵 할 문제가
아니다."

최초의 일본, 미국 유학생 유길준

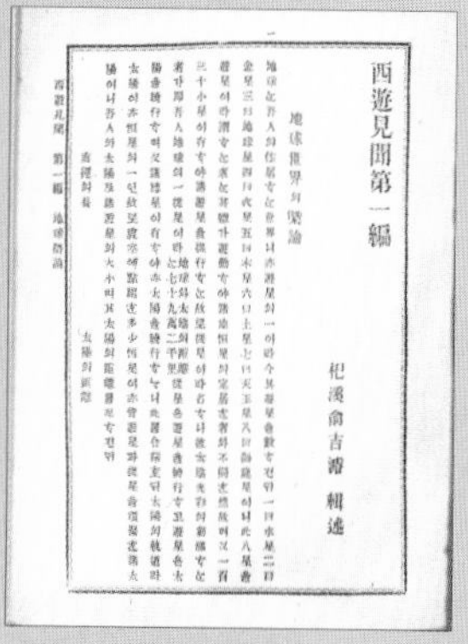

西遊見聞第一編

杞溪 兪吉濬 輯述

地球世界의槪論

「서유견문」

「서유견문」은 외국에 대한 소개이면서, 서둘러 개화를 추진하자는 유길준의 생각이 잘 나타나 있는 책이다.

"여기가 중국일세. 세계의 한가운데 있다는.

그런데 자네들 모두 잘 보게.

지구는 이렇게 빙글빙글 돌고 있단 말이야. 어찌 중국만 한가운데 있다고 할 수 있겠나?"

중국을 세계의 중심으로, 중국 문화가 세상에서 최고라고 여겼던 유길준은 충격을 받았다. 지구의를 돌리며 청년들에게 새로운 세계를 열어 주는 이는 우의정을 지낸 노정승 박규수였다.

청년 유길준이 박규수의 사랑방을 드나들게 된 것은 그의 나이 18살인 1873년의 일이다. 그는 이 곳에서 우리 민족이 새로운 위기를 맞고 있음을 알게 되었다.

'과거가 다 무엇이냐? 출세가 다 무엇이냐?'

그는 결국 과거 준비를 포기하였다. 대신 민족이 나아갈 길을 연구하기 시작하였다. "서양 세력을 막기 위해서는 서양을 알아야 한다."는 노스승의 말씀을 마음 속에 간직하면서, 외국에 대한 책들을 닥치는 대로 읽기 시작하였다.

1881년, 유길준은 다른 나라의 달라진 모습을 직접 눈으로 볼 수 있는 기회를 가졌다. 조사 시찰단의 수행원으로 일본을 방문한 것이다. 25살의 청년 유길준에게는 모든 것이 새로웠다. 그리고 가까운 일본의 눈부신 변신이 두렵기도 하였다.

유길준은 일본에 남기를 희망하였고, 그의 뜻대로 최초의 일본 유학생이

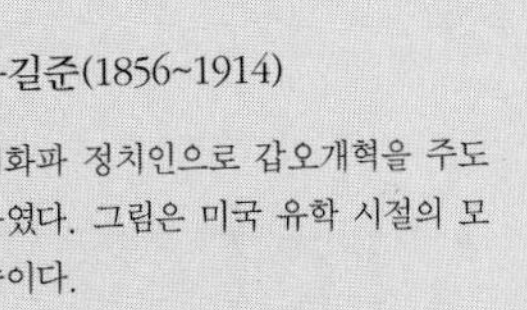

유길준(1856~1914)

개화파 정치인으로 갑오개혁을 주도하였다. 그림은 미국 유학 시절의 모습이다.

되었다. 그리고 일본어는 물론, 일본과 일본에 소개된 새로운 문물, 제도를 공부하였다.

그의 유학 생활은 그리 길지 않았다. 유학한 이듬해에 임오군란이 일어났고, 국비로 유학을 하던 유길준도 돌아와야 하였기 때문이다. 하지만 이듬해 유길준은 다시 미국으로 떠났다. 그리고 최초의 미국 유학생이 되었다.

그는 항상 나라 밖 상황에 관심을 기울였고, 보고 듣는 대로 느끼는 모든 것들을 기록하였다. 그리고 이를 널리 알리고자 하였다. 그래서 그는 일본에서 돌아와 신문을 발행하려 하였으며, 미국에서 돌아와서는 「서유견문」이라는 책을 남겼다.

'외국을 알아야 외국과 맞설 수 있다.' 유길준은 그렇게 생각하였던 것이다.

주권을 지키기 위한 항쟁

3

독립문

항일 의병

- 1894 갑오 농민 전쟁, 청 · 일 전쟁, 갑오개혁
- 1895 을미사변, 단발령, 항일 의병 운동
- 1896 아관 파천, 〈독립 신문〉 창간, 독립 협회 창립
- 1897 대한 제국 선포
- 1898 만민 공동회 운동, 독립 협회 해산
- 1899 대한국 국제 반포, 최초의 철도 완성
- 1900 활빈당 활동 활발

나는 그들이 가지고 있는 총을 보았다. 여섯 명이 가지고 있는 총 중에 다섯 개가 제각기 다른 종류였으며, 그 중의 어느 하나도 성한 것이 없었다. 그들은 전혀 희망 없는 전쟁에서 이미 죽음이 확실해진 사람들이었다. 그러나 바른쪽에 서 있는 군인의 영롱한 눈초리와 얼굴에 감도는 자신만만한 미소를 보았을 때 나는 확연히 깨달은 바가 있었다. 가엾게만 보았던 나의 생각은 아마 잘못된 것이었는지 모른다. 그들이 보여 주고 있는 표현 방법이 잘못된 것이었다 하더라도, 적어도 그들은 자기의 동포들에게 애국심이 무엇인가를 보여 주고 있었다. 그들은 자신들이 보람 있는 일을 하고 있다고 믿으면서 이렇게 말하였다. "우리는 어차피 죽게 되겠지요. 그러나 좋습니다. 일본의 노예가 되어 사느니보다는 자유민으로 죽는 것이 훨씬 낫습니다."

—어느 외국인의 견문기에서—

KOREAN REBELS.

[F. A McKenzie.

1904
러 · 일 전쟁,
한 · 일 의정서 체결

1905
을사조약,
항일 의병 운동 재개

1906
대한 자강회 조직,
최익현 · 신돌석 의병 봉기

1907
국채 보상 운동,
군대 해산, 신민회 결성,
13도 창의군 활동

1909
안중근, 이토 히로부미
사살. 나철, 대종교 창시

1910
홍범도 등 연해주 의병, 국내
진격 작전. 주권을 빼앗김

1 38도선으로 조선을 분할하자

독립문을 세우자는 모금 운동이 시작되었다. 이에 "청으로부터의 독립이, 러시아와 일본은 물론 서양 여러 나라로부터의 진정한 독립으로 이어지기"를 기대하는 수많은 민중들이 모금에 참여하였으며, 이들이 곧 독립 협회의 회원이 되었다.

■가 볼 곳 | 독립문 ■만날 사람 | 고종, 서재필 ■주요 사건 | 독립 협회 창립, 대한 제국 선포

| 서울에서의 피난 |

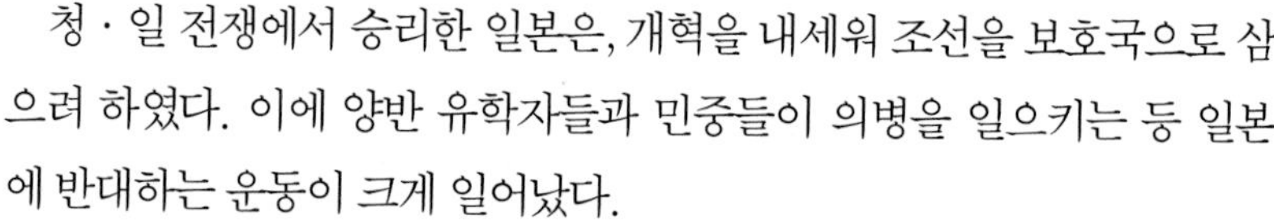

일본의 승리

청과의 전투에서 승리한 일본군이 용산에 개선문을 세우고 축하 행사를 벌이고 있다.

청 · 일 전쟁에서 승리한 일본은, 개혁을 내세워 조선을 보호국으로 삼으려 하였다. 이에 양반 유학자들과 민중들이 의병을 일으키는 등 일본에 반대하는 운동이 크게 일어났다.

개화파 관리들 가운데서도 개혁이 잘못되고 있다고 생각한 사람이 많았다. 일부 개화파 관리들은 일본의 감시와 위협에서 벗어나고자 국왕을 러시아 공사관으로 옮기려 하였고, 러시아는 조선의 정치에 개입할 수 있는 좋은 기회로 여겨 이를 받아들였다(1896. 아관 파천). 이로써 친일 개화 정권도 무너졌다.

"한 나라의 왕이 다른 나라 공관으로 피난을 가다니!" 국가의 위신이 말이 아니었고 분노하는 이들도 대단히 많았다. 그러나 아관 파천을 주

아관 파천

사진은 러시아 공사관에서 밖을 내다보고 있는 국왕(왼쪽)과 그 아래에서 대포를 들이대고 국왕의 환궁을 요구하는 일본군(오른쪽)이다.

도한 관리들은 '일본의 압력에서 벗어나기 위해서는 피할 수 없는 일' 이라며, 꾸준한 개혁으로 부국 강병을 이루겠다고 다짐하였다.

새로 성립된 정권은 근대화를 추진하기 위해 러시아에 도움을 요청하는 한편, 독립 신문의 발행을 지원하고 독립문 건립에 나서는 등 자주 독립의 내실을 다지기 위한 활동에 나섰다.

| 38도선으로 조선을 분할하자 |

아관 파천으로 당황한 일본은 왕의 환궁을 요구하는 한편, "북위 38도선을 경계로 조선을 분할할 것" 을 제안하는 등 러시아와 비밀 협상을 시도하였다. 물론 유리한 위치에 있던 러시아가 이 제의를 받아들일 리 없었다. 하지만 훗날 자신들이 불리한 처지에 빠지자 또 다른 분할안을 일본에 제안하기도 하였다.

이처럼 일본과 러시아가 서로 대립하면서 우리의 주권을 위협하고 있을 때, 다른 제국주의 국가들의 침략도 노골화되었다. 미국과 영국을 비롯한 서양 여러 나라들은, 러시아나 일본 가운데 한 나라를 후원하면서도, 자신의 경제적 이익을 다양한 방법으로 추구하였다. 이 과정에서 우리 근대 산업을 발전시키는 데 기초가 될 수많은 자원이 이들에 의해 약탈당하였다.

열강의 이권 침탈

아관 파천으로 조선의 각종 이권이 러시아로 넘어가게 되자 자극받은 주위 열강들로부터 이권 요구가 빗발쳤다. 이후 여러 나라가 우리의 경제적 이권을 빼앗아 갔고, 자주적인 근대화에는 또 다른 어려움이 시작되었다.

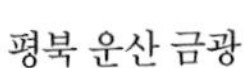

평북 운산 금광

우리 나라 최대의 금광으로, 미국인에 의해 1895년부터 1938년까지 채광되었다.

경인선 철도 완공

경인선 부설권은 당초 미국이 따냈으나 뒷날 일본이 사들여 공사를 하였다. 한강 철교의 준공으로 경인선이 최종 완성됨을 기념하는 사진이다.

독립 신문 창간호(▲)와
독립문(▶)

왕에서 일반 서민들까지 많은 사람들이 독립문 건설에 적극적으로 참여하였다. 이 과정에서 도시의 시민 계층이 자주 독립 운동에 동참할 수 있는 계기가 마련되었으며, 이들은 점차 독립 협회에서도 중요한 역할을 하게 된다.

| 독립 신문과 독립 협회 |

외세의 침략이 강화되자 자주 독립을 지키려는 운동도 활발해졌다. 특히 개화파 관리들과 애국적인 지식인들은 독립 협회를 조직하여 민중들과 함께 근대화 운동을 펼치려 하였다(1896).

서재필 등이 중심이 된 독립 협회는 청으로부터의 완전한 자주와 독립을 선언한다는 의미에서 독립문 건립 사업에 나섰다. 이에 "청으로부터의 독립이 러시아와 일본은 물론 서양 여러 나라로부터의 독립으로" 이어지기를 기대한 수많은 민중들이 모금에 참여하였으며, 이들이 곧 독립 협회의 회원이 되었다.

독립 협회는 독립 신문을 통해 우리 나라가 주권을 잃을지도 모를 큰 위기에 빠져 있음을 일깨우고, 이 위기를 극복하려면 대개혁이 필요함을 주장하였다. 또 여러 차례 토론회와 연설회를 열어 개혁 방안을 연구하고 개혁의 필요성을 널리 알렸다.

서재필(1866~1951)

갑신정변에 참여하였다가 미국으로 망명하였다. 갑오개혁 이후 신문 발행을 도와 달라는 옛 동지의 요청을 받아 귀국, 1898년까지 국내에서 활동하였다.

| 대한 제국의 성립 |

독립 협회의 활동과 함께 왕이 우리 궁궐로 돌아와야 한다는 여론이 높아졌다. 게다가 기대하였던 러시아의 도움도 보잘 것 없었고, 일본은 침략 행위를 하지 않겠다고 약속하였다. 왕이 러시아 공사관에 머물 필요가 없어진 것이다.

고종은 우리 궁궐로 돌아와 어느 나라에도 의존하지 않고 자주적으로 국가를 운영하겠다고 다짐하였다. 그리고 우리 나라가 중국이나 일본, 러시아 어느 나라와도 대등한 국가임을 선언하기 위해 나라 이름을 대한 제국으로 바꾸고 황제 즉위식을 가졌다(1897).

원구단과 황궁우

원구단은 천자가 하늘에 제사를 지내는 곳으로, 황제 국가임을 상징하는 곳이다. 1914년 일제가 이를 헐어버리고 호텔을 지었다. 사진은 1897년 황궁우를 짓는 모습(왼쪽), 축조 후 원구단과 황궁우 모습(가운데), 1914년 일제가 원구단을 헐고 그 자리에 조선 호텔을 세운 모습(오른쪽)이다.

저요, 저요

1. 개화파 관리, 애국적 지식인들은 □□ □□를 조직하여 민중들과 함께 근대화 운동을 벌였다.
2. 고종이 러시아 공사관에서 돌아와 황제 국가임을 선포한 뒤 나라 이름은?

과거와 현재의 대화

현재도 우리 나라에 외국 자본의 진출이 활발하다. 외국에 광산 개발권을 넘겨 주는 문제에 대한 당시의 논쟁 내용을 읽고, 자신의 의견을 써 보자.

찬성 : 우리가 개발할 수 없는 광산은 미국인들이라도 개발하도록 하는 것이 좋지 뭐. 광산이 일자리를 만들기도 하고, 개발 이익의 일부가 우리에게도 돌아오겠지?

반대 : 지금 당장은 우리 민족이 개발할 능력이 없지만, 나중에라도 우리가 개발할 수만 있다면 민족의 큰 자산이 될 수 있는 것이지. 넘겨 주어서는 안 돼.

찬성 : 외국인이 우리 나라에 투자를 많이 하면, 그들이 우리 나라에 대한 애착이 생겨 우리의 독립을 위해 노력해 줄 거야. 여러 나라에 고루 권리를 주는 것이 좋겠어.

2 자주 독립을 지키기 위한 방법은?

독립 협회는 민권의 신장을 여러 차례 강조하였으며, 중추원을 개편하여 의회의 기능을 수행하게 하자고 정부에 제안하였다. 그러나 대한 제국 정부는 황실을 개혁의 중심으로 삼고, 군비 증강과 산업의 육성을 강조하였다.

■가 볼 곳 | 덕수궁 ■만날 사람 | 고종 ■주요 사건 | 만민 공동회, 광무개혁

| 자주 독립 국가의 조건은? |

독립은 선언한다고 지켜지는 것이 아니다. 외세에 맞서려는 의지가 나라 안을 가득 채울 때, 그리고 외세의 침략을 막을 수 있는 힘을 가졌을 때 지켜진다. 따라서 대한 제국의 선포는 자주 독립 국가로 가는 첫발을 내딛은 것일 뿐이었다.

대한 제국을 선포한 뒤, 정부는 개혁을 통해 나라의 힘을 기르려 하였다. 독립 협회를 비롯한 여러 단체들도 토론회를 열어 교육 진흥, 산업 육성, 낡은 관습의 개혁과 같이 나라의 면모를 새롭게 하기 위한 여러 방안을 검토하고 있었다.

바로 이 무렵 러시아가 침략 의도를 드러냈고, 일본이 이를 견제하려 하면서 어려운 상황이 빚어졌다. 이에 독립 협회는 서울 종로에서 만민 공동회라는 민중 정치 집회를 열어 러시아의 침략에 반대하는 의사를 명백히 하였다. '러시아의 침략에 반대한다.', '자주 독립을 이룩하자.'는 만민 공동회의 열기는 정부에 자신감을 불어넣었다. 그리하여 정부도 러시아의 침략 의도에 맞섰고, 러시아는 한 발 물러서야만 하였다.

만민 공동회

신분의 차이를 넘어서서, 관직의 높고 낮음을 넘어서서 '애국의 한 길에 모두가 동지'란 뜻에서 만민 공동회라는 이름이 붙었다. 만민 공동회에서는 누구나 연설할 수 있었다. 사진은 만민 공동회에서 사회를 보는 이상재(왼쪽)와 독립관에서 열리는 토론회에 모여드는 사람들(오른쪽)이다.

| 의회를 설립하자 |

날카롭게 대립하던 일본과 러시아가 한 발씩 물러나면서 미루었던 개혁을 제대로 추진할 수 있는 기회를 맞이하였다. 하지만 준비할 것도 고쳐야 할 것도 많은데, 돈도 시간도 사람도 부족하였다.

이런 가운데 독립 협회는 민권의 신장을 여러 차례 강조하였다. "모든 인민이 나라의 주인일 수 있을 때 그들의 애국심이 자라고, 그래서 더욱 더 나라의 힘이 길러진다.", "인민의 생각이 반영될 수 있는 정치 제도를 만들어야 하며, 인민의 의사를 저버리고 인민을 수탈하려 들었던 관리들을 벌주어야 한다."고 주장하였다.

결국 독립 협회는 중추원을 개편하여 의회 기능을 할 수 있도록 하자는 법안을 만들었다. 그리고 정부에 압력을 가하기 위해 다시 한 번 만민 공동회를 열었다. 수많은 민중들이 구름처럼 몰려들자 정부의 대신들이 이들의 주장을 받아들이기도 하였다.

독립 협회의 토론회 주제

개최 일자	주제
1897. 8.	조선의 급선무는 인민의 교육에 있다.
1897. 9.	나라를 부강하게 하려면 먼저 상업에 힘써야 한다.
1897. 10.	국문을 한문보다 더 쓰는 것이 인민 교육을 성하게 하는 것이다.
1897. 11.	동포, 형제, 남녀 간에 사고 파는 것은 의리상 불가하다.
1897. 12.	인민의 견문을 넓히려면 국내의 신문 반포를 제일로 하여야 한다.
1898. 1.	나라를 부유하게 하려면 금, 은, 동, 철, 석탄 등 광산을 확장하여야 한다.
1898. 2.	수구파 탐관 오리를 비판한다.
1898. 3.	우리 국토를 남에게 빌려 주는 것은 온당치 못하다.
1898. 4.	위원회를 설치(중추원 개편)하는 것이 정치상 제일 긴요하다.
1898. 5.	백성의 권리가 높아질수록 임금의 지위가 높아지고, 나라가 떨칠 수 있다.

1894	갑오 농민 전쟁 갑오개혁
1895	을미사변 을미개혁
1896	아관 파천 독립 협회 창립
1897	대한 제국 선포
1898	만민 공동회 운동
1899	대한국 국제 반포

고종(재위 1863~1907)

1863년, 12살의 나이로 왕위에 올랐다. 외세의 침략이 본격화되는 가운데 자주적 근대화를 이룩하지 못한 채, 결국 주권을 일제에 빼앗기는 비운의 인물이 되었다. 사진은 대한국 국제를 선포한 뒤 프로이센 황제복을 입은 모습이다.

| "대한국은 만세 불변의 전제 국가" |

독립 협회가 중추원 개편을 요구하면서 정부와 독립 협회 사이는 점점 벌어졌다. 정부가 한때는 국론에 밀려 독립 협회의 안을 받아들인 적도 있었지만, 정부 관리들의 기본 생각은 "지금은 시간이 없다. 서둘러 개혁을 추진하지 않으면 독립을 지킬 수 없는데, 그러려면 우리 모두가 황제를 중심으로 단결할 수밖에 없다. 이를 위해서는 황제의 권력을 크게 강화하는 것이 옳다. 중추원 개편은 국론의 분열만 가져 온다." 였 다.

정부와 독립 협회의 생각에는 다른 부분이 더 있었다. 정부 관리들은 '독립을 지키기 위해서는 무엇보다 군대를 기르는 것이 필요하다.' 고 생각한 반면, 독립 협회는 '독립은 군사로 지킬 수 없는 것' 이라며, '열강에게 고루 이권을 나누어 주면 어느 한 나라가 일방적으로 주권을 빼앗지는 못할 것' 이라 주장하였다. 또한 정부는 상공업 진흥을 위해 국가가 계획적으로 경제를 운영하여야 함을 내세웠지만 독립 협회는 누구나 자유롭게 영업 활동을 할 때 경제가 발전할 수 있음을 역설하였다.

초기에는 정부와 독립 협회 사이에 정책의 차이가 크지 않았다. 관리의 상당수가 독립 협회에 참가하였기 때문이다. 하지만 관리들은 점차 독립 협회를 떠났으며, 중추원 개편을 둘러싼 논쟁이 오갈 때쯤에는 서로 대결하는 상황에 이르렀다.

덕수궁

아관 파천 이후 고종이 머물던 곳이다. 고종은 이 곳에서 대한 제국을 선포하고 광무개혁을 추진하였다. 당시에는 경운궁이라 불렸다.

결국 정부는 독립 협회를 해산시키고 '대한국은 만세 불변의 전제 국가이며 황제는 무한한 권력을 가진다.' 는 내용의 대한국 국제를 반포하여 황실 중심으로 근대화를 추진하겠다고 선언하였다.

이후 정부는 군대를 강화하고 학교를 지었으며, 대규모 토지 재조사 작업을 추진하였고, 광산을 개발하고 공장을 짓는 등 상공업 진흥에 힘썼다(광무개혁).

하지만 황제 측근에서 일방적으로 일을 처리하거나, 국가 전체의 이익보다는 황실의 이익을 내세우는 경우가 적지 않았다. 게다가 외세의 간섭으로 개혁이 제대로 진행되지 못해 광무개혁도 큰 성과를 거두지는 못하였다.

나도 역사가

자주적 근대화를 위한 올바른 길이 무엇이었을까? 독립 협회와 정부 관리들의 주장을 비교하는 표를 만들어 보자.

과거와 현재의 대화

100년 전 우리 사회는 종종 오늘을 비추는 거울이 된다. 학급마다 만민 공동회를 열어 오늘날 우리 사회가 해결해야 할 개혁 과제들을 자유롭게 제기하고 토론해 보자.

총선 연대 만민 공동회, 농민도 주부도 마이크 잡고 열변

대한 제국 시절 대중 토론의 장이었던 '만민 공동회' 가 102년 만에 다시 선보였다. 100여 년 전 주최자가 독립 협회이고 현안이 '애국 계몽' 이었다면, 이번 행사의 주최측은 총선 시민 연대이고 현안은 '정치 개혁' 인 점이 다를 뿐이다.

9명의 시민이 나서 정치 개혁에 대한 소신을 발표하고 젊은층의 적극적인 선거 참여를 호소한 이 행사에서 한지양(36세.주부.서울 중구 신당동) 씨는 "썩은 정치를 바꾸려면 뒤에서 누가 해 주기만 바랄 게 아니고 직접 나서야 한다." 고 목소리를 높였다. 투박하지만 진지한 발언이 이어지는 동안 참관자들은 박수로 분위기를 북돋웠고 지나가던 사람들도 발길을 멈추고 '보통 시민' 들의 정치관을 귀 기울여 들었다.

-〈○○일보〉에서 옮김-

〈역사의 현장〉

19세기의 저녁, 1899년의 10대 뉴스

19세기의 저녁, 그 때 우리는 러시아와 일본을 비롯한 강대국의 침략적 개입으로부터 자주 독립을 지키기 위한 힘겨운 항해를 하고 있었다.
1899년, 이 해의 10대 뉴스를 알아 보자.

군산항

2차 개항(1월)

열강들의 끊임없는 요구로 마산, 군산, 성진 등 세 개 항구가 추가로 개항되었다. 특히 마산과 군산은 우리 나라의 곡창 지대와 연결되어 있어 너무 많은 쌀이 팔려 나가지 않을까 걱정된다.

중등 교육의 새출발(4월)

정부에서 교육 개혁의 중요성을 생각하여 중등 학교 관제를 발표하고, 학교 교육을 강화시키라는 조서를 발표하였다. 교원 임용 시험에 관한 각종 규칙을 정비하는 등 이제 중등 학교 교육이 본격적으로 시작될 전망이다.

구 세브란스 병원

서구식 의학 교육 시작(4월)

서구식 의학 교육을 체계적으로 실시할 제중원 의학교가 설립되었다. 1904년에 병원 건립에 거액을 기부한 세브란스의 이름을 붙여 세브란스 의학교로 개칭된 이 학교는, 세브란스 병원과 함께 서구식 의학을 본격적으로 소개하였다.

개통 당시의 전차

서울에서 전차 운행 개시(5월)

서대문에서 청량리까지 처음으로 전차가 운행되었다. 운행한 지 며칠 안 되어 다섯 살짜리 어린아이가 전차에 치여 목숨을 잃었는데, 흥분한 아이의 아버지와 군중들이 전차에 불을 질러 전차가 완전히 불타 버린 일도 있었다.

영학당, 전라도에도 봉기(5월)

"외세의 침략을 반대하고 탐관 오리를 내쫓자."는 주장을 내건 영학당이 전라도의 고부와 강진 등에서 봉기를 일으켰다. 한 해 동안 크고 작은 농민 운동이 20여 차례나 일어났다. 시급한 개혁이 절실히 요구되는 현실이다.

대한국 국제 반포(8월)

의회 설립이냐 황제권 강화냐를 둘러싸고 진행된 독립 협회와 정부의 충돌은 결국 황제권 강화로 마무리되었다. 8월에 반포된 대한국 국제는 모든 권력을 황제에게 집중시켰다. 황제 중심의 근대화가 가능할지 두고 볼 일이다.

한 · 청 통상 조약 체결(9월)

조선이 청과 대등한 국가의 자격으로 한 · 청 통상 조약을 맺었다. 청이 우리 나라가 독립국임을 공식적으로 인정한 셈인데, 이것이 완전한 자주 독립으로 이어지기를 빈다.

한국 최초의 기관차

철도 운행 시작 (9월)

2년 6개월간의 공사를 마치고 제물포와 노량진 구간에서 처음으로 철도가 운행되기 시작하였다. 일본인에 의해 건설된 철도가 우리 민족에게 얼마나 도움이 될지 두고 볼 일이다.

독립 신문 편집부

방곡령(11월)

충청도 각 고을에서 방곡령이 발표되었다. 1889년에 이어 대규모 방곡령이 발표되기는 이번이 처음이다.

독립 신문 폐간(12월)

독립 협회의 해산과 연이은 간부진 구속으로 어려움을 겪던 독립 신문이 결국 폐간되었다. 어려움 속에서도 언론이 올바른 길을 걸어 민권의 신장과 민족 생존에 이바지하기를 바란다.

1900년의 충무로 5가

1899년 우리 나라는 인구 1천 7백 10만 명의 가난한 농업 국가였으며, 러시아와 일본의 침략으로 큰 어려움을 겪고 있었다. 당시 서울 인구는 20만 922명, 주택수는 총 4만 2870호였는데, 초가집이 70%, 기와집이 20%, 반기와집이 10%였다고 한다.

3 이 날을 목놓아 통곡한다

안은 관리들의 말에 따라 몇 분간 조용히 기도를 하였고, 기도가 끝나자 몇 명의 간수에 둘러싸여 교수대로 향하였다. 교수대의 구조는 마치 2층집 같아서 작은 계단 7개를 올라가면 화로 방 같은 것이 있는데 안은 조용히 걸어서 한 계단 한 계단 죽음의 길로 다가갔다. 그 때의 감정이나 얼굴 색은 흰 옷과 어우러져 더욱 창백하였다. —안중근의 순국 순간을 기록한 글에서—

■가 볼 곳 | 덕수궁 ■만날 사람 | 이완용, 안중근 ■주요 사건 | 을사조약

| 1905년 11월 17일 |

오호라. 개 돼지 새끼만도 못한 소위 우리 정부 대신이라는 작자들이 이익을 추구하고, 위협에 겁을 먹어 나라를 파는 도적이 되었으니, 사천 년 강토와 오백 년 종사를 남에게 바치고 이천만 국민을 남의 노예로 만들었으니, …

— 〈황성 신문〉 —

장지연

"아, 원통하고도 분하도다. 우리 2천만 남의 노예가 된 동포여! 살았는가? 죽었는가?" 라고 절규하는 장지연의 논설은 온 나라를 통곡으로 몰아넣었다.

신문이 전하는 바에 따르면, 1905년 11월 17일 나라의 운명을 판가름하는 중요한 회의가 열렸다고 한다. 경운궁에서 열린 이 회의에는 일본 특사인 이토 히로부미가 참여하였고, 회의장 밖은 일본군에 둘러싸여 있었다.

러·일 전쟁을 전후로, 영국과 미국은 각각 일본과 조약을 맺어 한반도에 대한 일본의 지배를 인정하였다. 1905년, 대한 제국은 제국주의 국가들의 동의 아래 일본의 보호령이 되었다.

▼ 1904년 러 · 일 전쟁

▼ 한 · 일 의정서 강제 조인

▼ 1905년 을사조약 체결

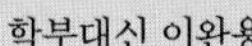
학부대신 이완용

내부대신 이지용

외부대신 박제순

농상공부대신 권중현

군부대신 이근택

을사조약에 찬성한 대신들

을사조약은 국제법상 성립되지 않는 조약이었다. 회의에 참여하였던 대신들 가운데 황제로부터 조약 체결을 위임받은 사람은 없었다. 그리고 회의 결과가 황제의 재가를 받은 것도 아니었다. 두 나라 사이의 조약이 아니라, 일제가 군사력으로 주권을 강탈하였을 따름이었다.

회의는 이토가 대신들에게 조약에 대한 찬반 의견을 묻는 이상한 방식으로 진행되었으며, 반대한 사람들은 곧바로 회의장 밖으로 끌려나갔다. 다섯 명의 대신들이 찬성하자 이토는 조약의 성립을 선포하였다.

이 조약이 바로 대한 제국의 외교권을 강탈한 을사조약으로, 주권을 일본에게 넘기는 데 찬성한 사람은 이완용을 비롯하여 권중현, 이지용, 이근택, 박제순 등 다섯이었다. 민중들은 그들을 을사 오적이라 불렀다.

| 성립되지 않은 조약 |

일제는 대한 제국의 외교권을 빼앗고 통감부를 설치하여 내정에도 깊숙이 개입하였다. 얼마 뒤에는 고종 황제를 강제로 퇴위시킨 다음, 군대를 해산시키는 등 국가 권력을 장악하기 시작하였다.

일본이 군대를 주둔시켜 대한 제국을 통치하려 든 것은 1904년부터였다. 그들은 러 · 일 전쟁을 일으켜 우리의 중립 선언을 무시하고 서울과 전국 주요 도시를 점령하였다. 그 뒤 두 차례의 조약을 강요하여 일본군의 주둔을 합법화하려 들었으며, 외교와 재정 등을 수중에 넣었다. 을사조약은 이 같은 강점을 바탕으로 한 보호국화 정책의 마지막 절차였다. 그러나 어느 조약도 국제법상 성립되지 않은 조약이었으며, 일제가 자국의 군사력을 바탕으로 한 폭력적 지배로 일관하였을 따름이었다.

▼ 1906년 통감부 설치 ▼ 1907년 헤이그 밀사 파견으로 고종 퇴위 ▼ 군대 해산

오적 암살단

을사조약에 찬성한 대신들을 암살하기 위해 만들어졌다. 왼쪽부터 이기, 나철, 홍일주, 오기호 의사들이다.

유언을 남기는 안중근

"이익을 앞에 두고는 옳고 그름을 생각하고, 위험한 상황에서는 내 목숨을 내놓는다(見利思義 見危授命)."는 글을 즐겨 썼던 안중근(1879~1910)은 일제의 침략이 깊어지자 학교를 세워 인재 양성에 앞장섰으며, 국경 부근에서 일제에 맞선 의병 활동을 전개하기도 하였다.

| 나라가 위험해지면 목숨을 내놓는다 |

을사조약에 대한 소식이 전해지면서 이에 대한 반대 운동이 널리 일어났다. 소식을 일찍 접한 언론인들은 격렬한 항일 언론 활동을, 전현직 관리들은 '을사 오적을 처단하라! 조약 무효를 선언하라!'는 요구를 담은 상소 운동을 전개하였다. 상인들은 상점문을 닫고 학생들은 수업을 거부하며 일제를 규탄하고 조약 무효화를 요구하였다.

침략의 원흉인 일본인과 이에 협조하여 나라를 파는 데 앞장섰던 매국노들을 처단하려는 의거 활동도 활발해졌다.

나철과 오기호 등은 오적 암살단을 만들어 을사조약에 찬성한 다섯 대신들을 처단하려 하였으며, 이재명은 이완용을 처단하려 하였으나 불행히도 성공하지는 못하였다. 그리고 안중근은 을사조약을 강요하고 초대 통감으로 우리 나라 침략에 앞장섰던 이토 히로부미를 사살하였다.

이러한 활동은 일제의 침략에 대한 우리 민족의 반대 의사를 명확히 보여 주었으며, 주권 회복을 바라던 우리 민족에게 용기와 자신감을 주었다. 그리고 더욱 조직적이고 체계적인 주권 회복 운동으로 이어졌다.

저요, 저요

1. "오늘을 목놓아 통곡한다."며 일제의 침략을 규탄하는 논설을 발표한 인물은?
2. 우리 나라 침략에 앞장섰던 이토 히로부미를 사살한 사람은?

나도 역사가

역사 신문사에서는 을사조약 1주년을 맞이하여 우리 민족이 나아가야 할 길을 모색하고자 토론회를 열었다. 토론의 요지를 보고, 독자 투고를 작성해 보자.

사회자
"우리가 주권을 잃은 것은 일제의 부당한 침략 때문이며, 주권을 되찾기 위해서는 일본을 이겨야 한다. 좋은 생각들을 거침없이 이야기해 주기 바란다."

언론인 ○○○
"힘있는 자가 힘없는 자를 잡아먹는 것은 세상의 이치다. 온 국민이 단결하여 실력 양성에 나서자. 학교를 짓고, 공장을 세우고, 새로운 문물을 받아들이자. "

소년 의병 ○○○
"이 땅은 일본에 의해 군사적으로 점령되었다. 이들을 내쫓지 않고서는 실력의 양성도, 국권의 회복도 기대할 수 없다. 군대를 조직하여 이들과 싸우는 것이 우선이다."

친일 단체 간부 ○○○
"일본은 러 · 일 전쟁을 통해 백인종의 아시아 침략을 막아 냈다. 일본의 보호 아래서만 황실의 안정이 유지될 수 있으며, 발전된 일본의 지도를 받는 것이 우리 사회를 근대화시키는 지름길이다."

미국 한인회 회원 ○○○
"황제 한 사람이 모든 권리를 가지고 온 국민이 그의 노예가 되어 있으니, 민족 운동이 크게 일어나지 못한다. 국민이 주인이 되는 사회를 만들어야 국민의 애국심이 높아진다. 정치를 바꾸어 국민을 단결시키지 않고는 나라를 찾을 수 없다."

4 자, 우리 총칼을 들자!

양반 유학자들이 의병을 일으키자 이름 없는 농민들이 이들의 부대를 찾아 목숨을 바치겠다고 나섰다. 더 많은 사람들은 따로 의병 부대를 조직하여 일제에 맞섰는데, 태백산을 중심으로 활동한 신돌석은 대표적인 평민 의병장이었다.

■가 볼 곳 | 모덕사, 신돌석 생가 ■만날 사람 | 최익현, 신돌석 ■주요 사건 | 의병 항쟁

| 이루지 못한 꿈을 위하여 |

1894년 농민 전쟁의 실패는 농민들에게 큰 좌절감을 안겨 주었다. 그러나 민중들은 좌절하고 지낼 수만은 없었다. 날이 갈수록 생활은 악화되고 탐관 오리와 외세의 횡포는 그칠 줄을 몰랐기 때문이다.

그리하여 농민 전쟁에 참여하였던 사람들은 지역별로 농민 조직을 만들어 지난 날의 운동을 계승, 발전시켰다. 전라도에서는 동학의 주장을 바탕으로 조직된 영학당이 일어나 고부에서 봉기를 일으켰다. 그리고 무장과 흥덕을 함락하기도 하였다.

비슷한 시기에 다른 지역에서는 활빈당이라 불리는 농민 무장 조직이 나타났다. '자유와 평등의 실현, 나라의 혁신' 을 내걸었던 활빈당은 탐관 오리와 횡포한 양반 부호를 응징하고, 외세와 그 앞잡이들을 공격하였다.

신돌석과 그가 태어난 집

의병장 신돌석(1878~1908)은 몰락한 중인 가문 출신으로 영해, 영덕, 평해를 거점으로 활발한 의병 활동을 전개하여 태백산 호랑이라는 별명을 얻기도 하였다. 1850년경에 지어진 이 집은 11평 남짓한 작은 초가집으로 경북 영덕에 있다. 1940년에 일제가 우리의 민족 정기를 꺾으려 불태웠던 것을 1955년에 다시 지었다.

| 자, 우리 총칼을 들자 |

일제가 러 · 일 전쟁을 도발하고 우리 국토를 강점하려 들면서 민중들의 무장 활동은 더욱 거세어졌다. 활빈당의 활동이 활발하였던 지역, 그리고 철도 건설로 특히 침략을 많이 받은 지역이 그러하였다. 이들의 항일 투쟁은 일제가 을사조약을 강요하여 우리의 주권을 빼앗으려 든 1905년 이후 더욱 조직적인 의병 운동으로 이어졌다.

먼저 대규모 의병을 일으킨 쪽은 민종식, 최익현과 같은 전직 관리나 양반 유학자들이었다. 이들은 을사조약을 강요한 일제가 그 옛날 임진왜란을 일으켰던 그 침략자들이며, 10년 전 을미사변을 일으켜 왕비를 살해한 그 일본이라는 점을 강조하였다. 그리고 이들과의 싸움에 온 국민이 나설 것을 호소하였다.

이들이 의병을 일으키자 이름 없는 농민들이 이들의 부대를 찾아 목숨을 바치겠다고 나섰다. 더 많은 사람들은 따로 의병 부대를 조직하여 일제에 맞섰는데, 태백산을 중심으로 활동한 신돌석은 대표적인 평민 의병장이었다.

최익현과 그를 모셔둔 모덕사

대표적인 양반 유학자 의병장 최익현은 체포된 뒤 쓰시마 섬으로 끌려가 최후를 맞았다. 당시 최익현은 "왜놈 땅을 밟지 않겠다." 며 버선에 흙을 담아 신고 갔으며, "목말라 죽을지언정 도적의 것은 물 한 방울도 마시지 않겠다." 며 아무것도 먹지 않다가 끝내 세상을 떠났다. 충남 청양에는 최익현의 항일 투쟁과 독립 정신을 기리는 모덕사가 있으며, 이 곳에서 해마다 추모제가 열린다.

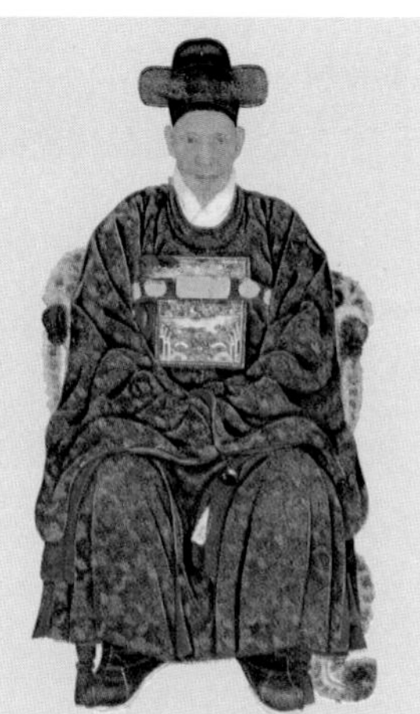

| 의병들의 항쟁, 범국민적인 대일 전쟁으로 발전하다 |

의병들의 활동은 일제가 우리 군대를 강제로 해산시키면서 더욱 활발해졌다. 많은 군인들이 일제의 해산 조치를 거부하고 시가전을 벌였으며, 해산된 뒤에도 의병 부대에 합류하여 일제에 맞섰다.

해산 군인들이 참여하면서 의병 항쟁은 범국민적인 대일 전쟁으로 발전되어 갔다. 양반 유학자와 해산 군인들은 물론이고, 포수나 이름 없는 농민에 이르기까지 각계 각층에서 의병 활동에 참가하였다.

항쟁에 나선 의병들은 친일 관리와 일본인들을 주된 공격 대상으로 삼았다. 평민 의병장들은 이들 이외에 탐관 오리와 못된 양반 지주를 공격하기도 하였다.

전국적으로 일어난 의병들은 1907년에 13도 창의군이라는 의병 연합 부대를 조직하여 서울을 향해 진격하기도 하였다.

1895
을미사변 ▶▶ 의병 항쟁의 시작
을미사변과 단발령을 계기로 의병 항쟁이 처음 시작되었다. 양반 유학자들이 중심이 되었다.
1905
을사조약 ▶▶ 의병들 다시 일어나다
러 · 일 전쟁과 을사조약을 전후하여 의병들의 활동이 다시 불붙었다. 일반 민중들의 참여가 크게 늘었다.
1907
군대 해산 ▶▶ 의병 운동의 확산
군대 해산 이후 의병 운동은 크게 확산되어 각계 각층이 참여하는 범국민적인 항일 전쟁으로 발전하였다.
1909
의병 대탄압 ▶▶ 나라 밖에 근거지를 만들자
1909년부터 일제는 의병 활동을 대대적으로 탄압하기 시작하였다. 의병들은 산악 지대로 옮겨 유격전을 벌이기도 하였으나 점차 새로운 활동 무대를 찾아 국경을 넘었다.
不遠復

1차 의병(을미사변(1895) 이후)
2차 의병(을사조약(1905) 이후)
3차 의병(군대 해산(1907) 이후)

| "다시 돌아오리라" |

의병 전쟁에 나선 이들은 일제에 맞서 나라를 지키겠다는 뜨거운 애국심을 바탕으로 여러 차례 친일 정권과 일본군을 궁지에 빠뜨렸다.

그러나 일본이 대규모 부대를 보내 탄압하면서 의병들은 점차 어려움에 빠졌다. 특히 일본군이 의병들이 나타났던 지역 전체를 불태우고 인근의 주민들까지 잔인하게 학살하면서 의병들은 점차 고립되어 활동이 어려워졌다.

시간이 지날수록 의병들의 국내 활동은 어려워졌다. 그러나 많은 사람들이 만주나 연해주로 자리를 옮겨, 다시 돌아올 그 날까지 의병 투쟁을 이어갔다.

이들의 투쟁은 일제를 몰아내는 데까지는 성공하지 못하였지만, 수많은 사람들에게 희망과 용기를 주었다. 그리고 여러 해 동안 일제의 강점을 지연시켰으며, 다양한 민족 운동이 일어날 수 있도록 지원하였다.

저요, 저요

1. 의병들의 활동은 □□ □□ 이후 범국민적 대일 전쟁으로 전개되었다.
2. 대표적인 의병장을 두 분 이상 열거해 보자.

나도 역사가

다음은 의병 활동에 참여하였던 유인석이 남긴 시 가운데 일부를 옮긴 것이다. 의병 활동에 참여하였던 분들의 어록을 만들어 보자.

우리는 오직 마음과 힘을 다할 뿐
무기가 좋고 나쁨은 다음의 일이다.
다만 정성이 부족하지 않은가 근심하고
적이 강하다고 물러나지 않는다.

국가 보훈처
이 달의 독립 운동가
http://www.bohun.go.kr/monthhero/list.asp

5 실력 양성으로 주권을 회복하자

주권을 잃을지도 모른다는 위기감이 높아지면서 수많은 사람들이 단체를 만들어 민족 운동에 나섰다. 곳곳에 학교를 세웠으며, 신문과 잡지, 우리말과 우리 역사에 대한 연구를 통해 민족 의식을 높였다.

■가 볼 곳 | 국채 보상 운동 기념비 ■만날 사람 | 장지연, 신채호 ■주요 사건 | 대한 자강회, 신민회 창립

| 총칼을 드는 사람도 있어야겠지만 … |

이승훈 (1864~1930)

놋그릇의 제조와 판매로 큰 돈을 번 기업인이었다. 신민회 회원으로 태극서관이라는 출판사와 도자기 회사를 세워 사장을 지냈다.

"나라가 기울어 가는데 그저 앉아만 있을 수 있겠는가? 이 아름다운 강산, 조상들이 지켜온 강토를 원수 일본인들에게 내 맡길 수가 있겠는가?

총을 드는 사람, 칼을 드는 사람도 있어야 할 것이다.

그러나 그보다 중요한 것은 백성들이 깨어나는 것이다."

평안도의 정주에서 오산 학교가 문을 열던 날, 이승훈은 학생과 학부모들에게 이렇게 마음을 털어놓았다. 그리고 자신이 세운 이 학교가 '만분의 일이라도 나라에 도움이 되기를 원한다.' 며 연설을 마쳤다.

교육을 통해 나라의 힘을 기르자며 재산을 털어 학교를 세운 이들은 많았다. 그리하여 보성 · 양정 · 대성 등 수천의 사립 학교가 세워졌다.

안창호와 대성 학교

신문물 도입을 위해 미국으로 건너갔던 안창호(1878~1938)는 을사조약 소식을 듣고 귀국하여 신민회를 조직하고 본격적인 계몽 활동을 벌였다.

대한 자강회 기관지

> 나라의 독립은 무릇 나라의 힘이 강하냐 그렇지 못하냐에 달려 있다. (중략) 무릇 교육이 일어나지 않으면 사람의 지혜가 깨치지 못하게 되고, 산업이 일어나지 않으면 국부가 증가하지 못한다.
>
> -대한 자강회 선언문-

장지연(1864~1921)
황성 신문 사장으로 대한 자강회의 회장을 맡았다.

| 문제는 힘, 힘을 기르자! |

많은 사람들이 학교 설립 운동에 나선 것은 을사조약 이후의 일이다. 외세의 침략은 날로 거세지고 친일파들이 관직을 독점하고 있으니, 머지않아 독립을 잃을지 모른다는 위기감이 커질 무렵이었다.

애국적 지식인들은 서로 머리를 맞대고 의견을 모았다. 그리고 대한 자강회, 신민회와 같은 단체를 조직하여 국권 회복 운동에 나섰다.

장지연 등은 대한 자강회를 조직하였다. 회원들은 '교육과 산업을 일으켜 세우는 것이 주권 회복의 기초' 라고 생각하였다. 그리하여 연설회와 토론회를 열고, 언론 활동을 통해 자신들의 생각을 널리 알렸다.

대한 자강회에 이어서 많은 단체들이 조직되었다. 여러 단체의 회원들은 곳곳에서 학교 건립에 나섰고, 교육과 언론 활동을 통해 민족 의식을 고취시켰다. 그리고 근대 문물의 수용과 산업 진흥을 위한 활동을 전개하였으며, 일본에 진 빚을 갚자는 국채 보상 운동을 전개하기도 하였다. 이들의 운동을 자강 계몽 운동이라 한다.

| 국가는 망해도 민족이 살아 있으면… |

지식인들의 자강 계몽 운동이 크게 일어나자 일제와 친일 관리들은 당황하였다. 일제는 단체를 강제로 해산시키고, 터무니없는 법률을 만들어 활동을 제한하였다.

이처럼 공개적 활동이 어려워지고 있을 때 미국에서 활동하던 안창호

a Daily News.

大韓每日申報

대한 매일 신보와 편집부원들

대한 매일 신보는 의병 항쟁을 비롯한 항일 운동 소식을 널리 전하였던 대표적인 애국 언론이었다. 사원 전부가 신민회의 회원이었다.

양기탁(1871~1938)

대한 매일 신보 주필로 신민회 창립에 앞장섰다. 1930년대에는 임시 정부의 주석을 잠깐 맡기도 하였다.

신채호(1880~1936)

대한 매일 신보 주필로 신민회 회원이었다. '역사는 곧 민족사' 라면서 역사 연구를 통해 민족 의식을 고취하였다.

가 귀국하였다. 그는 양기탁을 비롯한 지식인들을 두루 만나 새로운 활동 방식을 협의하였다. 그리고 이전과는 다른 새로운 단체를 만들었다. 그것이 바로 신민회였다.

신민회는 일제 몰래 조직되어 활동하였다. 신민회는 실력 양성을 위해 교육과 산업 진흥 운동을 전개함은 물론, 결국은 전쟁을 통해서만 독립을 쟁취할 수 있다는 것을 깨닫고, 나라 밖에 독립 운동의 근거지를 마련하기 위한 활동도 전개하였다. 또한 장기적으로는 군주정을 무너뜨리는 국민 혁명만이 독립을 유지할 수 있는 길임을 알고 국민 모두가 주인 되는 사회를 지향하였다.

한편 주권을 잃을지도 모른다는 위기감이 높아지면서, '나라는 망해도 민족이 살아 있으면 언젠가 나라를 다시 찾을 수 있다.' 는 생각에서, 나라 말과 나라 역사를 연구하고 보급하려는 운동이 크게 일어났다. 아울러 단군을 숭배하는 대종교가 일어나 많은 사람들의 마음을 사로잡았다.

저요, 저요

1. 장지연은 □□ □□□를 조직하여 실력 양성 운동을 벌였다.
2. 비밀리에 조직되어 해외 독립 운동 기지를 건설하려 하였던 단체는?

나도 역사가

대한 자강회, 신민회의 창립 선언문을 구해서 읽어 보자. 이 단체 회원들이 어떻게 주권을 회복하려 하였는지 토의해 보자.

〈여성과 역사〉

반지 빼고 비녀 뽑고, 금 모아서 나라 빚 갚기

大韓每日申報—대한매일신보

2월 24일
서울 상사동의 이씨 부인, 패물을 팔아 신화 2환을 보탬.

2월 25일
약방 기생 39인이 '비록 여자 중 천인이나 국가의 의무를 저버릴 수 없다.' 고 신화 24환을 합동으로 보탬.

2월 26일
대안동 어느 관리 집에 더부살이를 하면서 일하는 가난한 강씨 부인이 품값으로 받은 4원을 보탬.
양성환 씨의 딸로, 아산 백산에 있는 이씨댁에 출가하였다가 일찍이 과부가 되어 홀로 두 아들을 키우는 양부인이 '본인도 비록 안방이나 지키는 일개 여인에 불과하나 대한 국민의 한 사람으로 의무를 느껴 눈물이 절로 떨어지나 힘이 정성을 미치지 못해 겨우 구화 12원을 기부한다.' 는 편지와 함께 돈을 보내 옴.

2월 27일
북촌 인력거꾼 이씨가 그의 어머니에게 국채 보상에 출연할 몇십 전을 요구하자 그 어머니가 '어찌 몇십 전으로 되겠는가.' 하면서 4원을 쥐서 보냄.

2월 28일
한정렬 씨 부인이 배앓이로 30년간 피우던 담배를 끊고 바느질 삯을 모아 2원을 보내 옴.

3월 1일
김일당과 김석자 등이 매일 아침밥과 저녁밥을 반밥그릇으로 줄인 석 달 분 값으로 신화 2원 70전을 보내 옴.

대구 시민 회관 앞에 세워진 국채 보상 운동 기념비

나라 빚 갚기 운동!

시작은 비록 남성들이 하였으나 여성들의 참여도 남달랐다.

남성들은 담배를 끊어 돈을 모았다. 그리고 여성들은 밥을 줄이고 반찬값을 아껴 돈을 모았다. 정말 어려울 때를 위해 장롱 깊이 넣어 두었던 반지며 비녀를 꺼내 모금에 참가하였다.

'부모가 빚이 있으면 자식이 감당하고, 나라에 빚이 있으면 국민이 갚아야 한다.' 남성도 여성도 모두 그렇게 생각하였다.

다 같이 국민으로서의 의무를 느꼈으니, 다 같은 국민으로 차별 받지 않는 권리를 누리리라.

청년 학도들이여!
그대들의 어깨에 나라의 운명이 달려 있나니

서양 강국이 부강한 것을 보면 소위 개화가 오래되었다고 하는 나라도 40, 50년을 넘지 못하고 30년 정도 밖에 안 되는 나라가 많다. 이와 비교해 보면 우리나라는 이와는 달리 4000년 이래 문화의 기풍이 있으며 우리 조선조에 이르러서는 더욱 강하고 밝게 하여 문학과 정치가 각국을 초월하여 세계 여러 나라의 모범이 될 수 있으나 오직 최근에 시세의 변화에 달관하지 못하였는데 이것은 하지 않았기 때문이지 할 수 있는 능력이 없는 것이 아니다.

이 나라는 인물이 천하의 최고이고 산천도 요충에 위치하고 있으니 만약 지금 덕이 있는 정치를 해서 부강을 이루면 강국의 기상으로 구주의 여러 나라와 대등할 것이다. 부강의 도는 국정을 정돈하는 것과 관계 있는데, 국정을 정돈하는 데는 학교보다 급한 것이 없다. 더욱 실심으로 실학하여 만세불발의 기초를 건립하고 오주에서 독립할 수 있는 시대를 열어야 하니 이것이 어찌 여러 학생들의 책임이 아니겠는가. 이에 학생들에게 여러 문제를 내니 훈령이 도착한 후 3개월 이내에 답을 떠서 송부하는데, 스스로의 안목이 성장하는 기반이 되게 할 것이며 다른 사람의 것을 베끼지 말고, 한문만을 쓸 것이 아니라 국한문을 써도 좋고 국문만으로 전용하여도 좋다. 오직 생각을 진솔하게 적을 것이니 화려한 문장을 꾸미는 데 힘쓰지 말 것이다.

▶ 법국(프랑스)은 무슨 이유로 커다란 난이 일어났으며 나폴레옹 1세는 무엇 때문에 영웅이라고 하나?
▶ 영국은 무슨 이유로 흥성하여 세계 일등국이 되었으며, 정치의 좋고 나쁨이 우리 나라에 비교하면 어떠한지 숨기지 말고 실제에 근거하여 사실대로 쓸 것.
▶ 인도국은 무슨 이유로 영국의 속국이 되어서 지금까지 자주국이 되지 못하였는가?
▶ 독일과 프랑스의 전쟁에서 독일은 어찌해서 승리하였으며 프랑스는 어찌해서 패배하였나?
▶ 우리 나라 대한은 어떻게 정치를 하여야 세계 일등국이 되며 또 개혁을 하지 않으면 어떠한 지경에 이를까?

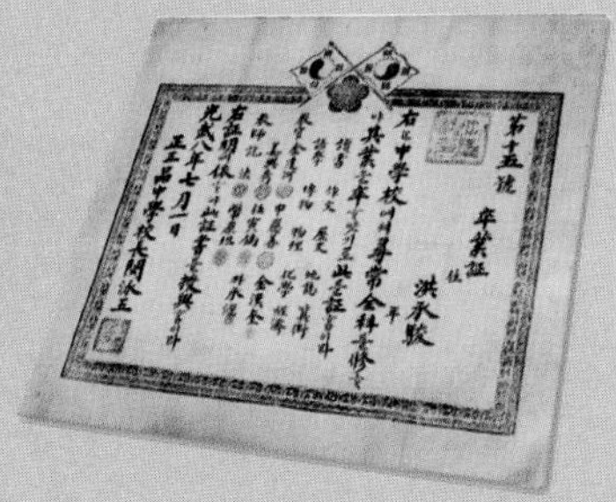

第十五號

卒業證

洪承駿

光武八年七月一日

졸업장

이 글은 1898년 11월 4일, 황성 신문에 실린 학부 훈령으로 당시 교육에 걸었던 높은 기대를 짐작할 수 있게 한다.

당시에는 학교에서 배우는 교과목이나 일과, 시험 방법 등에 학교마다 차이가 있었다. 대개 세계사(만국사), 세계지리(만국지지), 한국사(아조사), 산술, 작문, 논어, 대학 등을 배웠다. 시험 방법은 필기 시험 외에도 경서를 외우고 뜻에 대한 질문에 대답하는 '면강문대', 책은 선생님 앞에 펼쳐 놓고 돌아앉아서 외우며 질문에 대답하는 '배강문목' 등 다양한 방법이 있었다. 등하교 시간도 차츰 자리를 잡게 되었는데 예를 들면 해가 긴 입하에서부터는 오전 8시에 등교하여 오후 6시에 귀가하고, 점점 등교 시간이 늦추어지다가 입동으로부터는 오전 10시에 등교하여 오후 4시에 귀가하였다. 공립 소학교에서는 7, 8세 아동을 학생으로 받아들이도록 되어 있었는데 아동들이 웃고 다투며 돌을 던지고 시끄러워서 15~25세를 선발하는 학교도 있었다.

경기 고등 학교 제1회 졸업식

일제의 강점과 뒤틀린 근대화

4

한국 최초의 장면들

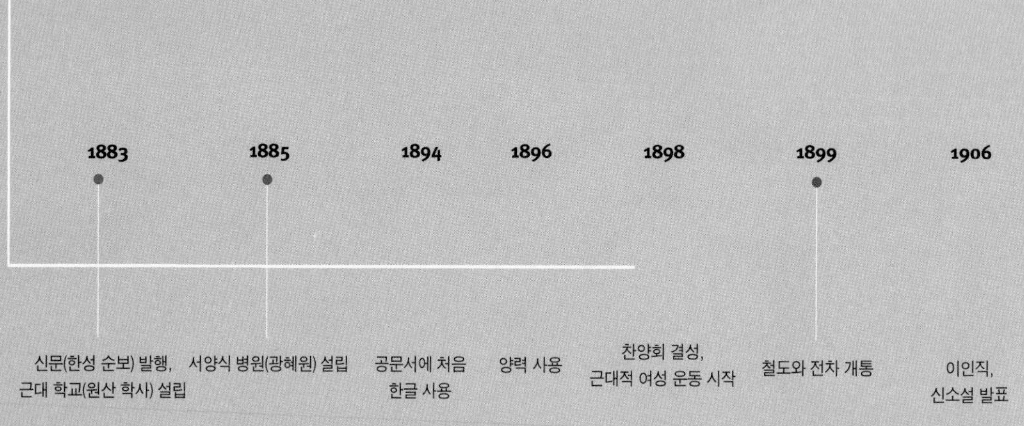

외국과의 교류가 시작된 이래 일본을 통해, 그리고 서양인을 통해 수많은 신문물이 소개되었다. 외국의 발달된 과학 기술 수준은 순식간에 많은 사람의 관심을 끌었으며, 많은 사람들은 부러운 시선으로 새 것을 바라보았다.

새 것의 편리함과 우수함을 본 이들은 하루빨리 새 것을 익혀야 한다고 생각하였다. 학교에서는 외국에서 전해진 새로운 학문을 가르쳤고, 새 것을 익히는 데 도움이 되는 외국어도 가르쳤다.

그러나 새로운 문화를 누릴 수 있는 사람들은 일본인이나 소수의 한국인뿐이었다. 대다수 한국인들은 이들의 문명 생활을 위해 희생을 강요당하였다. 그리하여 '문명이 조선인의 주인이 되고, 조선인은 문명의 종이 되는' 기막힌 일이 벌어졌다.

1919	1922	1926	1927	1936	1942
한국인에 의한 영화 제작 시작	어린이 날 행사를 치름.	경성 제국 대학 개교. 대중 가요 유행(사의 찬미)	라디오 방송 시작	올림픽 마라톤 우승(손기정)	서울 인구 100만을 넘어섬.

1 삼천리 금수강산 지옥이 되어

강도 일본이 헌병 정치, 경찰 정치를 행하여 우리 민족은 조그만 행동도 마음대로 못하고, 언론 · 출판 · 집회의 일체 자유가 없어 고통과 울분, 원한이 있어도 벙어리 냉가슴이나 만질 뿐이요, 눈뜬 소경이 되고 말았으니….

■가 볼 곳 | 서대문 형무소 ■만날 사람 | 황현 ■주요 사건 | 조선 총독부 설치, 무단 통치, 이른바 문화 통치

| 선생님, 서대문 형무소에 다녀왔어요 |

'자주 독립을 위해 세운 독립문 앞에, 독립 투사들을 가두고 고문하였던 형무소가 서 있다니….'

처음 역사관에 도착할 때부터 기분이 무척 안 좋았어요.

처음엔 영상을 시청했어요. 그리고 옥중 생활이 전시된 2층을 보았답니다.

지금도 지하 감옥을 잊을 수가 없어요.

아무에게도 도움을 청할 수 없는 암흑의 공간, 그리고 그 곳에서 무자비한 폭력에 시달렸던 분들 …

그들의 피울음 소리가 지금도 들리는 듯해요.

'약해져서는 안 된다.' 마음을 다잡아보지만, 지금도 이 글을 쓰면서 눈물이 나와요.

오늘 우리가 어떻게 해야 할까요?

2002년 2월 김시정 올림

서대문 형무소

1908년에 완성되었다. 해방을 맞기까지 수많은 애국 지사들이 이 곳에 투옥되어 고문을 받으며 처형되거나 병으로 세상을 떠났다.

서대문 형무소 역사관
http://parks.seoul.kr/independence/

| 1910년 8월 29일 |

황현(1855~1910)

1910년 일제에 주권을 빼앗기자 "새와 짐승도 냇가에서 슬피우는데, 무궁화 나라는 이미 사라졌는가. 가을 등불 아래 책 덮고 옛일 회상하니, 글 아는 사람 구실 참으로 어렵구나."라는 시를 남기고 스스로 목숨을 끊었다.

1910년 8월, 대한 제국은 역사 속으로 사라졌고 조선 총독부가 설치되어 우리 나라를 통치하기 시작하였다. 한국인은 모두 일본인의 일부가 되어야 했다. 그러나 한국인이 일본인이 될 수 없었고, 일본인 역시 한국인을 그들처럼 대우하고 싶은 생각이 없었다.

일제는 입으로는 늘 한국인들을 더 잘 살게 하기 위해서 하나로 '합병' 하였다고 주장하였다. 일진회를 중심으로 한 매국노들도 합병이 모두에게 도움이 된다고 떠벌였다.

일제와 매국노들은 관리들을 협박하고 황실의 안전을 보장하겠다고 얼르면서, "한국의 황제 폐하께서는 대한 제국 정부에 관한 일체의 통치권을 완전히, 또한 영구히 대일본 제국 천황 폐하께 넘겨 준다."는 조약 문안을 들이밀었다. 그리고 조약 체결이 선언되었다. 황제의 서명도 없이.

대부분의 한국인들은 일제와 매국노의 말을 믿지 않았다. 많은 사람들이 죽음으로서 조약 체결에 반대하였으며, 더 많은 사람들이 일제와 매국노에 맞서는 새로운 투쟁을 다짐하였다.

| 삼천리 금수강산 지옥이 되어, … |

민족적 저항 속에 강행된 일제의 '합병' 은 오직 군대에 의해 이루어진 '강제 점령' 이었고 폭력을 통해서만 유지될 수 있는 무단 통치였다.

일제는 전국 곳곳에 군대를 주둔시켰다. 그리고 한국인들의 말과 행동 하나하나를 감시하였다. 그들의 눈에 조금이라도 어긋날 경우에는 가차 없이 폭력이 가해졌고, 심지어 학교의 교사들조차 칼을 차고 위협적인 분위기를 연출하였다.

그리하여 어느 독립 운동가는,

헌병 경찰 통치

사진은 경성 헌병대 본부이다.

"강도 일본이 헌병 정치, 경찰 정치를 행하여 우리 민족은 조그만 행동도 마음대로 못하고, 언론 · 출판 · 집회의 일체 자유가 없어 고통과 울분, 원한이 있어도 벙어리 냉가슴이나 만질 뿐이오, 눈뜬 소경이 되고 말았으며, 자식을 낳으면 일어를 국어라, 일본글을 국문이라 가르치는 노예 양성소(학교)로 보내고, (중략) 똑똑한 자식을 낳으면 세상을 비관하고 절망하는 타락자가 되거나, 그렇지 않으면 음모 사건의 이름 아래 감옥으로 끌려가 온갖 악형을 다 당하고 요행히 살아서 감옥 문을 나오더라도 일생 동안 불구가 되어 폐인이 될 뿐이며, 그렇지 않을지라도 창의적 생각이 짓밟히고, 진취적이고 활발한 기상은 소멸되어 (후략)"

— 〈조선 혁명 선언〉, 신채호 —

105인 사건으로 끌려가는 애국자들

일제가 주권을 빼앗은 직후, 터무니없는 사건을 꾸며내 민족 운동가 700명을 검거하고 105인에게 유죄 판결을 내렸다.

朝鮮日報

조선 일보 창간호

3·1 운동 이후 언론·집회·결사의 자유가 부분적으로 인정되었다. 문화 통치는 일제의 폭력적 통치를 무너뜨린 3·1 운동의 성과이면서, 1920년대에 다양한 대중 운동이 일어날 수 있는 배경이 되었다.

라고 분노하였다. 또한 만주에서 활동하던 독립군은 "삼천리 금수강산 지옥이 되어, 모두 도탄에서 헤매고 있다. 동포는 기다린다. 어서 가자 조국에" 라는 노래를 부르며 옷고름을 다잡았다고 한다.

| 우리 민족을 분열시킨 일제 |

군대와 폭력을 동반한 무단 통치에도 독립 운동은 끊이지 않았다. "내 육신은 거두어 갈 수 있어도 정신만은 꺾지 못할 것" 이라는 강력한 저항 정신 앞에 일제는 더 이상 무단 통치를 지속할 수 없었다.

3·1 운동이라는 민족적 저항에 부딪힌 일제는 1920년 이후, 이른바 문화 정치라는 새로운 정책을 내세웠다. 이에 따라 한글 신문도 생기고 여러 단체들이 조직되었으며 다양한 사회 활동이 전개되었다. 그리고 일제는 조선을 문화적으로 계발할 터이니, 자신들에게 협조해 달라고 말하였다. 그러면서 친일 단체의 조직과 지원에 온갖 노력을 기울였다.

자유롭게 활동할 수 있는 자유는 친일파들에게만 보장되었을 뿐이다. 일제 통치 정책에 반대하거나 독립을 위해 노력하는 이들에게는 폭력적 탄압이 계속되었으니, 일제의 문화 정치는 친일파를 육성함으로써 민족을 분열시키고자 하였던 또 하나의 죄악일 따름이었다.

저요, 저요

1. 일제가 우리 주권을 빼앗은 뒤 설치한 그들의 통치 기관은?
2. 주권 상실 이후 일제는 폭력을 바탕으로 한 □□ 통치를 일삼았다. 1920년대에는 이른바 □□ 통치를 내세웠으나 이는 우리 민족을 분열시키는 또 다른 죄악이었다.

나도 역사가

1. 독립 기념관과 서대문 형무소 역사관을 방문하여 주권 상실 이후 우리 민족이 겪었던 고통을 조사해 보자.
2. 독립 운동에 나섰던 사람들의 전기를 읽고, 이들이 독립 운동에 나서게 된 배경에 대해 이야기해 보자.

2 일제, 그리고 지주와 소작인

굶주림을 면키 어려울 정도의 가난은 일제가 가져다 준 유일한 선물이었다. 일제가 근대적 토지 소유 제도를 확립한다고 떠들어 대면서 실시한 이른바 토지 조사 사업으로 인해 가난이 더욱 심해졌기 때문이다.

■가 볼 곳 | 군산항, 목포항 ■주요 사건 | 토지 조사 사업, 산미 증식 계획

| 하루 한 끼 먹는 사람이 30% |

> 고창군의 인구 10만 4930명 가운데서, 하루 세 끼 먹는 인구가 23.6%인데 비해, 하루 두 끼 먹는 인구가 45.2%이고, 하루 한 끼 먹는 인구는 31.1%나 되었다. 또한 이 중에서 쌀밥을 먹는 인구가 전체의 21.7%인데 비해, 잡곡을 먹는 인구가 48.3%이며, 잡곡에 풀잎을 섞어 먹는 사람이 25.5%이며, 풀뿌리와 나무 껍질로 연명하는 사람이 4.6%나 되었다.
>
> —〈동아 일보〉, 1924. 10. 21.—

끼니를 제대로 때우지 못하는 사람이 무려 76%라니!

이 비슷한 기사는 며칠 간격으로 계속 발견된다. 그런데 10월은 추수가 막 끝난 시점이니, 이런 가난은 일시적 현상이 아니었음을 알 수 있다. 더구나 이 기사들에 등장하는 무대는 대부분 널찍한 평야 지대에 자리잡은 호남 지방이었다. 그러니 농민들이 겪는 고통이 어느 한 지역에 국한된 것은 아니었다.

가난은 일제가 가져다 준 유일한 선물

굶주림을 면키 어려울 정도의 가난은 일제의 강점 이후 그 정도가 더욱 심해졌다. 일제는 1911년부터 근대적 토지 소유 제도를 확립한다고 떠들어 대면서 이른바 토지 조사 사업을 실시하였다.

이 사업으로 일제는 왕실과 공공 기관의 토지, 여러 사람이 함께 주인이던 토지 등 수많은 토지를 빼앗았다. 그리고 그 땅을 일본인들에게 헐값으로 되팔았다. 아울러 대대로 누려왔던 농민들의 경작권을 부정하고 지주들의 소유권만 보장함으로써 땅 없는 농민들을 궁지에 몰아넣었다. "토지를 골고루 나누어 경작하자!" 며 분연히 일어섰던 갑오년 농민들의 바람은 일제의 식민 통치로 끝내 실현되지 못하였다.

땅이 없는 농민들은 지주의 땅을 빌려서 농사를 짓는 소작인이 되어야 했다. 그러나 이들의 권리는 아무도 보장해 주지 않았다. 지주가 원하는 대로 소작료를 내야만 했고, 지주가 원하는 대로 세금을 대신 부담하여야 했다. 행여 항의라도 할라치면, 이듬해 농사는 포기하여야 할 판이었다. 이 모두 지주의 소유권만 일방적으로 인정한 토지 조사 사업 때문이었다.

토지 조사 사업

1911년에서 1918년 사이에 진행된 이 사업은 토지의 소유권, 토지 가격과 토지의 생김새 등을 조사하고, 그 결과를 바탕으로 토지 대장을 만들어 소유권을 법적으로 공인한다는 명분으로 실시되었다. 이 과정에서 신고되지 않은 수많은 농민들의 토지가 일본인들에게 넘어갔는데, 토지 조사 사업 후 총독부와 일본인 지주가 차지한 농경지가 전체 농경지의 11%에 달할 정도였다. 아래 사진은 한국의 농토를 무차별 수탈한 일본의 대표적인 민간 기업 불이 농장으로, 용암포의 뻘을 개간하여 피발으로 만든 것이다.

지주로부터 부당한 대우를 받게 된 농민들은 저항하였다. 농민들은 "경작권을 인정하라! 소작료를 내려라!" 고 주장하였다. 그러나 그 때마다 일제는 지주를 대신하여 농민들을 억눌렀다.

일제는 지주들을 도왔다. 자유롭게 토지를 사고 팔 수 있도록 제도를 만들었으며, 지주들이 더 넓은 토지를 사들일 수 있도록 돈도 빌려 주었다. 일제에게는 더 많은 농토가 지주의 손에 들어가 소작료로 지불되는 쌀이 많아지는 것이 유리하였기 때문이다. 그래야 더 많은 쌀을 일본으로 가져갈 수 있었다.

산미 증식 계획

1920년대부터 일제는 쌀을 증산시켜 주겠다며 이른바 산미 증식 계획을 실시하였다. 그러나 실제로는 증산량보다 훨씬 많은 양의 쌀을 일본으로 가져갔다.

해마다 막대한 양의 쌀이 일본으로 팔려 갔는데, 그 쌀은 대부분 지주가 소작인들로부터 받은 소작료였다. 쌀값은 당연히 치솟았고, 지주들의 재산은 눈덩이처럼 불어났다. 천석꾼이니 만석꾼이니 하는 큰 부자들이 곳곳에서 생겨났다.

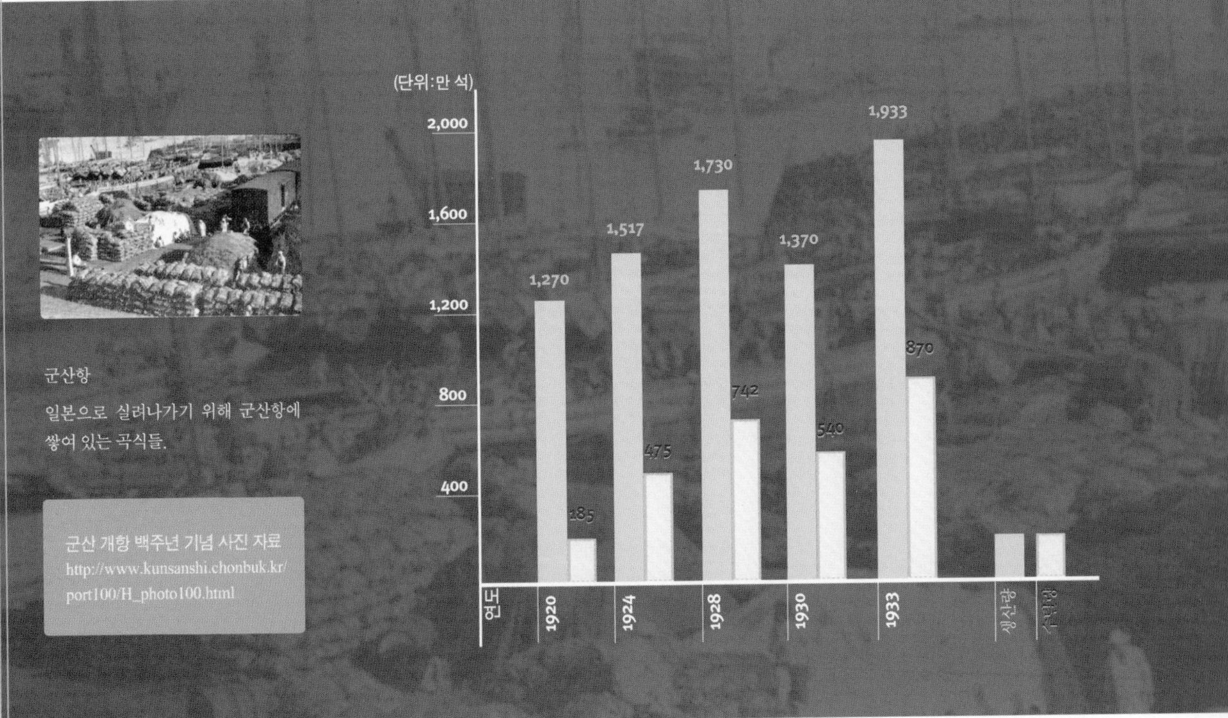

군산항

일본으로 실려나가기 위해 군산항에 쌓여 있는 곡식들.

군산 개항 백주년 기념 사진 자료
http://www.kunsanshi.chonbuk.kr/port100/H_photo100.html

소작인 가족

당시 인구의 대다수가 농민이었다. 그런데 그들 대부분이 자기 땅이 없는 소작인이거나, 자기 땅만으로는 먹고 살기 어려운 자소작인었다. 1932년 현재 소작과 자소작을 합하면 무려 80%에 이른다.

| 쌀밥에 고깃국 한 번 먹어 봤으면 |

쌀값이 오르면 농민들이 좋아해야 하련만 현실은 전혀 그렇지 않았다. 대다수의 농민들은 빚에 허덕였고, 그래서 추수가 끝나면 곧바로 빚부터 갚아야 했으니, 빚을 갚고 나면 식량이 부족해 농민도 쌀을 사먹어야 할 지경이었다. 그러니 쌀값의 인상은 빚이 늘어나는 원인이 될 뿐이었다. 식량을 구하기 위해 빚을 내고, 빚내서 빚을 막다가, 마침내는 손바닥만 한 땅마저 팔아 넘기고 소작인이 되어야 했다. 그나마 없는 사람은 자식이라도 팔아야 할 형편이었다. '내 땅을 가졌으면, 쌀밥에 고깃국 한 번 먹어 봤으면….' 그것은 일제하 농민들 대다수의 소망이었다.

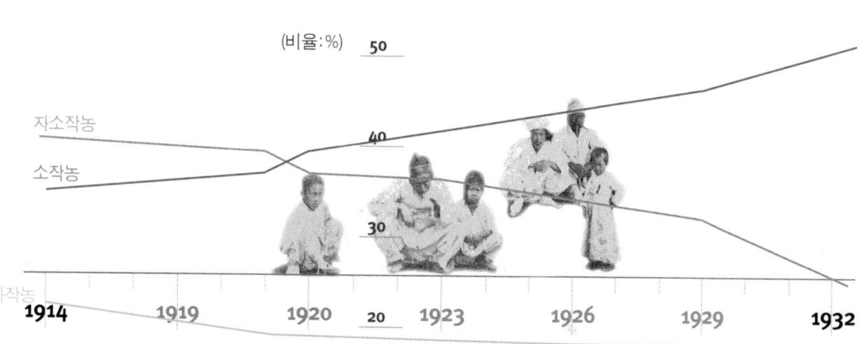

저요, 저요

1. 일제가 우리 주권을 빼앗은 뒤 설치한 그들의 통치 기관은?
2. 1920년대 이후 일제는 □□ □□ □□을 실시하고 증산량보다 더 많은 양의 쌀을 빼앗아 갔다.

나도 역사가

일제 강점기 농촌 사회의 현실을 소재로 한 다음 소설들을 읽어 보자.
그리고 소설 속에 나타나는 농민들의 삶을 역사극으로 구성해 보자.
이기영의 「고향」, 심훈의 「상록수」

3 식민지 도시의 세 얼굴

도시에는 세 부류의 사람들이 살았다. 고향을 잃고 살 길을 찾아 밀려온 이들, 더 많은 돈을 벌기 위해 서울로 온 기업인들, 그리고 조선을 통치하기 위해 일본에서 건너온 사람들이 그들이었다.

■만날 사람 | 김성수 ■주요 사건 | 회사령 제정, 경성 방직 설립

| 고향을 떠난 사람들 - 장면1 |

만주로 떠나는 사람들

1945년 현재 재외 동포의 수는 400만으로 전체 인구의 1/6에 이르렀다.

식민지 농민들은 늘 배가 고팠다. 그러나 어떻게 해서든 고향에 눌러 붙어 있으려 안간힘을 썼다. 한 번도 그 곳을 떠나본 적이 없어서, 함께 굶어도 피붙이가 있었기에 농민들은 떠나려 하지 않았다. 그러나 땅을 빼앗기고 늘어가는 빚을 견디지 못한 이들은 떠나야만 했다.

아무 것도 가진 것 없는, 그래서 자신의 몸을 팔아 생계를 유지할 수밖에 없는 사람들이 고향을 떠나야 했다.

그러나 그들이 갈 곳은 많지가 않았다. 일제의 경제 침략으로 공업 발전이 늦어져, 어디에서도 일자리를 찾기 어려웠기 때문이다. 그래서 고향을 잃어버린 이들은 광산이나 부두로 몰려갔고, 도시에서 막노동을 하면서 근근이 생계를 이어갈 따름이었다.

농촌에서 쫓겨나고 도시에서도 자리잡지 못한 사람들은 낯설고 물설은 땅으로 떠나야 했다. 수많은 사람들이 농사지을 땅을 찾아 만주로 떠났으며, 일자리를 찾아 일본으로 갔다. 그러나 이들을 기다리고 있는 것은 또 다른 차별뿐, 그들을 배불리 먹여 주는 곳은 어디에도 없었다.

광산 노동자들

도시의 지게꾼들

부두 노동자들

| 고향을 떠난 사람들 - 장면2 |

김성수(1891～1955)

일본과의 쌀 무역을 통해 급성장하였던 고부의 만석꾼 집안 출신으로, 1923년 무렵에는 2000여 명의 소작인을 거느렸다. 3·1 운동을 전후하여 면직 공업에 많은 자본을 투자하였다. 동아 일보의 창립자이기도 하며, 훗날 이광수 등과 함께 자치론을 주장하기도 하였다.

고향을 떠난 이들 가운데는 새로운 기회를 찾아 적극적으로 도시를 찾는 사람도 많았다. 특히 3·1 운동 이후 일제가 조선 사람들의 기업 설립을 억제해 왔던 회사령을 개정하자, 많은 지주들이 돈을 모아 공장을 짓고 기업을 운영하기 시작하였다. 1919년에 서울에 세워진 경성 방직은 전국적으로 유명한 대지주들이 투자하여 만든 대표적인 기업이었다. 평양에도 크고 작은 메리야스 공장이 들어섰으며, 전국 여러 곳에 공장이 세워지고, 상업이나 무역 회사도 만들어졌다.

조선인들의 기업은 민족 기업으로 받아들여져 조선 사람들의 사랑을 많이 받았다. 하지만 값싸고 질 좋은 일제 상품에 맞서 경쟁력을 유지하기에는 힘이 달렸다. 게다가 일본 기업은 총독부를 등에 업고 강력한 공세를 해왔으니, 기업 활동이 쉽지 않았고 조선의 산업이 점차 일본인의 손아귀에 들어가고 말았다.

일제하 민족별 자본 구성비

한·일 합동 자본이 실제로는 일인 지배인 경우가 대다수였음을 감안하면, 일인 자본이 한국 전체 산업의 93%를 차지하고 있었다. 당시 국내 거주 일본인은 전체 인구의 2.6%였다. 사진은 일본인이 경영하는 통조림 가공 공장이다.

도시에 들어선 것은 공장만이 아니었다. 수많은 일본인들이 국내로 밀려들었고, 곳곳에 일본인들의 거주 지역과 상가, 벚꽃길이 만들어졌다. 일본인들이 다니는 학교도 곳곳에 세워졌다. 이제 이들을 통해 일본 문화, 일본인이 소화한 서양 문화가 밀려들었다.

일본에 맞서기 위해, 아니 최소한 살아남기 위해서라도 많은 사람들은 교육을 받아야 한다고 생각하였다. 그래서 돈 많은 집안에서는 자식을 도시로 서울로 일본으로 유학을 떠나보냈다. 그리하여 도시 곳곳에는 깔끔한 교복 차림의 학생들이 무리를 지어 다녔다. 이제 새로운 학문, 새로운 생각, 새로운 문화가 이들을 통해 형성되었으며, 유학자가 아닌 새로운 지식 계층이 형성되었다.

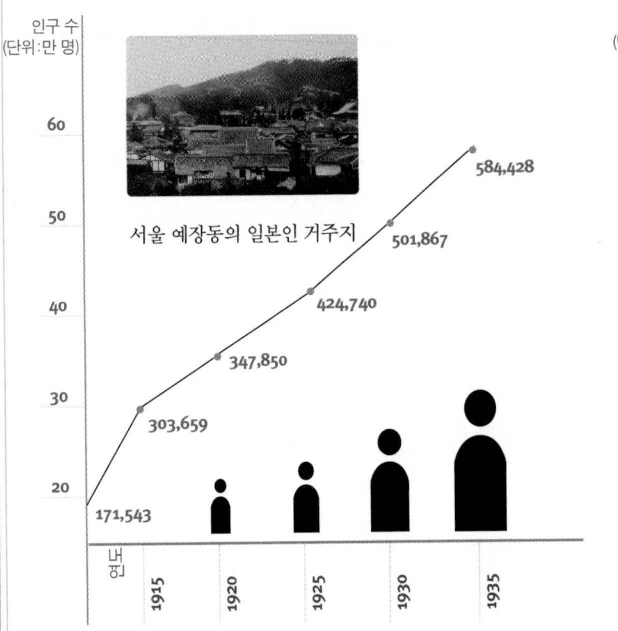

일제하 한국의 일인 수 증가

1910년에 17만에 불과하던 일본인이 1935년에는 60만을 육박하였다. 총인구에서 차지하는 비중도 1.3%에서 2.7%로 높아졌다.

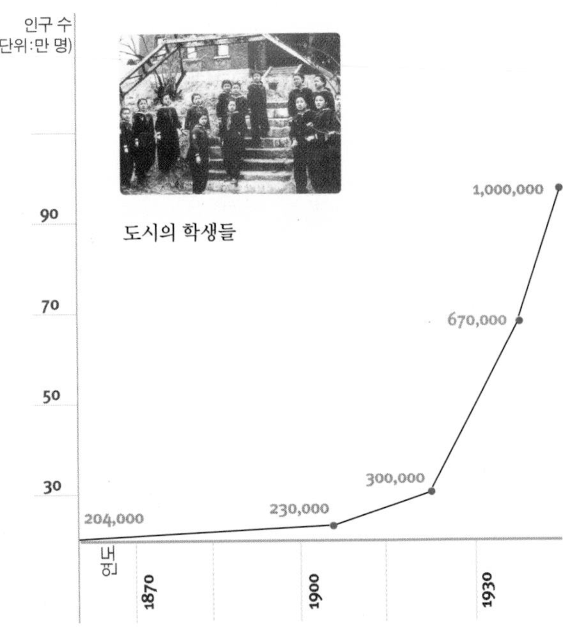

서울의 인구 증가

1920년대부터 빠른 속도로 늘어난 서울 인구는 1942년에 처음으로 100만을 넘겼다.

| 도시의 사람들 - 장면2 |

도시를 찾은 사람들의 삶이 다 여유로웠던 것은 아니다. 그리고 도시의 새로운 삶이 모든 이들의 것은 아니었다. 굶주린 배를 움켜쥔 채 도시로 밀려들었던 이들은 이 곳에서조차 평화를 찾지 못하였다.

대부분 마땅한 직장을 구하지 못한 채 날품을 팔아 나날을 살아갔다. 운이 좋아 공장에 일자리를 가졌다 해도, 그것이 곧 생활의 안정은 아니었다. 식민지 도시의 민중들은 어디서나 고통스러웠다.

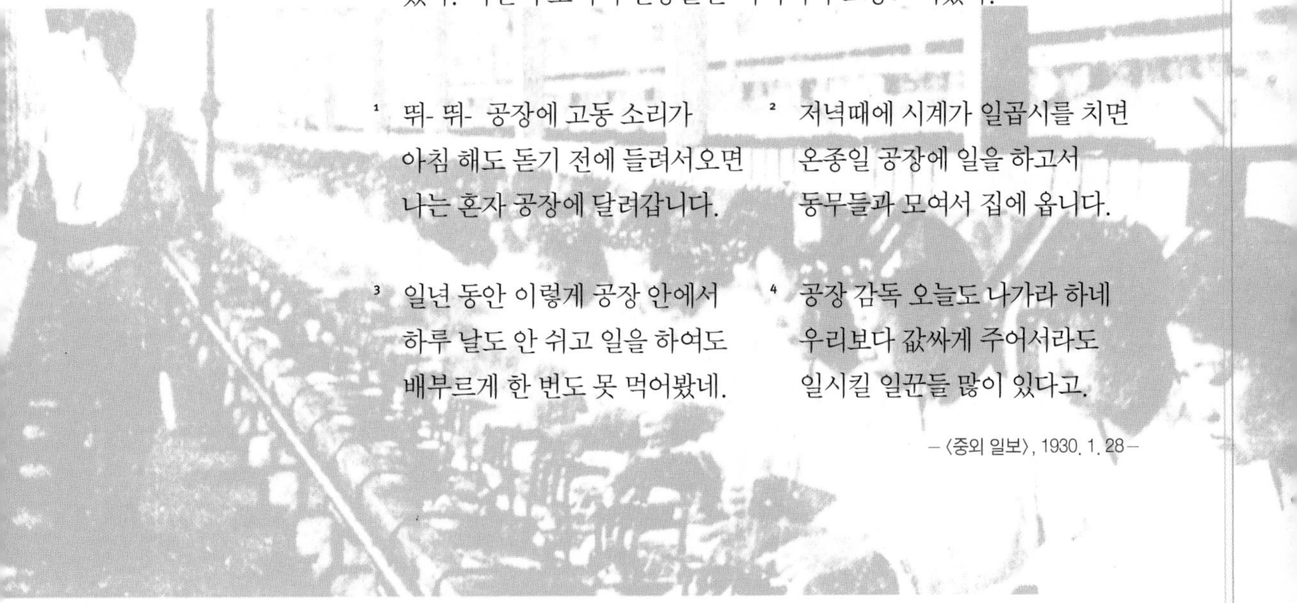

1 뛰- 뛰- 공장에 고동 소리가
아침 해도 돋기 전에 들려서오면
나는 혼자 공장에 달려갑니다.

2 저녁때에 시계가 일곱시를 치면
온종일 공장에 일을 하고서
동무들과 모여서 집에 옵니다.

3 일년 동안 이렇게 공장 안에서
하루 날도 안 쉬고 일을 하여도
배부르게 한 번도 못 먹어봤네.

4 공장 감독 오늘도 나가라 하네
우리보다 값싸게 주어서라도
일시킬 일꾼들 많이 있다고.

–〈중외 일보〉, 1930. 1. 28–

저요, 저요

1. 일제가 조선인들의 기업 설립을 억제하기 위해 실시한 조치는?
2. 1919년 서울에 세워진 □□ □□은 대지주들이 투자하여 세운 대표적인 한국인 기업이었다.

나도 역사가

현진건의 소설 「운수 좋은 날」을 읽고, 도시의 가난한 사람들이 어떻게 살았는지 이야기해 보자.

〈역사의 현장〉

서울 도심의 세 얼굴 - 명동과 종로, 그리고 청계천 변

1920년대 이후 서울은 인구가 꾸준히 늘면서 숱한 근대적 건축물들이 등장하였으며, 학교와 극장, 백화점이 생겨나고, 근대적인 상가가 나타나는 등 그 면모 또한 날로 새로워졌다.

그러나 서울 사람이 다 잘 살았던 것도, 서울이 모두 깨끗한 근대 건축물로 채워졌던 것도 아니었다.

서울의 중심가는 뭐니뭐니해도 오늘날 명동과 충무로 일대인 남촌이었다. 이 곳에는 신식 상수도가 들어서고, 널찍한 도로가 열렸으며, 전기가 밤을 낮처럼 밝혔다. 수많은 상가는 화려한 물건으로 가득 차 있었다. 그러나 이 곳에 살고 있는 사람들은 모두 일본인이었고, 일본인 거리를 만들기 위해 수많은 한국인이 쫓겨나야 했다.

남촌의 일본인 상가

오늘날 명동을 중심으로 충무로, 퇴계로를 잇는 이 지역을 남촌이라 하였다. 사진은 1920년대 충무로의 모습이다.

토막촌

1930년대 총독부의 통계를 보면, 기록에 잡혀 있는 토막 거주자가 서울에만 5천여 명이 넘었다. 이 같은 토막촌은 전국 어느 도시에서나 볼 수 있었다.

북촌 문화 주택의 정원

종로의 북쪽, 양지바른 북촌의 모습도 달라졌다. 권세깨나 누리던 전통 양반 가옥이 즐비하였던 이 곳에, 1920년대 이후 새로운 집들이 나타났다. 돈 많은 신흥 양반들이 옛 양반 거주지를 중심으로 신식 주택을 짓기 시작하였다. 문화 주택이라 이름하였던 새 집들은 돈 많은 지방 지주들의 서울 별채로 지어졌고, 지주집 아들과 딸들이 이 집에서 학교에 다녔다.

북촌과 남촌 사이에는 청계천이 흘렀다. 빽빽이 늘어선 주택가 옆을 흘러, 아이들 놀이터, 아낙들 빨래터가 되었던 청계천 변에 새로운 집들이 생겨났다.

개천가의 새 집들은 집이기도 하고 집이 아니기도 하였다. 땅을 파고 거적을 덮어씌웠던 이 집에는 남촌에서 쫓겨난 조선 사람들과 굶주림에서 벗어나고자 도시로 온 사람들이 드나들었다.

남촌의 화려한 전등불, 북촌의 문화 주택과 조선인 상가, 그리고 그 사이를 흘러 토막민까지 받아들이는 청계천은 식민지 서울의 세 얼굴이었다.

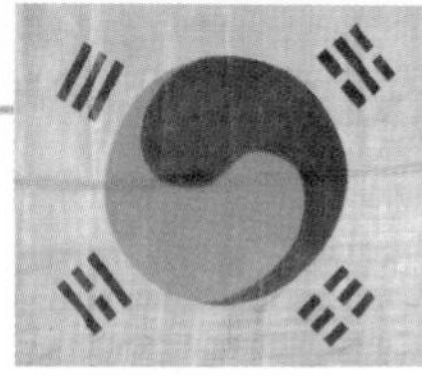

4 새 것과 오래 된 것

모든 분야에서 '새 것'들이 소개되었다. 외국의 문학과 연극, 음악과 미술이 차례로 소개되어 신소설, 신문학, 신극 등 신(新)이라는 글자가 넘쳐났다. 또한 양악, 서양화와 같이 양(洋)이라는 글자도 넘쳐났다.

■만날 사람 | 김용관, 정인보 ■주요 사건 | 신문화 도입

| 방송이 처음 시작되던 날 |

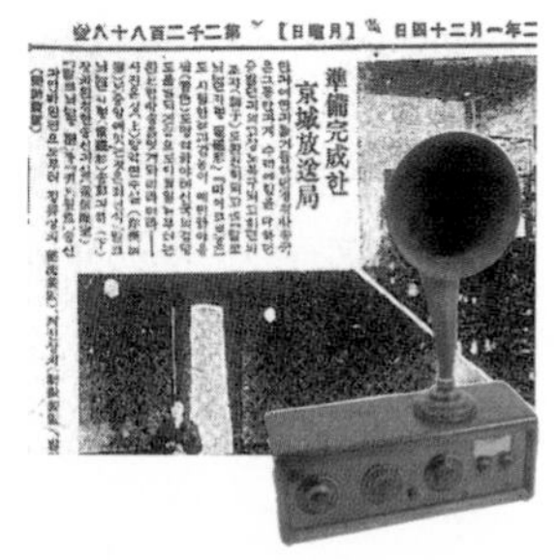

경성 방송국 개국

경성 방송국 개국을 보도한 신문과 경성 방송국에서 사용한 JODK 라디오이다.

1926년, 서울에 경성 방송국이 세워졌다. 그리고 이듬해 2월 16일, 라디오 방송이 본격적으로 시작되어 뭇사람들의 관심을 불러일으켰다.

시험 방송이 시작된 것은 벌써 몇 해 전이었다. 어느 신문사가 주관하였던 당시의 시험 방송은 대단한 관심을 끌어, 이상한 기계에서 흘러나오는 사람의 음성을 들으려는 인파가 구름처럼 모여들기도 하였다.

꼭 같은 경우는 아닐지라도 전기가 처음 들어오던 날, 그리고 전차가 처음으로 운행되던 날의 분위기도 이와 비슷하였다. 전기가 들어오던 날, 나라의 대신들이 신기한 조화에 흥분을 감추지 못하고 밤을 지새웠으며, 전차가 운행되는 것을 구경하기 위한 인파가 지방에서조차 밀려들었다.

'개화' 가 시작되면서 일본을 통해서, 그리고 서양인을 통해서 수많은 신문물이 소개되었다. 외국의 발달된 과학 기술 수준은 순식간에 많은 사람들의 관심을 끌었으며, 그 사람들은 부러운 눈빛으로 새로운 것들을 바라보았다.

변화된 사회

일제 강점기 동안 우리 사회는 크게 달라졌다. 수많은 사람들이 도시로 몰려들었고, 공업 생산액이 농업 생산액을 초과하였다. 라디오 방송과 음반의 보급, 영화의 보급 등과 같은 현대화된 모습은 이미 이 시기에 나타났다.

| 새 것과 오래 된 것 |

'새 것'의 편리함과 우수함을 본 이들은 하루빨리 '새 것'을 익혀야 한다고 생각하였다. 이런 가운데 학교에서는 외국에서 전해진 새로운 학문과, '새 것'을 익히는 데 도움이 되는 외국어를 가르치기 시작하였다.

과학 기술은 물론 모든 분야에 걸쳐 '새 것'들이 소개되었다. 외국의 문학과 연극, 음악과 미술이 차례로 소개되어 신소설, 신문학, 신극 등 신(新)이라는 글자가 넘쳐났다. 또한 양악, 서양화와 같이 양(洋)이라는 글자도 넘쳐났다.

'신○○'이라는 말, '양(洋)'이라는 글자가 들어가는 말은 일제 강점기에 더욱 널리 쓰였다. 신교육을 받은 사람들이 많아졌으며, 아예 일본에서 유학한 사람도 늘어났고, 나아가 서울에 거주하는 일본인들의 수도 많아졌기 때문이다.

오래 된 것을 벗어던지고 새 것을 익혀야 한다는 '신지식인'도 나타났다. 이들은 새 것은 미래와 문명으로, 오래 된 우리 것은 낡고 극복하여야

김용관(1897~1967)

발명 학회 창립, 「과학 조선」 창간 등을 통해 과학 기술에 국경이 없다는 주장에 반대하고, 민족 기업의 발전에 도움이 되는 기술의 개발을 주장하였으며 과학 대중화 운동을 벌였다.

정인보(1892~1950)

우리 고전의 소개와 연구에 앞장섰다. 특히 실학자들의 학문과 사상을 연구하여 사회 개혁의 방안을 전통 사상 속에서 찾으려 하였다.

할 대상으로 여겼다. 이런 가운데 신학문이 구학문을, 서양 의학이 한의학을, 서양의 음악과 미술이 전통 예술을 대신하였다. 조상 대대로 내려왔던 사상과 문화는 새로운 무엇으로 대체되기 시작하였다.

| 새 것은 다 좋은가 |

새로운 문화를 누릴 수 있는 사람들은 소수였다. 서울의 전화 가입자 82%가 일본인이었으며, 일본인 가구 100%가 전기불을 사용할 때에도 한국인 가구의 10%만이 전기를 사용할 수 있었다. 신교육이 늘어났다 해도 한국인의 초등 학교 진학률은 국내 일본인의 1/6에 불과하였다.

어쩌면 대다수 사람들의 삶이 예전보다 못해졌을 수도 있었다. 일본인들과 소수 한국인들의 편리를 위해 수많은 소작 농민들은 50% 이상의 소작료를, 도시의 노동자들은 저임금과 극단적인 노동 조건을 강요당하였기 때문이다. 그래서 '문명이 조선인의 주인이 되고, 조선인들은 문명의 종이 되는' 기막힌 일이 벌어졌다.

이런 가운데 민족 기업과 민중 생활의 발전에 기여할 수 있는 기술과 과학을 발전시키자는 운동이 일어나기도 하였다.

어떤 이들은 오랜 전통을 낡고 버려야 할 것으로 여기는 신교육을 받은 이들의 태도를 비판하고, 조상들의 삶과 사상, 문화를 연구하는 데 일생을 바쳤다.

저요, 저요

'신○○' 이라는 말, '양' 이라는 글자가 들어가는 말을 두 개 이상 말해 보자.

나도 역사가

영화 서편제를 보고 서양 문화의 도입 이후 판소리가 어떻게 변화되는지 정리해 보자.

과거와 현재의 대화

과학 기술의 발전은 모두를 행복하게 해 줄까? 찬성과 반대 입장으로 나누어 토론해 보자.

〈여성과 역사〉

나혜석의 결혼 조건

나혜석(1896~1949)

일본에 유학하였던 대표적인 신여성이다. 소설가이면서 최초의 여성 서양화가로 많은 작품을 남겼다.

1921년 어느 날, 매일 신보에 촉망받던 신여성의 시 한 편이 소개되었다.

나는 인형이었네
아버지의 딸인 인형으로
남편의 아내 인형으로
그네의 노리개였네
(중략)

뭇 남성들에게 충격을 준 이 시는 나혜석의 작품이었다.

그는 종종 '조선의 여성은 오랫동안 남자를 위해 살도록 길러져 왔음' 을 비판하고, 훌륭한 여성은 현모양처가 아니라 '자기의 개성을 발휘하려는 자각을 가진, 실력 있는 사람' 이라고 주장하였다.

그는 늘 여성이 아니라 인간으로 살고 싶어하였다. 서양화가로서 문학인으로서 자신의 삶을 사랑하였고, 자신의 세계를 가꾸려 하였다.

그리하여 자신에게 청혼한 한 남성에게 '일생을 두고 자신을 사랑할 것, 그림 그리는 일을 방해하지 말 것, 시어머니, 전처가 낳은 딸과 떨어져 두 사람만 따로 살 것' 이라는 결혼 조건을 내걸었다.

그는 뭇사람의 반대를 물리치고 자신이 사랑한, 그리고 자신을 사랑한 남성과 결혼하였다.

'내 삶이 걸작이고 싶어요!' 나혜석의 소망은 그것이었다.

나혜석의 그림 '만주 봉천 풍경'

나혜석이 남편을 따라 만주에 갔을 때 그린 그림이다. 그의 남편은 일본 관리를 지냈고, 그녀는 친일 인사인 최린과 사랑에 빠지기도 하였다. 성의 해방을 부르짖는 신여성이었지만, 민족의 해방은 자기 문제로 삼지 못하였음을 보여 준다.

직업 소년들의 가지가지 설움

연초직공 한삼녀 양의 이야기

저의들의 설음을 말슴해달나고요! 직업 소녀들의 설음이야 다 맛찬가지이겟지만 참말이지 저의들의 슬흠을 말하자면 한이 업습니다.

날마다 새벽 네 시에 일어나서 세수하고 가서는 조희에다 담배 싸는 일을 하로 종일 하는데 아흔 갑을 싸서 네 통을 만드러노아야만 겨우 3전의 삭을 밧습니다. 지금 열일곱 살인데 벌서 사오 년재나 이 일을 하고 잇담니다.

죽지 못해 하는 일이라 늘 괴롭지요. 담배를 싸서 가저다 검사를 맛흘 ᄯᅢ 잘못 햇스면 매를 맛구 ᄯᅩ벌을 당하게 된담니다. 심지어 내여 ᄶᅩᆾ기기 ᄭᅡ지 한담니다. 저의들은 그 동안 그런 일을 날마다 보다십히 한담니다. 감독하는 이 압헤서는 그저 고양이 압헤 쥐ᄭᅧᆨ이지요.

지독한 담배 ㅅ내에는 골치가 쏘고 담배 ᄶᅩᆾ에 손이 부릇트고, 심하면 사상ᄭᅡ지 나는 일이 잇는데 하로 종일 안저서 하는 ᄭᅡ닭에 허리가 저리고 쑤시여 못견대지요. (후략)

인쇄직공 주영철 군의 이야기

원수의 날이 ᄯᅩ샘니다. 밉살스러운 해가 ᄯᅩᄯᅳᆷ니다. 영원히 잠드럿스면 조흐련만은 살아지는 목숨을 엇지하오릿가? 오날도 아침먹고 일하고 자고 ᄯᅩ 일하고 (중략) 이러다가 죽을 생각에 하로하로의 날이 밝는 것이 퍽도 무섭습니다.

(중략)

죽더라도 일을 해야 될 생각에 미리부터 진저리가 남니다. 발서 삼 년재나 이 노릇을 하노라니 사람이 ᄭᅩᆾ긔게 달아지듯 되어버리고, 긔게와 나는 형제와 갓습니다. (중략)

남들은 학교에를 감니다. 그러나 나는 왜? 열여섯 살의 한창인 ᄯᅢ를 학교에 발도 드려노아보지 못하고 하로 이십팔 전이란 돈에 목을 매고 공장 구석에서 썩어야만 합닛가? 내 죄일가요? (후략)

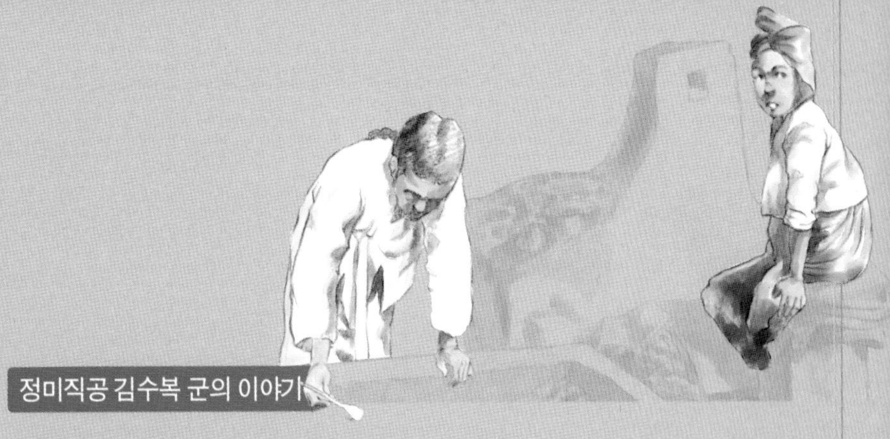

정미직공 김수복 군의 이야기

선생님, 열다섯의 새 봄이 왓슴니다. 어늬새 풀이 돗고 닙히 나고 벌서야 창경원에는 밤사구라 ᄭᅩᆺ구경이 열니엿슴니다.

오늘도 진종일 쌀고르는 일을 하고, 지금은 밤! 피곤할대로 피곤해진 몸을 억지로 안치고 잠오는 정신을 억지로 두들겨서 제의 설음을 이 붓ᄭᅳᆺ 흐로 대신 하나이다.

선생님, 돈푼이나마 버시노라고 어머님은 ᄭᅮ벅 ᄭᅮ벅 조시면서 바느질을 하심니다만은 잇다금 손ᄭᅳᆺ을 바늘에ᄶᅵᆯ 니시고는 ᄭᅡᆷᄶᅡᆨ ᄭᅡᆷᄶᅡᆨ 놀나심니다. 버리가 업서서 노시기만 하시는 아버님은 근심스러운 얼골에 일종 타가운 빗츨 ᄯᅴ 우시고 몹시도 괴로운 ᄭᅮᆷ을 ᄭᅮ시는지 몸을 뒤흔들며 즈무심니다. (후략)

제사직공 강양순 양의 이야기

동생아! 지금 나는 공장에 잇다. 말업시 일을 하면서 귀여운 너를 생각하고 눈물지운다. 너는 학교에 잘 단이겟지? 나는 어머니 모시고 하나밧게 업는 너를 공부식히려고 얼마나 애를 쓰고 잇는지 너는 아는냐?

벌서 륙 년ᄶᅢ나 식사와 의복 범절도 내가 하고, 매일 아침 여섯 시에 공장으로 가서 저녁 여섯 시에 도라오는 것을 발서 륙 년ᄶᅢ나 하얏고나. ᄯᅩ 압흐로도 얼마나 계속하게 될른지 모를 이 신세를 생각하면 도모지 살고 십흔 생각이 조곰도 업다.

동생아! 내가 어머니나 너 한태 무슨 원망을 품는다는 것은 결코 안이다. 네가 잘 자라서 내 은혜를 갑허달나는 것도 안이다. 나는 다만 이것이 나의 의무인줄노 알고 복역할 ᄲᅮᆫ이다. (후략)

※이 글은 1929년 5월에 발간된 잡지 「어린이」에 실린 글을 띄어쓰기만 다시 해서 원문 그대로 옮긴 것이다.

민족 운동의 새로운 전진

5

또 하나의 독립 선언서

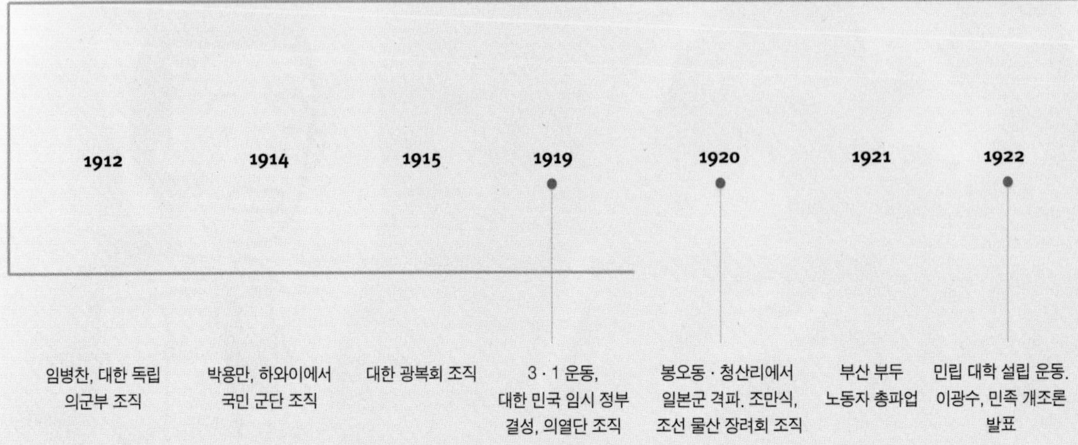

패자 약자 떠돌이 고향을 잃어버린 자 조국에서 쫓겨난 자 국경 없는 유랑꾼이 우리의 별명이요, 오대양 육대주 사람 사는 거리거리 가는 곳마다 발 구르는 소리요 피눈물이었다. 엄청난 형벌을 받아야만 하는 죄가 나라 없는 죄요, 뼈저린 설움이 나라 잃은 설움이어라. 벽옥 같은 조국의 하늘, 기름진 이 강산을 두고 갈 곳이 어디인가? 제 어깨로 제 몸뚱이를 지탱하지 못할지니 형제여, 짐승으로 살려 하는가? 나라 없는 개가 되랴?
이 피 맺힌 목청으로 조국의 서울에서 함성이 솟았다. 삼천 리에는 전 민족의 함성과 발등마다 핏물이 흐르는 세기의 행진곡이 시작되었다. 동포여, 대도의 거리로 나아오라! 봉사여 귀먹이여 입 있는 벙어리여 굶주린 내 동지여! 삼천 리 내 땅 내 거리 내 형제 내 누이 원통하게 죽은 혼들이여 모두 나오려므나!

—3·1 운동 때 충무에서 만들어진 독립 선언서(충무 독립 선언서)—

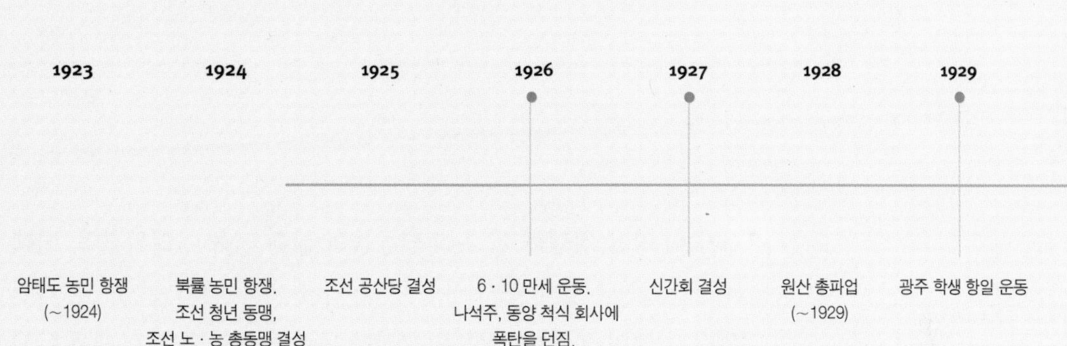

1923
암태도 농민 항쟁
(~1924)
1924
북률 농민 항쟁.
조선 청년 동맹,
조선 노 · 농 총동맹 결성
1925
조선 공산당 결성
1926
6 · 10 만세 운동.
나석주, 동양 척식 회사에
폭탄을 던짐.
1927
신간회 결성
1928
원산 총파업
(~1929)
1929
광주 학생 항일 운동

6 · 10 만세 운동
(순종 장례식)

1 터지자 밀물 같은 대한 독립 만세!

서울과 평양을 비롯한 전국 주요 도시는 아침부터 술렁거렸다. 정오가 지나자 수많은 학생과 시민이 손에 손에 태극기를 들고 예정된 장소로 모여들기 시작하였다. 그리고 두 시, 누군가 단상으로 뛰어올랐다.

■가 볼 곳 | 탑골 공원 ■만날 사람 | 박상진, 유관순, 차금봉 ■주요 사건 | 3 · 1 운동

| 어둠을 헤치는 사람들 |

일제가 이 땅을 점령한 뒤 우리 민중들의 삶은 더욱 어려워졌다. 이에 농민과 노동자들은 토지 조사 사업 방해, 납세 거부, 파업 투쟁으로 자신의 권익을 지키며 일제에 맞섰다. 그러나 폭력적 무단 통치 아래서 단체의 결성과 언론의 자유는 철저하게 억압되었고, 사회 곳곳에 감시의 눈이 번뜩이고 있어 항일 활동은 대단히 어려웠다.

그러나 많은 사람들이,

> 오인은 대한의 독립된 국권을 광복하기 위하여 오인의 생명을 희생에 제공함은 물론, 오인이 일생의 목적을 달성하지 못할 시에는 자자손손이 계승하여 수적 일본을 완전히 구축하고 국권을 광복하기까지 절대 불변할 것을 천지신명께 서고함.
>
> —대한 광복회 서약문—

박상진(1884~1921)

의병장 허위의 제자이다. 빼앗긴 주권을 되찾고 공화제 국가를 건설하자며, 1915년 비밀 조직인 대한 광복회를 조직하여 활동하다 체포되었다.

와 같은 각오로 비밀 조직을 결성하여 어둠 속을 헤쳐 갔다. 임병찬 등 양반 유학자들은 대한 독립 의군부를 조직하여 좌절된 의병 활동의 맥을 이으려고 하였다. 또 박상진 등은 대한 광복회를, 장인환 등은 조선 국민회를 조직하여 자금을 모으고 친일파를 처단하는 등 항일 운동을 벌였다. 그 밖에도 많은 단체들이 어려운 조건 속에서 활동을 이어갔다.

나라 안에서의 활동이 어려워지면서 만주와 연해주가 새로운 독립 운동의 중심지로 떠올랐다. 만주에서는 신민회 회원들이 중심이 된 삼원보

와 대종교 교단이 활동하던 용정, 러시아 연해주에서는 블라디보스토크의 신한촌이 독립 운동 기지 역할을 하였다. 이와 함께 미국의 한인 사회에서는 안창호, 박용만 등이 중심이 된 대한인 국민회가 조직되어 독립 운동을 전개하였다.

이들은 이주민 사회를 중심으로 민족 의식을 고취시키기 위한 교육 활동을 전개하는 한편, 독립 전쟁을 위한 준비를 해 나갔다. 그리고 제1차 세계 대전이 끝나갈 무렵에는 대동 단결 선언을 통해 국민 주권에 입각한 임시 정부 수립과 이를 위한 민족 대회 소집을 추진하기도 하였다.

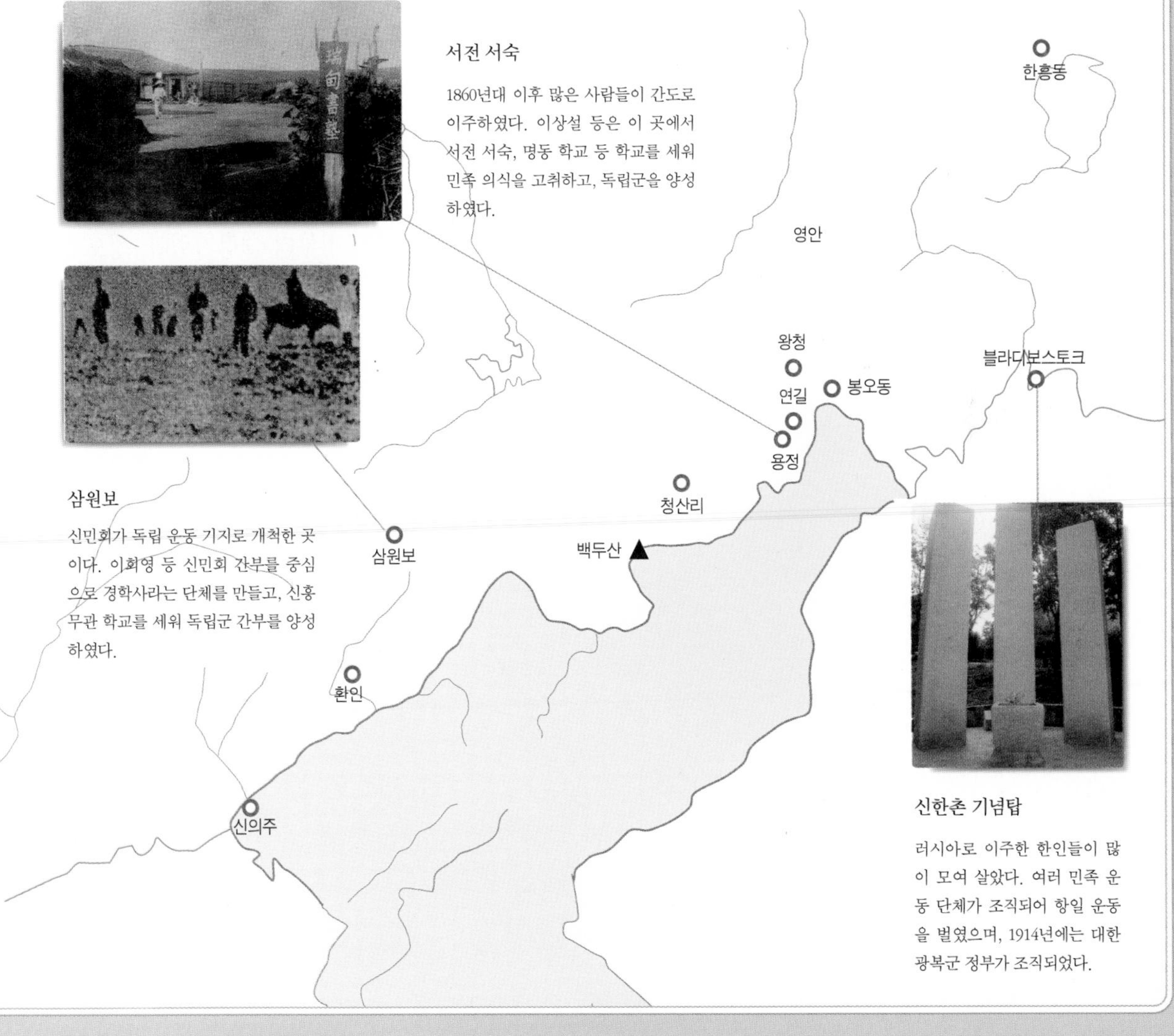

서전 서숙

1860년대 이후 많은 사람들이 간도로 이주하였다. 이상설 등은 이 곳에서 서전 서숙, 명동 학교 등 학교를 세워 민족 의식을 고취하고, 독립군을 양성하였다.

삼원보

신민회가 독립 운동 기지로 개척한 곳이다. 이회영 등 신민회 간부를 중심으로 경학사라는 단체를 만들고, 신흥 무관 학교를 세워 독립군 간부를 양성하였다.

신한촌 기념탑

러시아로 이주한 한인들이 많이 모여 살았다. 여러 민족 운동 단체가 조직되어 항일 운동을 벌였으며, 1914년에는 대한 광복군 정부가 조직되었다.

3 · 1 운동 준비

종교계 대표로 구성된 33인은 3 · 1 운동이 일어나는 데 큰 역할을 하였다. 그러나 3 · 1 운동을 지도하지는 못하였다.

1917년 러시아에서 혁명이 일어나고, 이듬해 제1차 세계 대전이 끝나면서 독립 운동에 유리한 조건이 만들어졌다. 러시아의 혁명 정부와 미국에서 잇달아 민족 자결주의를 발표한 것이다.

식민지 주민의 독립할 권리를 국제적으로 천명한 이 선언에 나라 안팎의 애국 지사들은 크게 고무되었고, 유리한 조건을 잘 이용하여 대대적인 독립 투쟁을 전개하기로 합의하였다.

이들은 대표단을 조직하여 국제 회의에 파견하는 한편, 우리 민족이 일본의 통치를 원하지 않으며, 온 민족이 독립을 갈망하고 있음을 보여주는 거족적인 시위를 추진하고 일본에 독립을 요구하기로 하였다.

본격적인 준비에 들어간 것은 천도교와 기독교, 불교 등 종교계 대표들과 학생 단체 대표들이었다. 이들은 독립 선언서를 만들고 독립 선언식과 시위 운동을 위한 체계적인 준비를 서둘렀다.

마침내 3월 1일이 왔다.

서울과 평양을 비롯한 전국 주요 도시는 아침부터 술렁거렸다. 정오가 지나자 수많은 학생과 시민이 손에 손에 태극기를 들고 예정된 장소로 모여들기 시작하였다. 그리고 두 시, 누군가 단상으로 뛰어올랐다. 그리고 역사적인 독립 선언서가 낭독되었다.

독립 선언서

오등은 자에 아 조선의 독립국임과 조선인의 자주민임을 선언하노라, 차로써 세계 만방에 고하야 인류 평등의 대의를 극명하며, 차로써 자손 만대에 고하야 민족 자존의 정권을 영유케 하노라.

"대한 독립 만세! 대한 독립 만세! 대한 독립 만세!"

만세 소리가 우레와 같이 터져 나왔으며, 태극기의 물결이 온 세상을 뒤덮었다.

당황한 일제의 군인과 경찰은 시위대 앞을 가로막고 해산을 요구하였다. 그러고는 평화적인 시위대를 향해 무자비한 폭력을 휘둘렀다.

그러나 시위는 끝나지 않았다.

터졌구나 터졌구나 조선 독립성
십 년을 참고 참아 인제 터졌네
뼈도 조선 피도 조선 이 피 이 뼈는
살아 조선 죽어 조선 조선 것일세

–3·1 운동 때의 투쟁가, 구전–

나지막한 소리로 노래를 부르기도 하고, "만세! 만세! 만만세!"를 소리 높여 부르기도 하면서 손을 잡은 시위 행렬은 이 날 내내 이어졌다.

| 민중들, 만세 시위의 중심에 서다 |

3월 1일이 지난 뒤에도 만세 시위는 끊이지 않고 이어졌다. 3월 중순을 지나면서 철도가 연결되는 중소 도시로 확산되었고, 3월 말에서 4월 초에는 전국 대부분의 곳에서 만세 시위가 일어났다.

시위가 확산되면서 운동을 조직하는 사람이나 운동에 참가하는 사람들의 구성도 많이 달라졌다. 초기에는 학생과 종교인들이 중심이 되어 시위가 조직되었다. 그러나 점차 농민과 노동자를 비롯한 이름 없는 민중들의 참여가 늘어 운동은 거족적인 투쟁으로 발전하였다.

차금봉에 대한 일제의 재판 기록

차금봉(1898~1929)은 철도 노동자로 3·1 운동 때 노동자를 조직하여 시위를 벌이다 해고되었다. 1928년 조선공산당 책임 비서가 되어 3·1 운동 기념 투쟁을 준비하다 체포되어 감옥에서 세상을 떠났다.

노동자들은 파업 투쟁을 전개하면서 여러 차례 시위 운동을 벌였다. 농민들은 지역별로 장날에 대규모 독립 선언식을 거행하고 만세 운동을 전개하였다. 학생들은 만세 운동 초기에 앞장서서 시위에 참가하였고, 이후 각자의 고향으로 돌아가 시위를 조직하는 데 힘썼다. 상인들은 가게 문을 닫고 이 운동에 참가하였다.

민중들의 참여가 늘면서 운동의 형태도 많이 달라졌다. 민중들은 민족자결주의가 무엇인지도 몰랐고, 평화적으로 시위를 벌이다 무참하게 학살당하던 초기의 운동 방법을 고수하지도 않았다.

민중들은 일제를 우리 손으로 몰아낼 수 있을 때 독립이 이루어지리라 믿었다. 그래서 일제의 통치 기관이나 시위 참가자가 갇힌 헌병 주재소, 경찰서를 공격하여 일본인들을 쫓아내기도 하였다.

만세 운동의 전개

2개월여 동안 진행된 3·1 운동에는 200만 이상이 시위에 참여하였고, 전국 232개 부·군 중 229개 부·군에서 1491건의 시위가 일어났다. 박은식에 따르면 일본 군경에 피살된 사람이 7500여 명, 부상자가 16000여 명이 되었다고 한다.

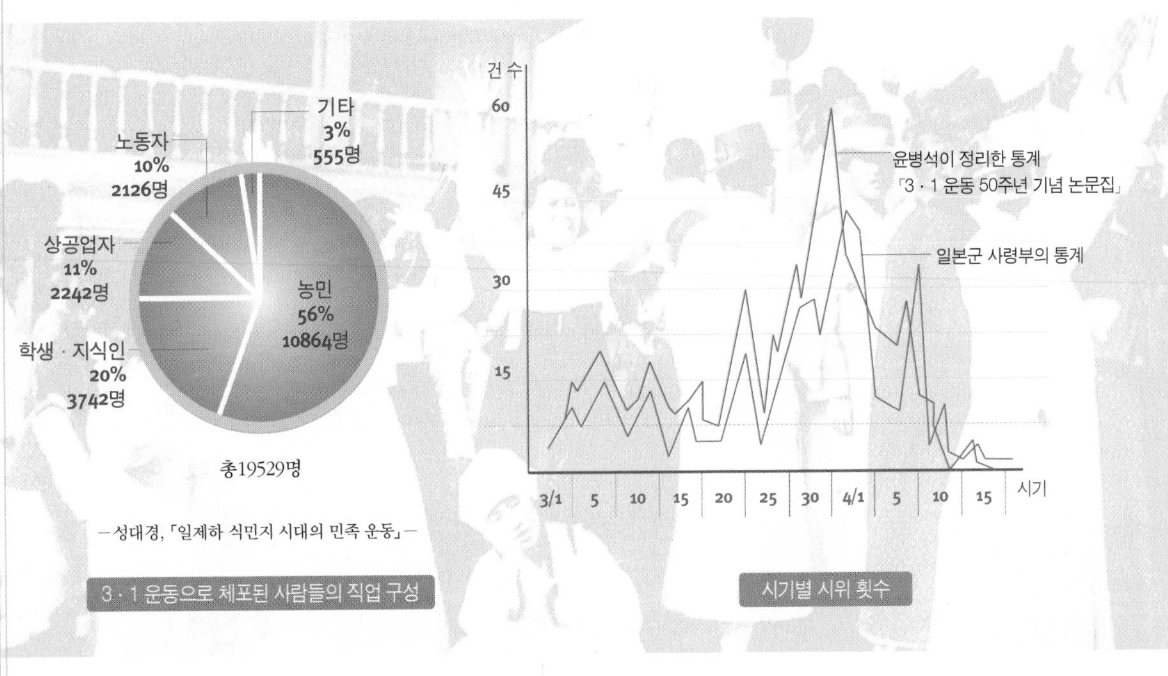

3·1 운동으로 체포된 사람들의 직업 구성

시기별 시위 횟수

| 3·1 운동, 이루지 못한 혁명 |

3월 1일에 시작된 운동은 5월이 되자 수그러들었다. 우리의 힘이 아직은 일제의 군대를 꺾을 정도로는 준비되지 못한 탓이었다.

그러나 거족적인 투쟁으로 일제가 양보할 수밖에 없도록 다그침으로써, 그토록 억누르려 하였던 시민적 자유를 일부나마 쟁취, 민족 운동이 새롭게 발전할 수 있는 기틀을 마련하였다. 또한 나라 밖에서 임시 정부가 조직되고, 무장 독립군 활동이 크게 일어나는 계기가 되기도 하였다.

저요, 저요

1. 1910년대에는 만주와 □□□가 새로운 독립 운동의 중심지로 떠올랐다.
2. 임병찬은 대한 독립 의군부를, 박상진은□□ □□□를 조직하여 독립 운동을 벌였다.

서대문 형무소 역사관
http://parks.seoul.kr/independence/
독립 기념관
http://www.indemence.or.kr

나도 역사가

다음 자료를 참고하여 일제의 3 · 1 운동 탄압 과정에 대한 조사 보고서를 작성해 보자.

유관순 (1904 ~1920)

3월 1일 서울에서 만세 시위를 벌인 후 고향으로 돌아가 만세 운동을 조직하였다. 시위 도중 일본 경찰에 체포되었다. 가혹한 고문을 받아 몸을 가눌 수 없는 상태에서도 당당하게 재판을 받았으며, 옥중에서도 만세를 부르며 동지들을 격려하다가 감옥에서 죽음을 맞았다.

제암리 학살 사건

일제 경찰은 마을 주민 모두를 교회에 모이게 한 후, 문을 폐쇄하고 교회에 불을 지르면서 무차별 총격을 가하였다. 이로써 23명이 현장에서 죽고 교회는 물론 마을 전체가 불에 타 흔적조차 없어졌다. 사진은 한 선교사가 현장을 답사하는 광경(위), 희생자 유족들의 모습(아래)이다.

2 민족주의와 사회주의

"보아라, 우리의 먹고 입고 쓰는 것이 다 우리의 손으로 만든 것이 아니었다. 이것이 세상에 제일 무섭고 위태한 일인 줄을 오늘에야 우리는 깨달았다. 입어라 조선 사람이 짠 것을, 먹어라 조선 사람이 만든 것을, 써라 조선 사람이 지은 것을, 조선 사람 조선 것."

■가 볼 곳 | 암태도 ■만날 사람 | 조만식, 나석주 ■주요 사건 | 물산 장려 운동, 소작 쟁의, 노동 쟁의, 동척 폭파 사건

| 새로운 출발, 조직적으로 투쟁하자 |

3·1 운동 이후 민족 운동은 새롭게 불붙었다. 그 날 울려퍼진 투쟁의 함성을 기억하는 이들은 투쟁의 불길을 되살리려 노력하였고, 일제의 탄압으로 좌절된 아픔을 기억하는 이들은 다시는 실패하지 않는 투쟁 방안을 찾기 위해 노력하였다.

그리하여 청년, 여성, 농민, 노동자들은 저마다 단체를 조직하여 서로 힘을 합치고 올바른 민족 운동의 방법을 의논하고 실천하였다.

나라 안팎에서 조직된 단체들 가운데는 일제에 맞서 무력으로 투쟁하거나 일제와 대결할 수 있는 실력을 양성하고자 하는 단체들이 많았다. 이처럼 지역과 계층의 차이를 넘어서 민족의 독립을 제일의 해결 과제로 내세우는 사람들을 민족주의자라 한다.

1920년대의 사회·정치 단체

3·1 운동을 계기로 민중들의 권리 의식이 높아졌고, 조직적으로 단결하여 민족 운동을 전개하자는 기운이 높아졌다. 그리하여 수많은 단체들이 조직되었다.

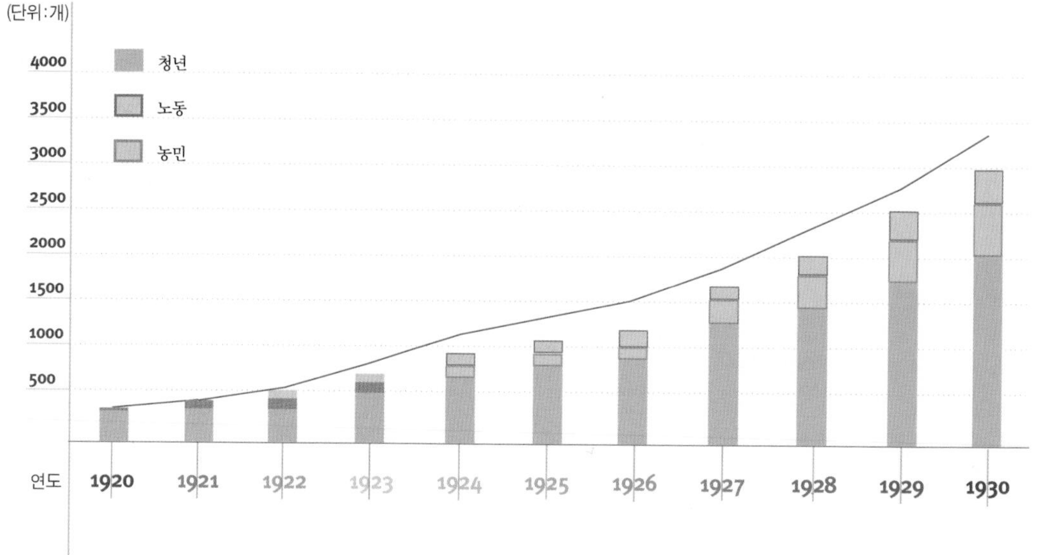

토산 애용 부인회

여성들로 조직된 토산 애용 부인회는 강연회를 개최하는 등 여성들을 대상으로 하는 다양한 선전 활동을 전개하였다.

한편 농민과 노동자들이 조직한 단체 가운데는 지주나 자본가 등 힘있는 자들에 맞서 자신의 권리를 지키려는 단체가 많았다. 이들의 활동이 활발해지면서 농민 · 노동자 등 노동 계급의 해방과 민족의 독립을 동시에 추구하자는 사회주의 운동이 일어났고 그 과정에서 조선 공산당이 창립(1925)되기도 하였다.

민족주의자들과 사회주의자들은 서로 대립하고 비판하면서도 민족의 장래를 올바른 길로 열기 위해 함께 노력하였다.

'실력 양성으로 독립의 기초를'

민족주의 계열 인사들은 민족이 실력을 길러야만 독립을 이룰 수 있다고 생각하였다.

이상재 등은 조선 교육회를 조직하여 조선어 보급과 신문화에 대한 계몽 활동을 벌였으며, 민립 대학 설립 운동을 전개하기도 하였다. 또 수많은 청년 단체들이 지역별로 야학을 열어 학교에 가지 못하는 농민, 노동자, 여성을 대상으로 계몽 운동을 전개하였다.

한편 조만식 등은 1920년 평양에서 토산품 애용 운동을 시작하였다. 이 움직임은 이내 서울로 전파되어 조선 물산 장려회와 토산 애용 부인회의 조직으로 이어졌고, '국산품 애용, 민족 기업 육성' 을 내건 물산 장려 운동이 전국적으로 전개되었다. 이렇듯 민족주의자들의 활동이 활발해지면서 독립을 이룩하려는 민족의 의지는 더욱 높아졌다.

물산 장려 운동

'내 살림 내 것으로, 조선 사람 조선 것' 을 구호로 내건 물산 장려 운동은 1940년 일제에 의해 물산 장려회가 해산당할 때까지 경제 자립 운동으로 전개되었다.

조만식(1883~1950)

포목상과 지물상을 경영하여 많은 재산을 모았으며, 일본에서 공부하기도 하였다. 3 · 1 운동으로 옥고를 치렀고, 1920년에 평양에서 조선 물산 장려 운동을 일으켰다. 1923년에는 민립 대학 설립 운동에 참여하였다.

1931년 현재 한국인 공장 노동자의 노동 시간「일본 식민사」

공업 발전이 지체된 상황에서, 노동자들은 장시간 노동, 저임금 그리고 해고의 위협으로 큰 어려움을 겪었다.

시간	비율(%)
8시간 미만	0.8
8~10시간	28.7
10~12시간	11.9
12시간 이상	46.9
기타	0.3

원산 총파업▶

| 일어서는 민중들 |

나석주(1892~1926)

재령군 북률 출신으로 동양 척식 주식회사 소유의 토지를 경작하던 농민 가정에서 태어났다. 의열단 단원으로 활동하던 중 북률 농민들의 소작 쟁의에 감동하여 이 회사에 폭탄을 던지고 일본인들을 살해한 다음 스스로 자결하였다.

농민과 노동자들은 3·1 운동 때 앞장서서 투쟁하였다. 그리고 3·1 운동 이후에는 농민·노동 단체들을 앞다투어 조직하여 자신들의 권리를 지키고, 일제에 반대하는 운동을 활발하게 전개하였다.

농민들은 소작인회나 농민 조합을 조직하여 지주에 맞섰다. 전남 신안군의 암태도 농민들의 투쟁(1923), 황해도 재령군 북률 농민들의 투쟁(1924)은 지주와 이들을 후원하는 일제 당국에 맞서 2년여에 걸쳐 전개한 대표적인 소작 쟁의였다.

노동자들은 직업별로, 혹은 지역별로 노동 조합을 결성하여 투쟁하였다. 5천여 명의 부두 노동자들이 하나로 단결하였던 부산 부두 노동자 파업(1921)과 지역의 노동자들이 모두 참가하여 4개월 이상 투쟁을 벌였던 원산 총파업(1928~1929)이 대표적인 노동 쟁의였다.

소작 쟁의와 노동 쟁의는 민중들이 직접 일어나 자신의 생존권을 지키려는 운동이었으며, 민족적·계급적 차별을 폐지하려는 투쟁이었다. 그리하여 농민, 노동자들의 투쟁은 사회주의 운동의 발전으로 이어지기도 하였으며, 일제의 통치 기관이나 민중 수탈 기관에 대한 무력 공격으로 진행되기도 하였다.

나도 역사가

1920년대에 살았다면 어떻게 독립 운동을 할 것인가 계획을 세워 보자.

〈여성과 역사〉

굶어 죽을지라도 굴복할 수 없다

1923년 7월 4일, 서울에는 비가 내렸다. 밤새 쉼없이 내렸다.

그 빗속에서, 그 비를 다 맞으며 밤을 샌 노동자들이 있었다. 여성들이었고, 숫자도 그리 많지는 않았다. 소리 높여 구호를 외치는 것도 아니었고, 플래카드도 없었다. 단지 닫힌 공장의 문을 바라보며 죽음을 각오한 듯 처연하게 앉아 있을 뿐이었다.

이 날 서울의 고무 공장 노동자들은 경성 고무 직공 조합을 결성하였다. 그리고 임금 깎기를 중단할 것과 무례한 일본인 감독의 해고를 요구하기로 하고 업주측과 교섭에 들어갔다.

하지만 업주측은 교섭 대표를 만나기는 커녕, 파업에 참여한 노동자들 모두를 해고하기로 결정하였다. 심지어는 파업 참여자 명단을 전국의 고무 공장에 돌려 아예 취업조차 못하게 만들었다.

노동자들은 크게 낙담하였다.

"이제 어찌 사나, 병든 남편이랑 올망졸망한 자식들이랑…."

"내 월급 기다리는 고향 어머니는 이제 어떻게 해…."

통곡하는 사람도 많았다.

"당신 해고야!" 이 말은 그들에게 사형 선고나 다를 바 없었다.

행여나 해고당할까 봐 숨죽이며 살아온 시간들, 못된 일본 감독의 성희롱과 민족 차별에도 견뎌 왔던 날들이 더욱 설움을 돋웠다.

그래서 이들은 밤새 공장 앞에서 비를 맞았다. 어차피 죽은 것이니, 이 자리에서 굶어 죽겠노라고.

아사 동맹을 조직하고.

빗속에서 진행된 이 날 농성 이후 전국에서 지지와 성원이 일어났고, 노동자들의 단결과 국민 여론 앞에 업주측은 결국 파업 노동자 전원 복직, 임금 인상, 상여금 지급을 약속하였다.

〈역사의 현장〉

암태도를 찾아서

목포에서 뱃길로 1시간 30분 거리에 암태도라는 섬이 있다. 돌이 많고 바위가 병풍처럼 둘러싸여 있어 암태라는 이름이 붙었지만, 13㎢(총면적 39㎢) 규모의 적지 않은 논과 밭이 섬 사람들을 먹여 살려왔다. 그러나 그 논밭이 모두 농민들의 것이 아니었고, 그래서 땅을 둘러싼 수탈과 투쟁의 현장이 되기도 하였다.

암태도 땅의 대부분은 문씨와 심씨 성을 가진 몇몇 집안의 것이었다. 농민들은 그들이 요구하는 대로 수확의 무려 70, 80%를 소작료라는 이름으로 수탈당하였다.

대부분의 농민들은 그렇게 살았다. 저항하지 못한 채.

그들에게 저항은 곧 땅을 떼이는 것을 의미하였고, 일제의 탄압으로 이어지기 일쑤였으니까.

3 · 1 운동 이후 암태도에도 변화의 바람이 일어났다.

수탈당하고 억압받던 섬 청년들은 청년회를 조직하였다. 함께 학교를 운영하였으며, 더 나은 미래를 위해 뜻을 모았다. 그리고 1923년 가을, 암태도 농민들은 암태 소작인회를 결성하고는 지주에게 소작료를 낮추어 줄 것을 요구하였다.

지주들은 소작인들의 요구를 웃어 넘겼다. 그리고 회유와 협박으로 소작인회를 무너뜨리려 하였다. 그러나 소작인들은 추수 거부, 소작료 불납 투쟁으로 이에 맞섰다. 투쟁은 해를 넘겨 계속되었다.

당황한 지주들은 소작료를 강제로 징수하려 들었으며, 이 과정에서 충돌이 일어나자 경찰이 곧바로 개입하여 소작인회 간부들을 구속시키기에 이르렀다.

싸움은 이제 일제와의 싸움으로 바뀌었다. 그러나 농민들은 물러나지 않았다. 4월과 6월 두 차례에 걸쳐 농민들은 목포 경찰서와 법원 앞에서 항의 시위를 전개하였다.

7월에는 '아사(餓死) 동맹'을 결의한 600여 농민들이 목포 재판소로 몰려들었다. 그러고는 "대지를 요를 삼고 창공을 이불을 삼아, 입은 옷에야 흙이 묻든지 말든지, 졸아드는 창자야 끊어지든지 말든지, 오직 하나 집을 떠날 때 작정한 마음으로 습기가 가득한 밤이슬을 맞으면서… 〈동아 일보〉" 단식 농성을 전개하였다.

투쟁이 이어지면서 언론은 물론 전국의 노동, 사회 단체가 지원에 나섰다. 결국 일제는 물러섰고 지주들도 양보할 수밖에 없었다.

"소작료는 지주몫 4할로 낮춘다.

지주는 소작인회에 기부금 2000원을 내놓는다."

승리였다. 1년여에 걸친 눈물겨운 투쟁으로 이룩한 소중한 승리였다.

이 운동의 지도자였던 서태석은 3·1 운동 기념 시위로 옥고를 치르기도 하였다. 1924년 항쟁 이후 농민 운동과 사회주의 운동을 계속하다가 일제에 끌려 가 고문을 받고 그 후유증으로 사망하였다.

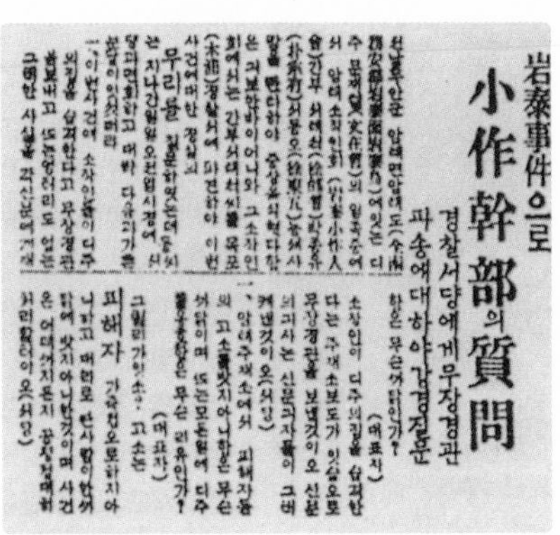

岩泰事件으로

小作幹部의質問

경찰서당에게무장경관
파송에대하야강경질문

3 신대한 독립군 백만 용사야!

만해주와 연해주에서, 상하이와 미국 곳곳에서 한인들은 만세 시위 운동을 전개하고 독립을 이룩하기 위한 새로운 투쟁을 다짐하였다. 또한 더 많은 투쟁을 하고자 국경을 넘었던 이들이 이 곳으로 모여들면서 나라 밖의 독립 운동이 크게 일어났다.

■가 볼 곳 | 임시 정부 청사 ■만날 사람 | 홍범도, 김좌진, 김구 ■주요 사건 | 임시 정부 수립, 봉오동 · 청산리 전투

| 일어서는 민중들 |

독립군 승리!
봉오동에서 적을 대파
크게 패해 달아난 적은 120여 명이 죽거나 다쳤다.
—6월 7일의 전투에 대한 우리 군대의 소식—

1920년 6월 4일, 우리 독립군은 두만강을 건너서 우리 국토를 강점하고 있던 일본군을 공격하였다. 이렇게 시작된 전투는 대규모 일본군의 역습과 매복한 우리 독립군의 반격으로 이어졌다.

상하이에 있던 임시 정부는 "홍범도, 최명록 장군이 즉시 적을 공격하여 사격함으로써 적이 120여 명의 사상자를 내고 도주하게 만들었으며, 도망하는 적을 좇아 추격전을 전개하여 지금도 전투중"이라는 독립 신문 호외(1920. 6. 22)를 펴내 널리 배포하도록 하였다. 이후 계속된 전투는 두만강에서 40여 리 떨어져 있는 험준한 산악 지대에서 벌어졌는데, 독립군은 이 전투에서 일본군 300여 명을 살상하는 대승리를 거두었다.

두만강 상류

두만강 건너편 간도에는 많은 한인들이 이주해 살았고, 군사 활동에 유리한 밀림과 천연의 요새가 많았다. 게다가 이 곳이 중국 영토여서 독립군 활동에 유리하였다.

그런데 왜 그 곳에 독립군이 모여 있었을까? 그리고 임시 정부는 또 무엇일까? 독립 신문은 이미 폐간되지 않았나?

필라델피아 만세 시위

1919년 4월 14일, 미국의 한인들은 필라델피아 미국 독립 기념관 앞에서 한인 대회를 개최하고 태극기를 앞세운 채 시가 행진을 하였다.

임시 정부 요인들

이승만이 대통령으로, 이동휘가 국무총리로 추대된 대한 민국 임시 정부의 요인들이 1921년 1월에 함께 모였다. 첫줄 왼쪽 세 번째가 김구, 둘째 줄 왼쪽에서 여섯 번째가 이동휘, 그 옆이 이승만, 열한 번째가 안창호이다.

| 우리는 독립된 민주주의 국가를 원한다 |

3·1 운동 직후 나라 안에서 민족 운동이 새로이 불붙은 것처럼, 나라 밖에서도 민족 운동이 크게 일어났다. 만주와 연해주에서, 상하이와 미국 곳곳에서 한인들은 만세 시위 운동을 전개하고 독립을 이룩하기 위한 새로운 투쟁을 다짐하였다. 또 더 많은 투쟁을 하고자 국경을 넘었던 사람들이 이 곳으로 모여들면서 나라 밖의 독립 운동이 크게 일어났다.

3·1 운동이 거족적으로 전개되었음에도 실패한 까닭을 통일된 지도부가 없었기 때문이라고 생각한 이들은 임시 정부 건설을 서둘렀다. 연해주와 상하이, 서울에서 거의 비슷한 시기에 임시 정부가 만들어졌다. 세 개의 임시 정부는 상하이 임시 정부를 중심으로 통합하여 대한 민국 수립을 공식적으로 선언하였다.

임시 정부는 독립 투쟁을 좀더 조직적이고 체계적으로 진행할 것을 다짐하는 한편, 일치 단결하여 투쟁함으로써 "남녀 귀천 및 빈부의 계급이 없고 일체 평등한 민주 공화국을 건설" 할 것임을 선언하였다.

그리고 독립에 유리한 국제 여론을 불러일으키기 위한 외교 활동에 힘을 기울이면서 연해주와 만주에서 활동하는 독립군과 함께 항일 활동도 전개하였다. 그리고 독립 신문을 발행하여 독립 운동의 소식을 나라 안팎에 전하였다.

| "우리는 대한의 독립군!" |

많은 사람들은 우리 힘으로 일제를 몰아내야만 독립도, 민주 국가의 건설도 가능하다고 생각하였다. 이런 생각을 가진 사람들이 만주로 몰려들었다. 이들은 두만강과 압록강 건너편 산 깊숙한 곳에 자리를 잡고, 한인들의 도움을 받아 군대를 길렀다. 그러고는 국경을 넘어 일본군 초소를 공격하거나 일본군의 활동을 방해하고, 친일파를 처단하기도 하였다.

1920년에는 독립군이 여러 차례 일본군을 크게 무찔렀다. 홍범도가 이끄는 대한 독립군은 봉오동에서 일본군을 크게 무찔렀다. 그리고 김좌진의 북로 군정서군과 협력하여 청산리에서 만주 독립 전쟁 역사상 최대의 승리를 이끌기도 하였다.

그러나 독립군이 충분한 준비를 갖추고 전쟁에 나선 것은 아니었으며, 항상 승리를 거둔 것도 아니었다. 늘 추위와 굶주림에 시달리고, 일제의 감시에 긴장을 늦추지 않고 살아야 했다.

특히 일본군이 청산리 싸움 이후 만주에 거주하는 한인들을 대거 학살하고(간도 참변, 1920), 러시아로 이동하였던 독립군이 소련군에 의해 무장 해제당하는 등 어려움은 말할 수 없이 많았다. 그리고 1925년에는 일제의 압력을 받은 중국 당국이 독립군 활동을 금지함으로써 더 큰 어려움을 맞기도 하였다.

간도 참변(1920)

임시 정부 통신원에 따르면 10월부터 11월에 걸쳐 3600여 명이 피살되고 민가 3500여 채가 파괴되었다고 한다.

김좌진(1889 ~ 1930)

김좌진은 교육받은 대지주 출신으로, 애국 계몽 운동으로 민족 운동에 투신하였다. 청산리 전투 이후 만주에서 반공의 입장에 서서 항일 운동을 전개하였다.

청산리의 승리

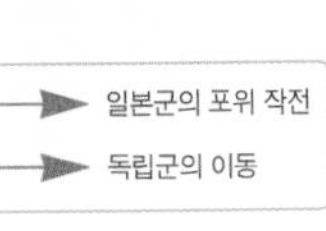

홍범도(1868~1943)

홍범도는 포수 출신으로, 평민 의병장이 되어 민족 운동에 투신하였다. 청산리 전투 이후 소련에서 활동하면서 사회주의 독립 운동가로 살았다.

저요, 저요

1. 여러 곳에서 수립된 임시 정부는 □□□를 중심으로 통합되었다.
2. 김좌진, 홍범도의 연합 부대가 일본군을 크게 물리친 전투는?

나도 역사가

임시 정부 청사

1. 다음은 임시 정부 청사다. 나라 밖에서 이루어진 민족 운동의 주요 유적지를 찾아 보자.
2. 다음은 독립군들이 즐겨 부르던 노래다. 노래를 배워 불러 보고, 독립군들의 마음가짐에 대해 이야기해 보자.

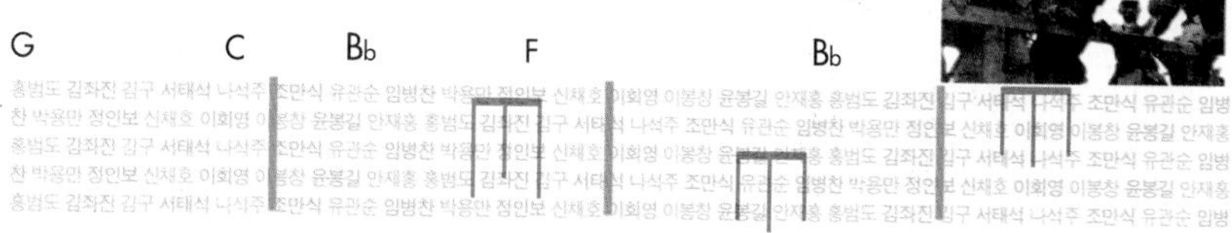

1. 신대한국 독립군의 백만 용사야 조국의 부르심을 네가 아느냐
2. 원수들이 강하다고 겁을 낼손가 우리들이 약하다고 낙심할손가
3. 너 살거든 독립군의 용사가 되고 나 죽거든 독립군의 혼령이 되니
4. 압록강- 두만강을 뛰어건너라 악독한 원수무리 쓸어몰아라

주중 한국 대사관 한 · 중 역사 문화 자료실
http://www.koreaemb.org.cn/kc/doc/00.html

F Bb F Dm Gm C7 F

삼-천 리 삼천만의 우리 동포들 건질이 너와 나로다
정-의의 날센 칼이 비키는 곳에 이길이 너와 나로다
동-지여 너와 나의 소원 아니냐 빛낼이 너와 나로다
잃-었던 조국 강산 회복하는 날 만세를 불-러 보세

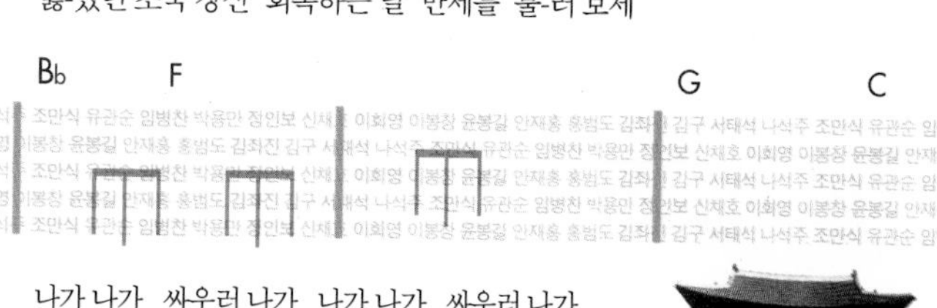

나가 나가 싸우러 나가 나가 나가 싸우러 나가

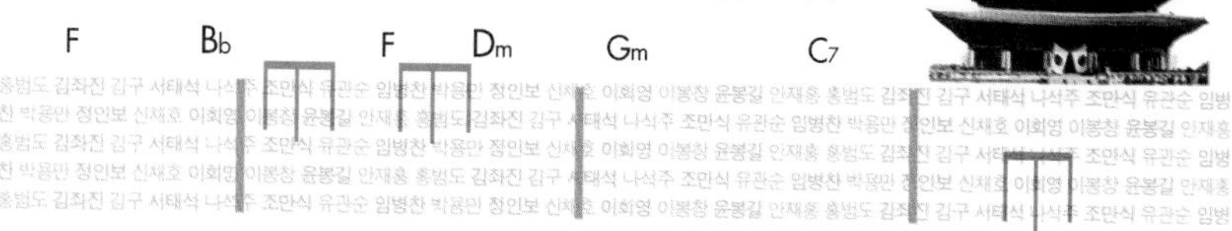

독립문의 자유종이 울릴 때까지 싸우러 나-가-세

4 단결하여 투쟁하자!

우리는 조선 민족의 정치·경제적 해방을 위해 노력한다.
우리는 일치 단결하여 민족의 대표 기관이 되도록 노력한다.
우리는 일제와 타협하지 않고, 민족의 당면 이익을 위하여 투쟁한다. 〈신간회 강령, 재구성〉

■가 볼 곳 | 광주 학생 항일 운동 기념탑 ■만날 사람 | 이광수, 이상재, 홍명희 ■주요 사건 | 6·10 만세 운동, 신간회 창립

| 짧은 애국, 긴 매국 |

1921년 3월, 상하이에서 활동하던 이광수가 서울을 향해 길을 나섰다. 그러나 그는 곧바로 일본 경찰에 체포되어 서울로 압송되었다.

많은 사람들은 그의 귀국과 일제의 조사 과정에 주목하였다. 그는 일본 유학 출신의 대표적 지식인이었으며, 일본에서 독립 선언을 주도하였고, 상하이에서는 임시 정부의 독립 신문 발간 활동을 하였기 때문이었다.

그런데 뭇사람들의 예상과는 달리 그는 별다른 조사나 재판을 받지 않고 곧바로 풀려났다. 어찌된 영문인지 많은 사람이 궁금해하였다.

이듬해부터 이광수는 여러 편의 글을 잇달아 발표하였다. "주권을 잃은 것은 우리의 그릇된 민족성 때문이다." "독립을 위한 투쟁보다는 근대 문물을 받아들여 힘을 기르는 것이 더 중요하다." 고 주장하였다.

이광수는 조급한 독립 투쟁보다 그릇된 민족성을 고치려는 도덕성 개조가 더 중요하다며, 일제가 만든 법을 지키는 범위 안에서 민족 운동을 벌일 것을 제안하였다.

일제가 육성한 친일파를 포함한 일부 민족주의 인사들은 우선 자치를 인정받아 실력을 기르고, 그 다음에 독립 운동을 하자며 이들의 주장에 동조하였다.

이광수(1892~1950)

조선 총독부에서 그의 귀국과 취직을 주선하였다. 이처럼 일제는 독립 운동 경력이 있는 사람들을 친일파로 만들어 민족 운동을 분열시키려 하였다. 사진은 임시 정부 사료 편찬부 주임 시절의 이광수(앞줄 가운데)이다.

「개벽」

이광수가 민족 개조론을 발표하였던 「개벽」이다. 「개벽」의 사장은 3·1 운동을 주도하였다가 총독부의 배려로 석방된 뒤에 친일 활동을 하였던 최린(1878~1958)이었다.

| "조선 독립 만세!!" |

자치를 내세우는 이광수 등의 주장은 독립 운동을 무기한 연기하자는 것이니, 일제의 침략으로 날마다 고통을 겪고 있는 민중들이나 일제의 본질을 잘 알고 있는 인사들로서는 받아들일 수 없었다. 그리하여 1920년대 중반에는 자치론자를 제외한 민족주의자들과 사회주의자들이 서로 협력하여 항일 운동을 전개하자는 움직임이 일어나게 되었다.

1926년, 마지막 황제였던 순종이 세상을 떠났다. 이에 사회주의자들로 조직된 조선 공산당과 학생 단체에서 순종의 장례식을 기해 전국적인 만세 시위 운동을 추진하였는데, 여기에는 민족주의 인사들도 함께 참가하였다.

일제는 3 · 1 운동 때를 생각하며 삼엄한 경계망을 펼쳤다. 그리고 평양, 함흥, 원산 등에 주둔하고 있는 군대를 서울로 집결시켰으며, 부산과 인천에는 함대를 대기시켜 놓고 있었다.

그러나 일제의 삼엄한 경계 속에서도 서울의 곳곳에서는 만세 운동이 활발하게 전개되어 독립을 향한 우리 민족의 의지가 유감없이 과시되었다(1926. 6 · 10 만세 운동).

6 · 10 만세 운동
순종의 장례 행렬이 지나는 창덕궁에서 동대문에 이르는 곳곳에서 학생과 시민들은 격문을 뿌리고 만세 시위를 벌였다.

신간회의 창립

1927년 이상재를 회장으로, 홍명희를 부회장으로 하는 신간회가 탄생되었다. 사진은 신간회의 창립을 알리는 당시의 신문이다.

新幹會創立總會

십오일밤청년회관에서개최

민흥회와신간회의합동성립

民興、新幹合同完成

이상재(1850～1927)

독립 협회 활동을 하였으며, 기독 청년회(YMCA)를 통한 계몽 운동, 물산 장려 운동과 민립 대학 설립 운동을 전개한 대표적인 민족주의자였다.

홍명희(1888～1968)

사립 학교의 교사, 언론인으로 활동하였으며, 신간회 활동으로 투옥되기도 하였다. 해방 이후 북한에서 부수상에 이르기도 하였는데, 「임꺽정」의 저자로 유명하다.

| 단결하여 투쟁하자 |

6·10 만세 운동을 함께 전개하였던 민족주의자들과 사회주의자들은 그 뒤에도 여러 차례 만남을 가졌다. 민족주의자들은 민족의 독립을 위해 모두가 단결하는 것이 필요함을 여러 차례 강조하였다. 사회주의자들은 농민과 노동자들의 권리를 지키는 활동을 강조하였다.

두 세력은 서로의 차이를 인정하면서 민족의 독립을 위해서는 서로 협력하는 것이 중요하다는 점에 합의하고, 새로운 단체를 결성하기로 하였다. 민족주의자들과 사회주의자들이 함께 조직한 최대의 항일 운동 단체, 신간회가 탄생하는 순간이었다(1927).

서울에 신간회 본부가 결성된 후 전국 곳곳에 지회가 조직되어 여기에 청년회, 농민회, 노동 조합 등에서 활동하던 인사들이 대거 가입하였다. 그리하여 1931년에는 전국 141개 지회와 4만여 명의 회원을 가진 최대의 항일 운동 단체로 자리를 잡았다.

항일 운동 세력이 대거 참가한 단체가 조직되자, 일제는 본부의 활동을 사사건건 방해하여 본부에서는 총회조차 열 수가 없었다. 하지만 지회에서는 야학을 설립하고 웅변회와 연설회를 열어 민중들의 투쟁 의지를 드높였으며 농민, 노동자들의 이익을 해치는 일제의 정책에 반대하는 투쟁을 벌이고, 청년 학생 단체의 활동을 지원하였다.

鐵窗城가튼警戒裡에

光州學生大公判開廷

雲集한傍聽人으로法廷內外大混雜

십구일광주지방법원대법뎡에서

被告四十九名全部出廷

被告氏名

十四被告의事件分離에

金普燮抗議提出

◇注目되는分離問題

昨年十月三十日

光州驛前에서最初發端

光州全市街에

警戒網치고

參考條文

광주 학생 항일 운동

1930년 3월까지 계속된 이 운동에는 전국 194개 학교, 5만 4천여 명이 참가하였다. 이는 당시 중등 이상 학생 수의 10분의 1에 달한다. 사진은 운동에 참가하였던 사람들의 재판을 보도한 당시의 신문이다.

| 광주 학생 항일 운동, 그리고 신간회 |

이런 가운데 1929년 11월에 광주 학생 항일 운동이 일어났다. 이 사건은 통학 열차 안에서 일어난 조선인 학생과 일본인 학생 사이의 사소한 다툼에서 시작되었다. 그러나 일본 경찰이 이를 일방적으로 처리하면서 민족 차별 중지, 식민지 교육 제도 철폐 등을 요구하는 광주 지역 학생들의 총궐기로 이어졌다.

이에 신간회는 즉시 조사단을 파견하고, 학생들의 운동을 지원할 수 있는 방안을 모색하였다. 그리고 광주 학생들의 소식을 전국으로 알리면서, 이를 대규모 민중 운동으로 발전시키려 하였다. 이 계획은 일제의 탄압으로 실현되지 못하였지만 학생들의 투쟁은 전국 곳곳으로 확산되어 3·1 운동 이후 최대 규모의 항일 운동으로 발전하였다.

광주 학생 항일 운동의 발단

통학 열차 안에서 일본인 학생이 조선인 여학생 2명(광주 여고보 3년 박기옥과 이광춘, 사진 아래)을 희롱하는 것을 보다 못한 광주 고보 2년 박준채(사진 위)가 일본인 학생을 구타한 데서 발단되었다.

저요, 저요

1. 민족주의자들과 사회주의자들이 함께 결성한 최대의 항일 운동 단체는?
2. 3·1 운동 이후 전개된 최대의 학생 항일 운동은?

과거와 현재의 대화

신간회의 성립과 활동 과정을 더 조사하여, 이념이 서로 다른 사람들끼리 함께 활동하는 것의 장점과 문제점을 찾아 보자.

어느 보통 학교의 졸업식장에서

1919년 3월 2일, 만세의 함성이 지나간 다음 날 서울은 조용하였다. 그리고 그 다음 날도 그랬다. 학교는 더욱 조용하였다. 학생들이 아무도 등교하지 않았기 때문이다.

이런 날은 제법 오랫동안 계속되었다. 일제는 어린아이들이 등교를 거부하는 데 가장 당혹하였다. 어느 커다란 소학교에서는 집집마다 연락하여 졸업식만이라도 참가해서 졸업 증서를 받아가도록 애원을 하기도 하였다.

그러다가 결국 한 학교에서 졸업식이 열리게 되었다. 학교 당국의 애원에 자신의 뜻을 꺾은 듯, 많은 학생들이 식장에 나타났다. 그리고 많은 학부모들도 자리를 채웠다.

수많은 관리들과 이름난 일본인들이 자리한 가운데 졸업식이 시작되었다. 학생들에게는 차례대로 귀중한 졸업 증서가 주어졌다.

그런 다음, 열두어 살쯤 된 학생 대표가 선생님과 당국에 감사의 뜻을 전하기 위해 앞으로 걸어 나왔다. 그는 깍듯이 예의를 갖추는 듯하였다. 인사를 할 때도 허리를 90도로 굽혀 최대한 경의를 표하였으며, 최대한 존경의 마음을 실어 인사말을 하였다. 그 모습에 내빈들은 모두 기분이 좋았다.

말이 거의 끝나갈 무렵, 그의 목소리가 바뀌었다.

"이 말만은 꼭 하고 싶습니다."

그는 몸을 곧추세우고 결연한 눈빛으로 말하였다.

그는 지난 며칠 동안에 지금 자기가 하고자 하는 말로 인해 많은 사람들이 죽었다는 사실을 잘 알고 있었다.

그는 겉옷 속에 손을 집어 넣었다. 그러고는 지니고 있다는 사실 자체로 죄가 되는 태극기를 끄집어냈다.

"우리 나라를 돌려 달라! 대한 독립 만세!"

태극기를 흔들며 그는 울부짖었다.

모든 학생들이 자리를 박차고 일어섰다. 그리고 품 속에서 태극기를 꺼내 흔들며 만세를 불렀다. 그들은 기절초풍한 내빈들 앞에서 졸업 증서를 찢어 바닥에 던져 버리고 떼를 지어 밖으로 나갔다.

—「한국의 독립 운동」, 매킨지—

3 · 1 운동이 시작된 후, 수많은 학생들이 만세 운동에 참여하였다. 나이 어린 보통 학교 학생들의 참여도 대단하였다. 전국의 수많은 학교에서 동맹 휴학을 벌였고, 수십 명씩 수백 명씩 대오를 이루어 시위를 벌이기도 하였다. 보통 학교의 졸업식이 예정되어 있던 3월 23일 서울의 정동 보통 학교와 의동 보통 학교에서는 어린이들이 졸업식장에서 만세 시위를 벌였다.

해방의 그 날까지

6

강보에 싸인 두 아들 모순과 담에게

너희도 만일 피가 있고 뼈가 있다면
반드시 조선을 위해 용감한 투사가 되어라.
태극의 깃발을 높이 드날리고
나의 빈 무덤 앞에 찾아와 한 잔의 술을 부어 놓아라.
그리고 너희들은 아비 없음을 슬퍼하지 말아라.
사랑하는 어머니가 있으니
어머니의 교양으로 성공한 자를 동서양 역사상 보건대
동양으로 문학가 맹자가 있고
서양으로 프랑스의 혁명가 나폴레옹이 있고
미국에 발명가 에디슨이 있다.
바라건대 너희 어머니는 그의 어머니가 되고
너희들은 그 사람이 되어라.

―의거를 앞두고 윤봉길이 어린아이들에게 남긴 글―

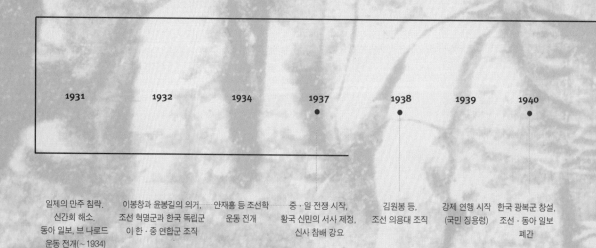

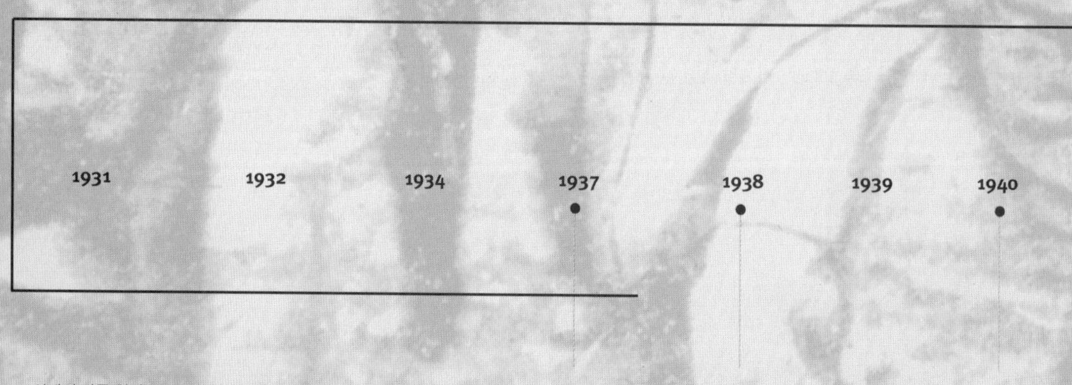

폭탄 투척 후 일본군에 끌려가는 윤봉길

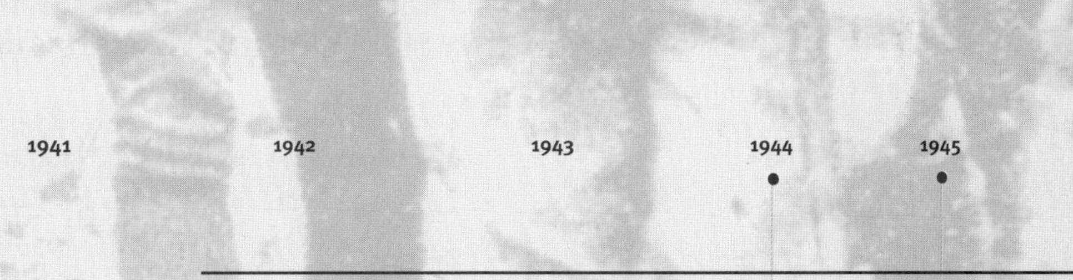

1941	1942	1943	1944	1945
임시 정부, 건국 강령 발표, 대일 선전 포고	독립 동맹 및 조선 의용군 결성, 조선어 학회 사건	일제, 징병제 · 학병제 실시로 조선 청년을 일본군으로 끌고감.	여운형, 건국 동맹 결성	해방

1 빼앗긴 조국, 끌려간 사람들

일본으로 간 우리 젊은이들은 노예 같은 생활을 강요받았다. 물론 그들 중 일부는 돈을 벌기 위해 스스로 바다를 건넜다. 하지만 더 많은 사람들은 일제에 의해 강제로 동원되었다. 그러나 누구도 돈을 벌지 못하였고, 살아서 고향 땅을 밟지 못한 이들도 대단히 많았다.

■가 볼 곳 | 나눔의 집 ■만날 사람 | 군대 위안부, 친일파들 ■주요 사건 | 징용, 징병, 황국 신민화 정책

| 노동자 합숙소의 하루 |

엄마 보고 싶어요

일본 규슈 탄광의 조선인 합숙소 벽에 쓰여 있는 낙서이다.

이른 새벽 기상을 알리는 주번의 호령 소리로 하루가 시작된다. 노동자들이 긴 통나무 베개를 같이 쓰고 있어, 감독들은 호령과 함께 통나무 베개 한쪽 끝을 몽둥이로 마구 때려 노동자들을 깨운다.

간밤에 도망자가 없었는지를 확인하려고 이른 새벽부터 점호를 한다. 그러고는 식사를 서둘러 마친 뒤 어두운 새벽 길을 가로질러 작업장으로 향한다.

인부 다섯 명에 감독이 1명씩 붙어서 몽둥이를 휘두르고 욕설을 해 대며 작업을 다그친다. 또한 날마다 책임량을 정해 주는데 이를 완수하기 위해서는 어떤 날은 15~16시간 동안 쉬지 않고 일을 하기도 한다.

숙소 벽에는 채찍과 몽둥이 등 고문을 할 수 있는 도구들이 걸려 있다. 혹시 병이라도 걸리면 아무런 치료도 받지 못한 채 죽어야 하고, 영양 실조와 감독의 폭행으로 죽는 사람도 많다.

– '홋카이도 어느 노동자 합숙소에서의 생활', 「빼앗긴 조국, 끌려간 사람들」 –

한인의 죽음

일본 치쿠오호의 한 탄광에 강제 징용 당하였다가 죽음을 당한 한인의 품에서 발견된 가족 사진이다.

그것은 노예의 생활이었다.

일본으로 간 우리 젊은이들은 노예 같은 생활을 강요받았다. 물론 그들 중 일부는 돈을 벌기 위해 스스로 바다를 건넜지만 더 많은 사람들은 일제에 의해 강제로 동원되었다. 그러나 어떤 경우든 그들의 생활은 마찬가지였고, 누구도 돈을 벌지는 못하였다. 살아서 고향 땅을 밟지 못한 이들도 많았다.

| 인간을 사냥하는 침략자들 |

강제 징병

아들이 일본군에 끌려가는 모습을 지켜보고 있는 어머니.

일제는 강점과 동시에 우리 땅을 빼앗고 자원을 약탈하였다. 그러고는 우리 민족의 발전을 가로막고 사상과 문화의 발전을 왜곡시켰다. 그것도 모자라 1930년대 이후에는 우리 민족의 생명 그 자체를 요구하였다.

1930년대에 대공황이 전세계를 휩쓸자 일제는 우리 민족에 대한 수탈을 더욱 강화하였다. 그들은 값싼 노동력과 자원을 활용하기 위해 우리나라에 공장을 지었다. 그러고는 싼 임금을 지불하고 노예 같은 노동을 강요하였으며, 임금 깎기에 반대하는 노동자들의 운동을 짓밟았다. 농민들에 대한 수탈도 더욱 강화하였다. 그것도 모자라 전국의 농촌을 돌며 우리의 젊은이들을 모집하여 일본에 있는 기업으로 끌고 갔다.

이런 정책은 일본이 만주와 중국을 침략하고 미국과 전쟁을 시작하면서 더욱 심해졌다. 이제는 국가가 앞장서서 조선인을 전쟁 물자의 생산, 전투 시설 구축에 강제 동원하였다. 마침내는 지원병, 징병이라는 이름으로 우리 젊은이들을 그들의 전쟁터로 끌고 가 목숨까지 내놓도록 강요하였다. 여성들도 예외는 아니었다. 수많은 공장과 일터에 여성들을 배치하였을 뿐 아니라 군대 위안부로 동원, 성노예 생활을 강요하였다.

일제에 의해 강제로 동원된 사람은 군인과 군 관련자 40여만 명을 포함하여 7백만 명(이 인구는 당시 조선 인구의 1/4가량 된다.)을 넘어선다. 이 가운데 일본으로 끌려간 사람들의 수는 2백만여 명이다.

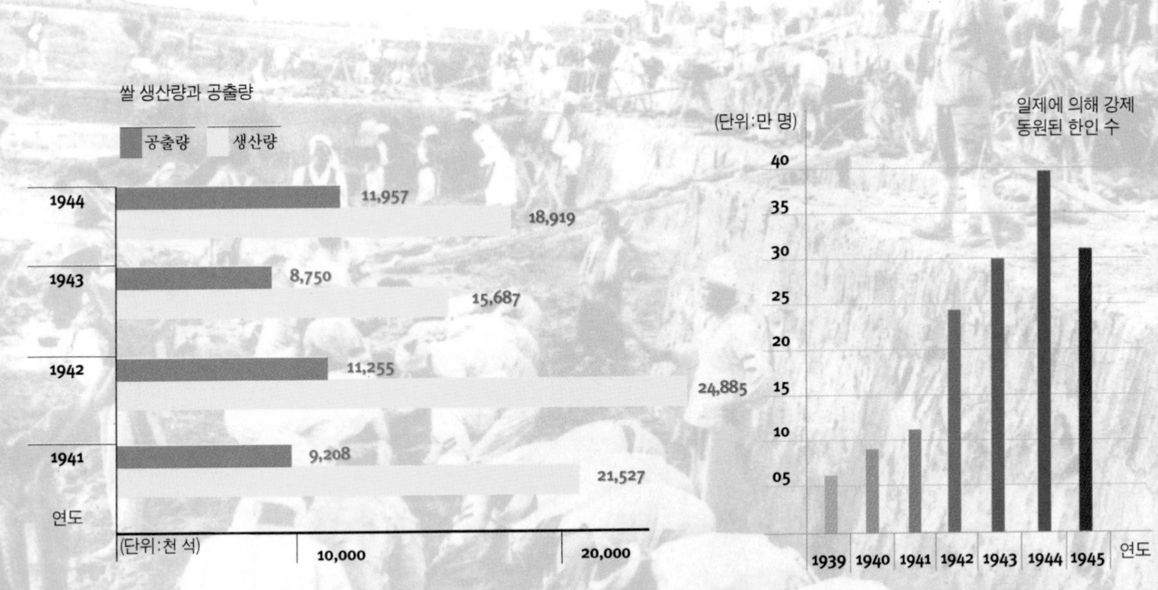

황국 신민의 서사 암송
어린아이들조차 아침 조회 시간마다 황국 신민의 서사를 외워야만 하였다.

일제는 조선의 자원과 물자를 수탈하고 수많은 조선인을 침략 전쟁에 동원하기 위해 '전시 총동원 체제' 라는 이름 아래 폭력적인 통치를 자행하였다. 군대와 경찰의 숫자를 대폭 늘렸으며, 농민들을 애국반이라는 조직으로 묶어 서로를 감시하도록 하였다.

폭력적 지배를 뒷받침하기 위해 일제는 교육과 언론, 문화 활동을 통제하였다. 또한 '일찍이 조선과 일본의 조상이 같다.' 든지 '조선은 발전 가능성이 없는 정체된 사회로 외부의 도움을 받아야만 발전할 수 있는 사회' 라는 따위의 역사 왜곡을 일삼았다. 그것도 모자라 아예 조선어와 조선 역사의 연구와 교육을 모두 금지하였다.

뿐만 아니라 모든 조선인에게 일본식으로 이름을 바꾸고 일본어를 사용하도록 강요하였다. "우리는 대일본 제국의 신민으로 마음을 다해 천황 폐하께 충성을 다한다."는 황국 신민의 서사를 외우도록 하고 일본의 왕을 살아 있는 신으로 섬기도록 강요하였다.

이로써 민족의 독립 운동은 위기에 빠졌으며 민족의 존립조차 위태로워졌다. 그리고 민족 운동 속에서 자라난 민주 역량도 짓밟혀 오래 전 전제 군주제 사회로 후퇴하고 말았다.

신사 참배
일제는 일본 왕의 조상을 모신 신사를 전국 곳곳에 세워 아침, 저녁으로 참배를 강요하였다. 사진은 서울 남산의 조선 신궁이다.

| 친일파, 잊어서는 안 될 이름들 |

또 하나의 '금모으기 운동'

김복완, 김활란 등 상류층 여성들이 중심이 되어 조직한 애국 금차회는 금비녀와 금가락지를 뽑아 일제의 국방비로 헌납하는 운동을 벌였다. 화가 김은호는 이 운동을 돕고자 이 그림을 그렸다.

일제가 조선 민족을 말살하고, 조선인들을 그들의 침략 전쟁에 동원하기 시작하면서 일제의 편에 서서 민족을 배반하는 무리들도 많아졌다. 이들은 "조선인의 일본화가 조선 문화의 당면 과제(최남선)"라거나, "일장기가 날리는 곳이 내 자손의 일터(이광수)"라며, 조선의 독립을 부정하고 일제의 통치가 영원히 진행되어야 한다는 궤변을 늘어놓고는,

> 남아면 군복에 총을 메고
> 나라 위해 전장에 나감이 소원이러니
> 이 영광의 날
> 나도 사나이였다면 나도 사나이였다면
> 귀한 부르심을 입었을 것을
>
> – '님의 부르심을 받들고', 노천명 –

이라며 우리 젊은이들을 일제의 침략 전쟁으로 내몰았다.

님의 부르심을 받들고

시인 김상용이 쓴 친일시에 덧붙여진 같은 제목의 그림으로, 자신의 이름을 일본식으로 불렀던 친일작가 김인승이 그렸다.

민족을 배반한 무리들 가운데는 일제의 압력을 이기지 못해 형식적으로 동참한 사람들도 있었다. 하지만 일신의 영달을 위해 일본 군인이나 관리가 된 사람도 있고, 자발적으로 친일 활동을 한 인사들도 적지 않았다. 이들은 일본인들보다 더욱 철저하게 일본인처럼 행세하면서 우리 민족을 감시하고 민족 운동을 탄압하였다. 그리고 우리의 생명과 자원을 일본을 위해 바치자고 떠들어 댔으며, 부유한 이들은 자산을 털어 비행기를 헌납하거나(박흥식) 수많은 돈을 전쟁 헌금으로 내기도 하였다.

저요, 저요

1. 일제가 침략 전쟁에 우리 민족을 강제 동원한 방식을 열거해 보자.
2. 1940년대에 적극적인 친일 활동을 하였던 인물을 분야별로 조사해 보자.

민족 문제 연구소
http://www.banmin.or.kr

나도 역사가

징용, 군대 위안부, 학병으로 끌려간 사람들의 입장이 되어, "나의 작은 꿈"이라는 제목으로 글을 써 보자.

〈여성과 역사〉

군대 위안부, 아물지 않은 상처

끌려감

일본은 취업을 시켜 주겠다고 속여 끌고가기도 하고, 당국이 개입하여 강제로 동원하기도 하였다. 15~18살의 처녀들이 주로 동원되었는데, 그 수가 무려 20만에 이른다. 이 그림은 위안부 생활을 하셨던 김순덕 할머니가 그린 것이다.

우리가 처음 나눔의 집을 찾은 것은 한 달 전이었다. 수요 집회에서 처음 할머니들을 뵙던 순간, 가슴으로 치밀어 오르는 그 무엇이 우리를 이끌었던 때문이다.

그 날 나는 역사관에서 아무 말도 하지 못하였다. 그분들이 겪어야만 했던 죽음 같은 고통들이 너무나도 가슴아팠기 때문이었다. 그리고 그들을 죽음의 구렁텅이로 몰아넣은 자들에 대한 분노 ….

하지만 오늘은 다른 이유로 나눔의 집을 찾았다. 한 달 내내 풀리지 않던 의문이 있었기 때문이다. 나는 간사 선생님을 찾았다.

Q: 이 참혹한 사실이 오랫동안 묻혀져 있었던 까닭을 알 수 없었어요.

A: 위안부의 실상이 널리 알려진 것이 1990년 무렵이니 일제가 패망한 지 무려 45년이 지나서지요. 일본은 이를 감추기 위해 온갖 수단을 다 썼고, 우리 정부도 이들의 아픔을 치유해 주려는 노력을 기울이지 못하였기 때문이지요. 할머니들이 직접 증언에 나서지 않았다면 여전히 일본은 이 사실 자체를 감추고 있었을 거예요.

Q: 그분들이 아니었다면 우리가 과연 그 일을 알 수 있었을까요? 하지만 할머니들의 입장에서는 정말 힘들었을 것 같아요. 결코 드러내고 싶지 않은 과거였을 테니까요.

A: 전쟁이 끝날 무렵, 일본군들은 자신의 죄악을 감추기 위해 위안부를 집단적으로 학살하기도 했잖아요? 그래서 이분들이 살아서 이 땅에 돌아왔다는 사실 자체부터가 고마운 일이지요. 이분들이 곧 역사가 아닙니까?

Q: 이분들의 해방 이후 삶에 대해 조금 더 알고 싶어요.

A: 우리 모두는 이분들이 겪은 수난을 위로하고 보상해야 옳았어요. 그리고 살아서 돌아와 일제의 죄악을 규탄할 수 있게 된 것에 감사를 드려야 했어요.

하지만 우리는 그러지 못했어요. 심지어 정조를 잃어버렸다고 그들

위안소 앞에서 차례를 기다리는 일본군

군대 위안부

일본군들은 패전 이후 위안부들을 죽이거나 아무런 대책 없이 먼 타국 땅에 그대로 남겨 두고 철수하였다.
사진은 1945년 8월 14일 미얀마의 미이토키나에서 연합군에게 포로로 잡힌 한국인 군대 위안부들(왼쪽)과 위안소에서 탈출하다 잡혀 온몸에 문신을 당한 위안부 출신 할머니(오른쪽)이다.

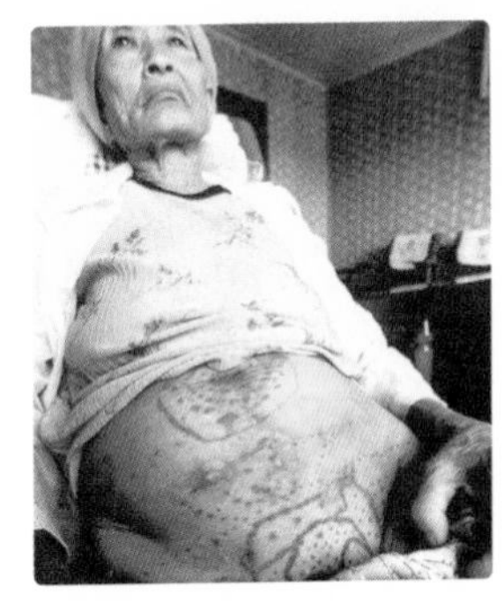

나눔의 집

1992년부터 군대 위안부 할머니들이 공동 생활을 해왔다. 그리고 1995년 현재의 위치로 옮겨 왔다.

나눔의 집
http://www.nanum.org
정신대 문제 대책 협의회
http://www.k-comfortwomen.com

을 멀리하기까지 했지요. 많은 분들이 정조를 잃었다는 생각에 돌아오지 않았고, 돌아온 분들도 자신의 과거를 밝히지 못한 채 어려운 삶을 살았어요.

Q: 언젠가 이런 이야기를 들은 적이 있어요. '여러 해가 흐른 뒤 어렵사리 결혼을 하긴 했는데, 위안부 생활이 드러나 파혼당했다.'는 ….

A: 그래요. 참 가슴아픈 일이지요. 위안부 문제는 여성을 성적인 대상으로만 여겼던 잘못된 남성 문화에서 비롯된 것이에요. 잘못된 남성 문화가 전쟁이라는 상황과 결합되어 빚어진 일이지요.

그래서 학생 같은 남자들이 위안부 문제에 더 많은 관심을 가지는 것이 꼭 필요하다고 생각해요.

2 부활하는 독립 전쟁

일본이 전쟁을 확대하고, 민족을 배반하는 무리들이 많아져도, 독립을 향해 목숨을 바치는 사람의 수는 줄지 않았다. 이들은 결코 불가능한 꿈을 꾸고 있는 것이 아니었다. 이들은 일제의 승리 속에서 그들의 패배가 시작됨을 보았던 것이다.

■가 볼 곳 | 쌍성보, 홍커우 공원 ■만날 사람 | 윤봉길, 김구, 김원봉 ■주요 사건 | 조선 의용대, 한국 광복군, 동북 항일 연군의 투쟁

| 홍커우 공원의 의거 |

1932년 4월 29일 상하이의 아침, 장갑차를 앞세운 1만여 명의 일본군이 행진을 벌였고, 일장기를 든 수많은 일본인들이 그 뒤를 따랐다.

11시를 넘기자 행렬은 일본인 거리 한가운데 있는 홍커우 공원으로 들어섰다. 공원에는 일본 왕의 생일을 축하한다고 크게 씌어져 있었으며, 높은 단상에는 상하이 침략을 주도하였던 일본군 지휘관과 일본인 관리 일곱 명이 서열에 맞춰 앉아 있었다.

11시 40분, 일본 국가가 울려퍼지자, 모든 사람은 일장기를 향하여 부동 자세를 취하였다. 바로 그 순간 한 청년이 몸을 움직였다. 한 손에는 일장기를, 다른 한 손에는 도시락을 들고 있었다. 그는 손에 든 도시락을 단상을 향해 던졌다. 세상을 뒤엎을 듯한 폭음과 함께 흰 연기가 하늘로 치솟았다. 단상은 순식간에 쑥대밭으로 변하였고, 공원은 아수라장이 되었다.

홍커우 공원의 윤봉길
(1908~1932)

왼쪽부터 거사를 앞둔 윤봉길, 홍커우 공원에 들어가는 일본군 사령관, 폭탄 투척 직전의 일왕 생일 축하 기념식 단상, 폭탄 투척 후 일본군 사상자들을 끌어내리는 장면이다.
농촌 계몽 운동에 종사하던 윤봉길은 1930년 중국으로 건너간 뒤 김구가 조직한 한인 애국단에 가입하여 거사를 준비하였다.

일본 왕에게 폭탄을 던졌던 이봉창(1900~1932)

그의 가슴에 "나는 뜨거운 정성으로 조국의 독립과 자유를 회복하기 위하여 한인 애국 단원으로 적의 우두머리를 죽이기로 맹세한다."는 선서문이 붙어 있다.

상하이를 공격하였던 일본군 사령관이 즉사하였고, 상하이의 일본인 거류민단장도 그 자리에서 죽었다. 그리고 수많은 일본군 장교들이 죽거나 다쳤다.

현장에서 바로 체포된 청년은 24살의 윤봉길로 한인 애국단의 한 사람이었다. 그의 의거는 나라 안팎에서 독립을 위해 투쟁하던 사람들에게 희망과 용기를 주었다. 그리고 '중국 백만 군대가 하지 못한 일을 한국의 한 청년이 해냈다.'는 칭송을 중국인에게 듣기도 하였다.

| 희망 만들기 |

1920년대 중반을 넘어서면서 임시 정부도 거의 활동하지 못하였으며, 독립군 활동도 지지부진해져 나라 밖의 독립 운동은 전체적으로 어려움에 빠져 있었다. 게다가 1930년대에는 일제가 만주를 침략하여 차지하였을 뿐 아니라, 중국과 전쟁을 벌여 잇달아 승리하고 있었다.

이렇게 되자 많은 사람들이 독립을 불가능한 일이라 여기고 독립 운동에서 멀어지기도 하였다. 일본이 전쟁에서 이길 수 있도록 돕는 것이 민족의 번영을 위해 더 바람직하다고 말하는 사람도 생겨났다.

하지만 일제의 통치가 조선인들을 행복하게 해 줄 수는 없는 일이었고, 독립을 향한 꿈은 결코 꺾이지 않았다. 일본이 전쟁을 확대하고 민족을 배반한 무리들이 많아져도 독립을 향해 목숨을 바치는 사람의 수는 줄지 않았다.

1937년, 베이징에 입성하는 일본군

일본은 1931년 만주를 차지한 뒤에도 중국 화북 지방을 계속 침략하였으며, 1937년에는 상하이와 난징을 공격하여 중·일 전쟁을 시작하였다.

이들은 결코 불가능한 꿈을 꾸고 있는 것이 아니었다. 독립을 위해 투쟁하는 이들에게 독립은 불가능한 미래가 아니었다. 일제가 만주를 침략하고 곧이어 중국으로 전쟁을 확대하자 이들은 "일제의 만주 침략은 중국과의 전쟁이 될 수밖에 없다. 중국과의 전쟁은 장기전에 빠지게 되고, 결국에는 세계 전쟁이 되는데, 이 전쟁은 일본의 패배로 끝날 것이다."라고 정확하게 앞날을 내다보았다.

이들은 일제의 승리 속에서 일제의 패배가 시작됨을 보았다. 그리하여 일제가 승리를 자축하던 그 날, 이들은 새로운 투쟁을 시작하였다.

윤봉길의 의거는 새로운 투쟁이 시작되었음을 상징하는 사례였으며, 만주의 무장 독립 전쟁은 독립의 그 날이 결코 멀리 있지 않음을 보여 주고 있었다.

| 부활하는 독립 전쟁 |

무장 독립 전쟁은 수많은 한인들이 이주해 살고 있는 만주에서 활발하게 일어났다. 그리고 점차 중국 전역으로 확산되었다.

일제가 만주를 침략하여 만주국을 세우자 이 지역의 무장 독립 전쟁이 새롭게 일어났다. 만주 북부에서는 이청천 등이 한국 독립군을 남만주에서는 양세봉이 조선 혁명군을 조직하였다. 이들은 중국인 항일 단체와 힘을 합쳐 항일 투쟁을 전개하였다. 특히 양세봉의 조선 혁명군은 먼저 만주에서 일제를 몰아낸 뒤, 조선 해방 전쟁도 함께 할 것을 중국 의용군과 합의하고 여러 차례 공동 투쟁을 벌였다.

쌍성보의 서문

한국 독립군(1931~1933)은 중국인 의용군과 함께 쌍성보, 대전자령 전투에서 일본군과 만주군을 물리쳤으며, 훗날 광복군으로 합류하였다.

만인갱 유적지

조선 혁명군(1932~1938)의 무대였던 이 곳에서 일본에 맞서 싸우던 중국인과 한인 1만여 명이 살해당하였는데, 시체를 걸었던 못이 아직도 나무에 박혀 있다.

보천보 전투 호외

동북 항일 연군에 속한 한인 공산주의자들은 1937년 국내로 진격하여 보천보의 헌병 주재소, 면사무소를 공격하였다. 사진은 동아 일보 호외이다.

조선 의용대

1938년 처음으로 한인 무장 부대가 중국 안에서 조직되었다.

한국 광복군

1940년 민족주의 계열의 청년들을 중심으로 조직되었다.

한편 동만주에서도 일제에 맞선 무장 항쟁이 새롭게 일어났다. 이 지역의 항일 투쟁은 사회주의자들을 중심으로 이루어졌는데, 사회주의자들이면 한인이든 중국인이든 모두 중국 공산당에 가입하여 함께 투쟁하였다. 이들은 동북 항일 연군을 조직하고, 지역별로 근거지를 만들어 유격대 활동을 하며 일제와 맞섰다. 한인 상당수는 독립된 부대를 이루어 투쟁을 전개하였으며, 여러 차례 국경을 넘어와 일본군을 공격하기도 하였다.

중국 본토에서 활동하고 있던 한인들도 무장 독립 전쟁을 시작하였다. 의열단을 이끌었던 김원봉과 한인 애국단을 이끌었던 김구는 각각 중국 국민당 정부의 지원을 받아 한인 청년들을 대상으로 군사 교육을 실시하였다. 이를 기반으로 김원봉은 조선 의용대를 조직하여 항일 전쟁을 벌였으며, 김구는 임시 정부의 직할 군대인 한국 광복군을 조직하였다.

한편 중국 공산당이 화북 지방에서 항일 전쟁을 활발하게 전개하자, 조선 의용대의 상당수가 이 지역으로 이동하여 조선 의용군을 조직하고 중국 공산당과 함께 투쟁을 벌였다. 이후 남은 의용대원이 한국 광복군에 합류함으로써 중국에서의 항일 전쟁은 민족주의 계열의 한국 광복군과 공산주의 계열의 조선 의용군으로 이루어졌다.

저요, 저요

1. 남만주에서 조선 혁명군을 조직하여 한 · 중 연합 작전을 편 인물은?
2. 김원봉은 □□ □□□를, 김구는 임시 정부 직할 군대인 □□ □□□을 조직하여 항일 전쟁을 벌였다.

나도 역사가

1. 무장 독립 전쟁에 대한 영상을 시청하고 소감을 나누어 보자.
2. 윤봉길, 이봉창에 대한 일화를 조사해서 발표해 보자.

3 내릴 수 없는 투쟁의 깃발

매운 계절의 채찍에 갈겨 / 마침내 북방으로 휩쓸려오다
하늘도 그만 지쳐 끝난 고원 / 서릿발 칼날진 그 우에 서다
어데다 무릎을 꿇어야 하나? / 한발 재겨 디딜 곳조차 없다
이러매 눈감아 생각해 볼 밖에 / 겨울은 강철로 된 무지갠가 보다 — '절정', 이육사—

■만날 사람 | 안재홍, 박헌영 ■주요 사건 | 신간회 해소, 조선학 운동, 공산당 재건 운동

| 신간회의 해소 |

1930년대에 접어들면서 일제의 경제 침략이 더욱 심해졌고, 합법적인 민족 운동조차 탄압을 받았다. 그러나 농민 · 노동자들은 물러서지 않고 일제에 맞서 어느 때보다 민중 운동이 활발하였다. 이런 가운데 신간회를 해소하자는 주장이 일어났다.

"공개적인 단체로 항일 운동을 전개하는 것은 거의 불가능하다."

"신간회가 농민과 노동자들의 이익을 제대로 지켜주지 못하고 있다."

라며 많은 사회주의자들은 해소를 주장하였다. 그러나

"합법적으로 활동할 때 많은 대중들이 활발하게 참가할 수 있다."

"농민, 노동자의 이익보다는 민족 전체의 실력을 기를 때이다."라는 반론도 만만치 않았다.

1931년 5월 15일 오후 2시, 서울에서는 신간회 창립 이후 최초의 대회가 열렸다. 4시, 신간회 해소 안건이 정식으로 제출되었다. 토론은 진행되지 않았고, 곧바로 표결이 이루어졌다.

신간회는 해소되었다. 새로운 시작이었다.

연도별 노동 쟁의 참가 인원 수

1930년대 초에는 경제 대공황이 확산되면서 자본가들의 임금 깎기와 부당 해고가 잦아졌다. 이에 노동자들은 파업 투쟁을 통해 이들의 의도에 맞섰다.

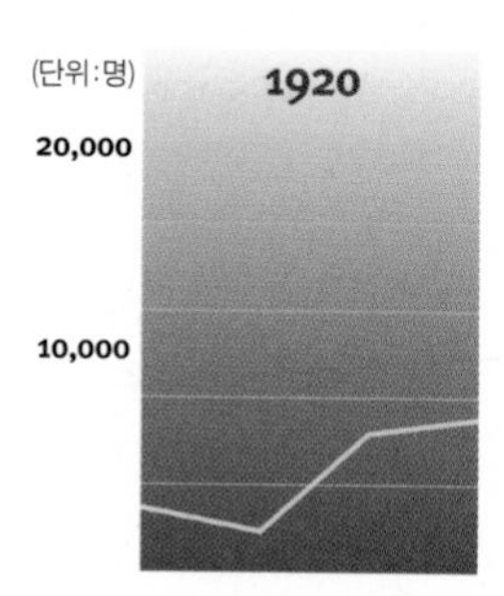

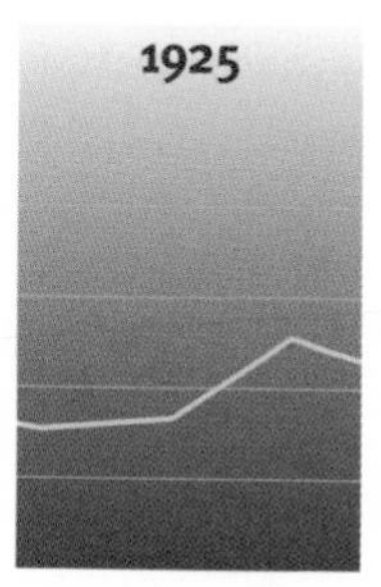

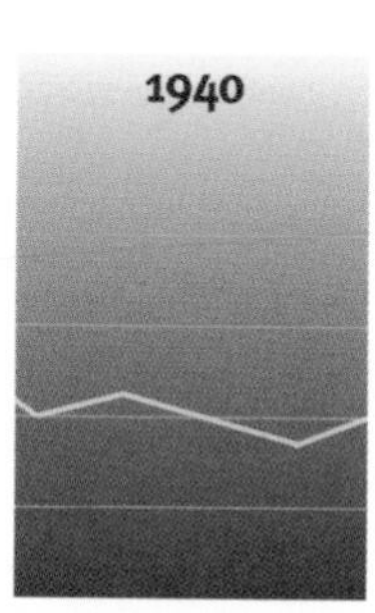

| 독립! 내릴 수 없는 깃발 - 민족주의자들의 활동 |

브 나로드 운동 선전문

'브 나로드(인민 속으로)' 운동은 동아 일보가 주관한 문맹 퇴치 운동이었다. 이 운동은 청년 학생들의 적극적인 참여로 여러 해 동안 지속되었다. 하지만 농민들을 계몽의 대상으로만 여기고 지주 · 식민지 당국에 맞선 농민들의 투쟁을 지도, 지원하지 못함으로써 농민 운동을 활성화시키지는 못하였다.

신간회가 해소된 이후 일제에 맞서는 민족주의자들의 활동은 매우 힘들어졌다.

민족주의 일부에서는 직접적인 항일 운동 대신 일제가 허용하는 범위 안에서 민족의 실력을 기르자는 운동을 벌였다. 천도교와 기독교 단체는 농민들을 대상으로 다양한 강습소를 열어 농사 기술의 개량과 생활 개선 운동을 벌였다. 청년 학생들도 이런 움직임에 동참하여 농민들을 대상으로 문자 보급 운동, 브 나로드 운동을 벌여 문맹 퇴치와 생활 개선 운동을 전개하였다.

하지만 결코 독립의 꿈을 버리지 않는 이들도 많았다. 안재홍, 정인보 등은 항일 운동이 어려워졌다 해서 일제를 인정하는 것은 결코 있을 수 없다고 하였다. 그리고 정치 운동이 어렵다면 차선책으로 우리 역사와 우리말에 대한 연구를 통해 민족 정신을 지키고 가꾸는 일이 필요하다며 '조선학 운동' 을 제창하였다.

이런 가운데 많은 역사학자들이 일제의 역사 왜곡에 맞서 우리 역사를 주체적으로 이해하기 위하여 체계적인 연구 활동을 전개하였으며, 국어학자들은 조선어 학회를 조직하여 한글의 연구와 보급을 위한 활동을 벌였다.

안재홍

우리 역사와 우리 문화 연구를 제2의 독립 운동으로 여겼다. 1936년에는 국어학자로 활동하며, 중국에서 독립 운동을 하던 김두봉에게 청년을 소개하여 독립군 훈련을 받게 하려던 사건으로 구속되기도 하였다. 사진은 그가 활동하였던 조선어 학회 기념 사진으로, 3번으로 표시되어 있는 인물이 안재홍이다.

| 혁명을 준비하자 - 사회주의자들의 민족 운동 |

일본과 중국의 전쟁이 확대되는 가운데 민중들의 투쟁이 크게 일어나는 것을 보면서 사회주의자들은 '일제의 패망이 다가오고 있다.' 고 판단하였다. 그래서 '민중들을 효과적으로 조직할 수 있으면 혁명에 성공할 수 있다.' 고 생각하였다.

사회주의자들은 일제의 침략으로 가장 고통받고 있던 농민과 노동자들이야말로 일제에 맞서 끝까지 싸울 수 있는 사람들이라고 생각하였다. 여기에 이해 관계에 얽매이지 않고 정의로운 청년 학생들도 포함되었다.

이들은 농촌에서는 혁명적 농민 조합을, 도시의 공장 지대에서는 혁명적 노동 조합을, 그리고 학교에는 반제 동맹이라는 비밀 조직을 만들었다. 그리고 이를 바탕으로 일제의 탄압으로 해체된 조선 공산당을 다시 조직하려 하였다.

이 조직들은 학생과 민중들의 이익을 지키면서 일본의 침략 전쟁을 방해하는 여러 활동을 전개하고 민족 의식을 고취시키는 활동을 하였다. 이를 바탕으로 결정적 시기가 오면, 도시와 농촌에서 함께 봉기를 일으켜 일제를 타도할 셈이었던 것이다.

| 희망의 불씨를 남기다 |

박헌영(1900~1955)

1925년에 조선 공산당 창당을 주도하였으며, 두 차례 투옥되기도 하였다. 1940년에 사회주의자들의 조직을 결성하고, 소련과 일본이 전쟁을 시작하면 무장 봉기를 일으켜 일본을 타도하려는 계획을 추진하였다.

전쟁이 파국을 향해 치달으면서 일제의 탄압은 더욱 야수적인 모습을 띠어 갔다. 그리하여 친일을 제외한 우리 민족의 모든 활동이 금지 대상이 되었으며, 조선어 학회를 비롯한 민족 문화 연구 단체들도 모두 해체되고 관련자들은 감옥으로 끌려갔다.

사회주의자들의 활동은 더욱 철저한 탄압을 받았다. 일제는 '공산주의 반대' 를 내걸고 사회주의자들을 마구잡이로 체포하였으며, 농민과 노동자, 학생들의 자주적인 활동을 가혹하게 짓밟았다.

그 결과 1940년 무렵에는 국내의 조직적인 항일 독립 운동이 크게 위축되었다. 하지만 어려움 속에서도 끊임없이 진행된 이 시기의 민족 운

검문
사회주의자들의 활동이 활발해지자 일제는 경찰을 동원해 등교하는 학생들까지 검문하였다.

동은 일제와 맞서 싸운 소중한 경험을 축적하였고, 결코 일제를 인정할 수 없다는 기백을 모든 이의 가슴 속에 남겼다.

저요, 저요

1. 신간회가 해소된 이후 민족주의자들이 벌였던 민족 운동은?
2. 1930년대 사회주의자들이 조직한 농민, 노동자, 학생 조직은?

나도 역사가

다음은 국어학자 주시경의 글 가운데 일부다. 일제 강점 후에 이루어진 한글 연구 활동의 의의를 토의해 보자.

> 나라를 뺏고자 하는 자는 그 나라의 글과 말을 먼저 없이 하고 자기 나라의 글과 말을 전파하며, 자기 나라를 흥성케 하거나 나라를 보전하고자 하는 자는 자국의 글과 말을 먼저 닦고 백성의 지혜로움을 발달케 하고 단합을 공고히 한다.

4 최후의 결전을 준비하며

'우리 손으로 나라 세우기!' 그것은 결코 꿈이 아니었다. '일제가 못해도 백 년은 번영할 것' 이라 생각하였던 친일파들과는 달리, 태평양 전쟁이 시작된 이듬해부터 일본의 패배는 점차 명백해졌고, 항일 운동도 새롭게 발전하고 있었기 때문이다.

■가 볼 곳 | 임시 정부 청사 ■만날 사람 | 여운형, 김구 ■주요 사건 | 건국 동맹 결성

| 그 날이 오다 |

그 날이 오면 그 날이 오면
삼각산이 일어나 더덩실 춤이라도 추고
한강물이 뒤집혀 용솟음칠 그 날이
이 목숨 끊어지기 전에 와 주기만 하량이면
나는 밤하늘을 나는 까마귀와 같이
종로의 인경을 머리로 들이받아 울리오리다.
두개골이 깨어져 산산조각이 나도
기뻐서 죽사오매 무슨 한이 남으오리까.

그 날이 와서, 오오 그 날이 와서
육조 앞 넓은 길을 울며 뛰며 뒹굴어도
그래도 넘치는 기쁨에 가슴이 미어질 듯하거든
드는 칼로 이 몸의 가죽이라도 벗겨서
커다란 북을 만들어 들쳐 메고는
여러분의 행렬에 앞장을 서오리다.
우렁찬 그 소리를 한 번이라도 듣기만 하면
그 자리에 거꾸러져도 눈을 감겠소이다.

— '그 날이 오면', 심훈—

온 민족은 그 날이 오기를 손꼽아 기다렸다. 그리고 그 날을 앞당기기 위해 온몸을 다 바쳐 노력하였다.

그리고 마침내 1945년 8월 15일, 기다리고 기다리던 그 날이 왔고, 온 민족은 기쁨의 눈물을 감출 수 없었다.

| 기쁨 뒤쪽에 드리워진 어두운 그림자 |

일제의 패망, 그리고 해방. 모두가 기쁨의 눈물을 흘리는 게 당연하건만, 일생을 독립을 위해 투쟁하였던 김구는 탄식으로 이 날을 맞았다.

> '아! 왜적이 항복…'
>
> 이 소식은 내게 희소식이라기보다는 하늘이 무너지고 땅이 꺼지는 일이었다. 수년 동안 애를 써서 참전을 준비한 것도 모두 허사로 돌아가고 말았다.
>
> 서안 훈련소와 부양 훈련소에서 훈련받은 우리 청년들을 조직적, 계획적으로 각종 비밀 무기와 무전기를 휴대시켜 산동 반도에서 미국 잠수함에 태워 본국으로 침입하게 하여 국내 요소에서 각종 공작을 개시하여 인심을 선동하게 하고, 전신으로 통지하여 무기를 비행기로 운반하여 사용할 것을 미국 육군성과 긴밀히 합작하였다.
>
> 그런데 그러한 계획을 한번 실시해 보지도 못하고 왜적이 항복하였으니, 지금까지 들인 정성이 아깝고 다가올 일이 걱정되었다.
>
> —「백범 일지」, 김구—

우리 손으로 일제를 타도하고, 다 함께 잘 살 수 있는 새 나라 만들기는 일제의 침략으로 고통을 받았던 우리 민족 모두의 소망이었다. 그리고 민족 운동에 나섰던 이들 모두는 바로 그것을 위해 자신의 목숨을 내놓았던 것이다.

'우리 손으로 나라 세우기!' 그것은 결코 꿈이 아니었다.

'일제가 못해도 백 년은 번영할 것' 이라 생각하였던 친일파들과는 달리, 독립의 꿈을 놓지 않고 독립을 위해 투쟁하였던 사람들은 일제의 패망이 시간 문제라 여겼다. 태평양 전쟁이 시작된 이듬해부터 일본의 패배는 점차 명백해졌고, 민중들 속에서도 일제에 대한 저항 운동이 더욱 확산되고 있었기 때문이다.

민족 운동을 전개하다 일제에 검거된 사건들의 변화

1941년 이후 민족 운동은 다시 본격화되었다. A에는 다양한 민족 운동이 모두 포함되어 있으며, B는 여기에 포함되지 않은 사회주의자들의 민족 운동을 별도로 뽑은 것이다(단, 1943년은 상반기 수를 바탕으로 한 추정치). 치안 유지법은 일제가 사회주의자들을 더욱 무겁게 처벌하려고 실시한 법률이다.

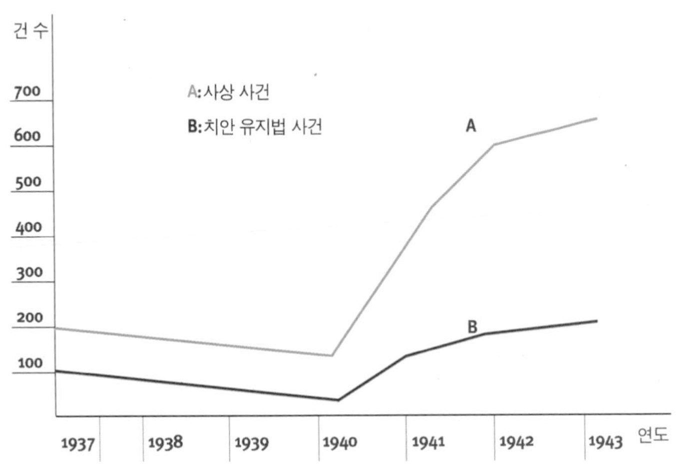

여운형(1886~1947)

상하이에서 신한 청년당을 결성하였고 임시 정부 수립에도 참여하였다. 한때 소련 공산당에 가입하기도 하였으며, 두 차례 투옥당하였다. 1930년대에는 조선 중앙 일보 사장을 지냈는데, 가슴에 일장기를 지운 손기정 선수의 사진을 처음 실었다가 신문이 폐간당하였다.

일본의 패배가 명백해지면서 나라 안에서는 최후의 결전을 준비하는 새로운 조직들이 여럿 만들어졌다. 특히 여운형 등은 1944년 건국 동맹을 조직, 친일파를 제외한 모든 인사들이 협력하여 건국을 준비하기로 하였다. 이후 민중들을 대상으로 전쟁에 반대하는 선전 활동을 전개하는 한편, 산이 많은 곳을 거점으로 군대를 조직하고 나라 밖의 독립군들과 연결을 시도하였다. 일본을 패배하도록 만들고, 일본의 패배가 다가올 경우 나라 안팎에서 군대를 일으켜 일제를 타도하려는 계획이었다.

이미 나라 밖에서도 '건국' 을 위한 구체적 준비가 시작되고 있었다. 1940년대 초부터 여러 독립 운동 단체들은 일제를 물리친 다음 '친일파를 처단하고 토지와 주요 산업을 국유화하며, 보통 선거에 입각한 민주 공화국을 세우자.' 는 건국 방침을 세워 놓았다.

1945년이 되면서 결전을 위한 계획은 더욱 활발하게 추진되었다. 임시 정부는 광복군을 훈련시켜 국내로 투입하려는 계획을 진행시켰으며, 조선 의용군도 만주를 거쳐 국내로 진격하기 위해 치열한 항일 전쟁을 벌였다. 한편 1930년대 만주에서 활동하다 소련으로 이동하였던 항일 연군 세력은 소·일 전쟁이 시작될 경우 소련군과 함께 국내로 진격할 준비를 하고 있었다.

이와 함께 나라 안팎의 독립 운동 세력을 통합하려는 노력도 전개되었다. 임시 정부에서는 "나라 밖에 있는 독립 운동 세력이라도 다 임시 정부에 참여하게 해야 한다. 소련에 있는 사람들을 정부에 참여시키기가 당장 어렵다면, 충칭에 있는 우리와 화북, 그리고 미국에 있는 사람들이라도 모두 참여시켜야 한다."며 민족적 대단결을 바탕으로 최후의 결전을 시도하고자 하였다.

바로 이 때 일제가 항복하였고 한반도는 미군과 소련군이 점령하였다.

저요, 저요

1. 여운형은 □□ □□을 조직하여 일본과 싸울 준비를 하였다.
2. 해방 직전 국내에서 조직되어 건국 준비 활동을 벌인 단체는?
3. 해방 직전 해외에서 활동하였던 무장 독립군 부대는?

나도 역사가

1. 해방이 되기를 꿈꾸던 민족 시인의 시를 찾아 암송해 보자.
2. 다음은 임시 정부에서 독립 이후에 세울 국가의 모습을 밝힌 글이다.
   우리가 일제에 강점당하기 전의 국가 모습과 비교해 보자.

보통 선거 제도를 실시하여 정권에 고루 참여할 수 있게 하고, 국유 제도를 채용하여 경제적 이권을 고르게 하며, 국비로서 교육을 하여 모두가 고루 학교를 다닐 수 있도록 하며, 국내외에 대하여 민족 자결의 권리를 보장하여서 민족과 민족, 국가와 국가의 불평등을 혁파하여 제거할 것이니, 이로써 국내에 실현하면 특권 계급이 곧 소멸하고 소수 민족의 침몰을 모면하고, 정치와 경제와 교육 권리를 고르게 하여 높낮이를 없이 하고 동족과 이족에 대하여 또한 이렇게 한다.

— 임시 정부의 건국 강령 —

〈역사의 현장〉

1945년 4월 29일

일본 항복의 날이 불과 3개월 반밖에 남지 않았다고는 아무도 생각지 못하였던 이 지겨운 중국의 봄날 아침.

그 스무 아흐렛날 새벽, 우리는 토교를 떠나 마침내 중경 임시 정부 청사 앞에 다시 집결, 정렬하였다.

석달 전, 그 때 태극기 휘날리던 감격의 임정 청사와는 아주 다른 감회가 우리들의 가슴에 뱀처럼 파고들었다. (중략)

꼭 우리가 처음 이 자리에 정렬해 섰던 그때와 비슷하게 김구 주석 이하 대부분의 임정 각료들이 나와 우리에게 석별의 인사를 나누어 주었다. 우리가 가는 곳이 사지임을 우리들보다 더 잘 아는 그들로서는, 막상 떠나가는 사람의 애국 충심을 이해한다는 듯이 비장한 표정으로 우리를 위무해 주었다.

김구 선생은 작별사에서 우리를 한 번 더 울렸다.

여러분들의 젊음이 부럽소, 젊음이. 반드시 훈련이 끝나기 전에 한 번 시안에 가 볼 생각이오. (중략)

오늘 4월 29일은 내가 윤봉길 군을 죽을 곳에 보내던 날이오. 또 지금이 바로 그 시각이오. 여러분도 다 알 것이오. 상하이 홍커우 공원에서 폭탄을 던져 시로카와 대장을 죽이던 그 날의 의사 봉길 군이 나와 시계를 바꿔 차고 떠나던 날이오. 내가 가졌던 허름한 시계를 대신 차고 내게는 이 회중 시계를 주고 떠나가던 윤 군의 모습을 생각하며 바로 같은 날인 오늘, 앞으로 윤 의사와 꼭 같은 임무를 담당할 여러분을 또 떠나보내는 내 심중이 괴롭기 한이 없구려. "선생님, 제 시계와 바꿔 찹시다. 제가 가진 것은 선생님 것보다 나을 것입니다. 어차피 저는 시계가 필요없어질 것이지만, 제 일이 성공하기 위해선 시계가 아주 없어서는 안 되겠지요." 하던 윤 의사의 눈망울이 이제 여러분의 눈동자로 빛나고 있기 때문이오.

국내 진입 작전을 계획한 한국 광복군은 1945년 5월부터 8월까지 미국 OSS 특수 훈련을 받았다. 사진은 이범석 장군(오른쪽)이 OSS 특수 훈련관들과 찍은 것이다.

목이 시렸다. 무엇인가 자꾸 목구멍으로 넘쳐 넘어가는 슬픔이 미처 다 빠지지 못하고 입으로 새어 나왔다.

무엇인가 우리들의 신념이 우리들의 몸 안에서, 안으로 삼킨 슬픔을 타고 회전 속도를 빨리하였다. 싸늘한 현기증 같은 것이 나를 감싸고 들었다. 악수가 나누어졌다.

이윽고 우리는 이범석 장군의 인도로 미리 와서 대기하고 있던 미군용 트럭 네 대에 분승하였다. 각료들이 쳐다보고 있었다. 목표는 중경 비행장이었다. 비행장에 이르기까지 달리는 트럭 위에서는 입을 여는 동지가 아무도 없었다.

—「돌베개」, 장준하—

국내 진입을 위해 선발대로 나섰던 광복군 일부가 1945년 8월 18일, 산둥성 위현 비행장에 불시착하였다. 그들은 일본의 항복 소식을 듣고 시안으로 돌아가던 길이었다.

황국 신민화 교육, 짓밟히는 청소년들

적갈색 묵직한 문을 열고 이시다 선생이 들어왔다. 상의는 보고 있던 소설을 재빨리 책상 속에 넣는다. 교실 안의 소음은 어느새 사라져 버렸다. "기립!" 반장의 구령에 따라 나무 의자의 부딪는 소리를 내며 학생들이 일어섰다. "경례!" 절을 하고 "착석!" 앉는데, 한동안도 나무 의자 끌어당기는 소리가 꼬리를 이었다. 이시다 선생은 출석부를 펴고 호명을 한다. 재미없고 지루한 시간이 시작된 것이다. 상의는 역사 과목은 좋아했지만 이시다 선생의 수업은 지겨웠다. 서양사를 하는데 사람도 수업의 내용도 말할 수 없이 구닥다리였다.

호명을 한 뒤 출석부를 덮어 놓고 이시다 선생은 천장을 한 번 올려다보았다. 그런 뒤, 수업과 관련 없는 이야기를 하기 시작하였다.

"우리들은 더욱 더 긴장하여야 한다. 전쟁터에서는 매일매일 천황 폐하를 위하여 대일본 제국의 남자들이 죽어 가고 있다. 우리는 이번 전쟁에서 반드시 승리하여야 하며 천황 폐하의 거룩한 빛이 온 세상을 덮도록 만들어야 한다. 우리는 마지막 피 한 방울까지 바쳐서 이 임무를 완수하여야 하며 영원토록 천황 폐하의 옥체를 보위해야 한다. (중략) 우미 유카바, 미즈쿠 가바네, 야마 유카바, 구사무스 가바네, 오키미노 헤니코소 시나메, 가에리미와 세지."

마지막 부분에 와서 이시다 선생은 눈을 지그시 감고 노래 구절을 암송하였다. 싸우다 죽겠노라는 내용의 노래였다. 그러다 곧 하얀 손수건을 꺼내 눈물을 닦으며 " 오오 덴노사마(천황님) 덴노사마" 하는 것이 아닌가. 반의 삼분의 일쯤 되는 일본 아이들은 엄숙한 표정으로 감격해 있었지만 조선 아이들은 말똥말똥, 더러는 웃음을 참느라 애쓰고 있었다. 한데, 불행하게도

교실 한구석에서 낄낄낄, 아주 낮은 웃음소리가 났다.

"다레카(누구냐)?"

이시다 선생의 얄싹한 입이 엄청난 크기로 벌어졌다.

"와랏타 야쓰와 도이쓰카(웃은 놈이 어느 놈이냐)!"

교실 안은 마치 죽음의 바다처럼, 경적에 응고된 것처럼 느껴졌다. 상의는 숨이 막힐 것만 같았다. 딸꾹질이 나올 것만 같았다. 바로 옆에 앉은 옥선자가 웃었던 것이다.

"다마카와(옥선자의 일본식 이름)! 오마에다로(너지)?"

"……."

"오마에가 와랏타나아(네가 웃었구나)!"

"……."

"데데곤카(나오지 못하겠나)!"

달려간 이시다 선생은 선자의 가슴팍, 교복을 움켜쥐고 교단 앞까지 질질 끌고 나왔다.

"고노 후추모노, 한갸쿠샤(이 나쁜 놈, 이 반역자)!"

뺨을 연달아 갈긴다. 그러더니 선자를 벽면 쪽으로 끌고 가서 벽에다 머리를 짓찧기 시작하였다. 쓰러지니까 발로 차고 짓밟고 이시다는 완전히 짐승이 되었다. 학생들 속에서 고함과 울부짖는 소리가 났다. 일본 학생들만은 차갑게 구타 장면을 지켜보고 있었다. 무서운 폭행이었다.

―「토지」, 박경리―

해방과 분단

7

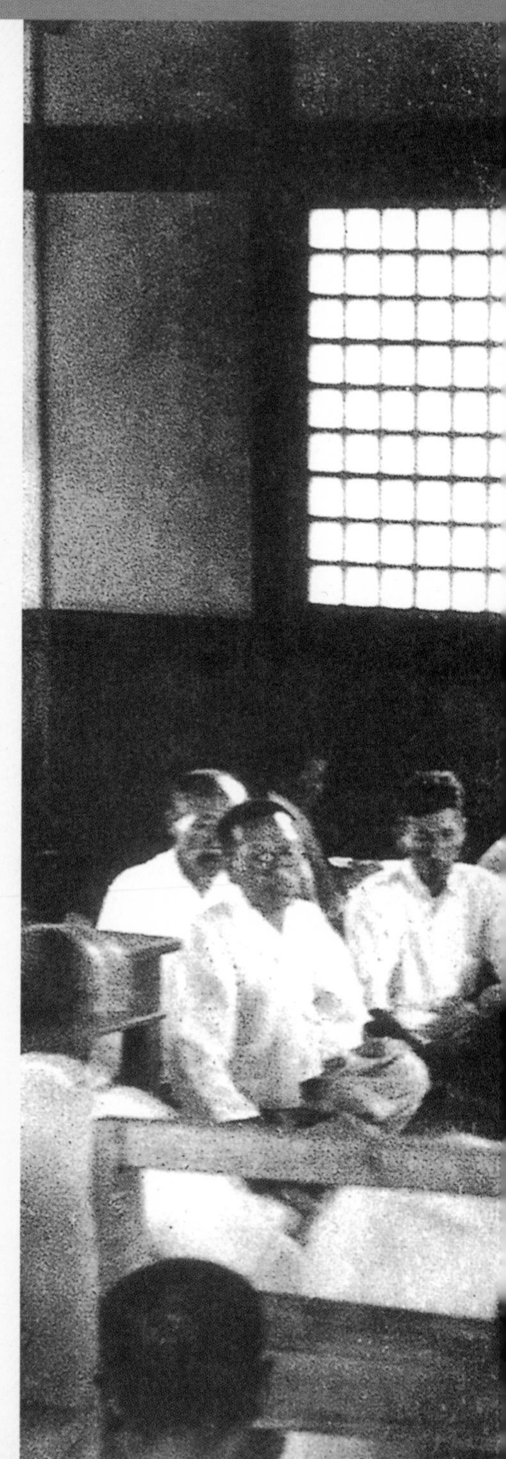

친애하는 3천만 자매 형제여!

1945

- 8월 일본 항복, 해방, 건국 준비 위원회 발족
- 9월 미국 극동군 사령부 상륙, 남한 군정 선포
- 10월 김일성, 조선 공산당 북조선 분국 창설
- 12월 모스크바 3상 회의

1946

- 2월 북조선 임시 인민 위원회 발족
- 3월 제1차 미 · 소 공동 위원회 소집

1947

- 7월 여운형 피살

1948

- 4월 제주 4 · 3 항쟁 시작
- 5월 유엔 감시하 남한 총선거 실시
- 8월 대한 민국 수립
- 9월 조선 민주주의 인민 공화국 수립
- 10월 여수 · 순천 사건 발생

1949

- 1월 반민족 행위 특별 조사 위원회(반민특위) 발족
- 6월 김구 순국

우리를 싸고 움직이는 국내외 정세는 위기에 임하였다. 우리가 기다리던 해방은 우리 국토를 양분하였으며, 앞으로는 그것을 영원히 양국의 영토로 만들 위험성을 내포하고 있다.(중략) 미군 주둔 연장을 자기네의 생명 연장으로 인식하는 무지몰각한 도배들은 국가 민족의 이익을 염두에 두지도 아니하고 통일 정부 수립을 두려워하는 것이다.

한국이 있고야 한국 사람이 있고, 한국 사람이 있고야 민주주의도 공산주의도 또 무슨 단체도 있을 수 있는 것이다. 마음 속의 38도선이 무너지고야 땅 위의 38선도 철폐될 수 있다.(중략)

나는 통일된 조국을 건설하려다가 38도선을 베고 쓰러질지언정 일신에 구차한 안일을 취하여 단독 정부를 세우는 데는 협력하지 아니하겠다.

삼천만 동포, 자매, 형제여! 건전한 조국을 위하여 한 번 더 깊이 생각하라.

— '3천만 동포에게 읍고함' 1948년 2월, 김구 —

1 해방의 감격, 점령의 비극

1945년 8월, 우리 민족은 35년간의 일제 식민 지배에서 해방되었다. 온 나라 사람들은 새 국가 건설의 희망에 부풀었다. 그러나 미군과 소련군이 점령군으로 한반도에 들어옴으로써 새 나라 건설은 큰 어려움에 빠졌다.

■가 볼 곳 | 38도선 ■만날 사람 | 여운형 ■주요 사건 | 일본의 항복, 건국 준비 위원회 발족

| 오랜 갈망 끝의 해방 |

1945년 8월 15일 정오, 서울의 일본인들이 "짐은 미·영 제국의 공동 선언을 수락함을 통곡한다."는 일본 천황의 육성 방송을 듣고 있다. 무조건 항복을 요구한 연합군측의 포츠담 선언을 받아들인 것이다.

그 날이 왔다. 1945년 8월 15일 정오, 라디오에서는 일본 천황이 연합군에게 무조건 항복한다는 방송이 흘러나왔다. 느릿하고도 맥빠진 목소리였다. 제국주의 일본의 한국 지배는 이렇게 35년 만에 막을 내렸다. 이 믿기 어려운 소식에 한국민들은 일순간 멍해졌다. 결코 망할 것 같지 않던 일본이 이렇게 순식간에 무너질 줄이야….

한 외국인은 그 날의 풍경을 다음과 같이 묘사하고 있다.

> "8월 15일, 서울은 마치 쥐죽은 듯 고요하였다. 시민들은 일본의 항복을 알고 있었다. 그러나 많은 사람들은 그 사실을 믿을 수 없었다. 그냥 기다렸다. 기쁨과 희망의 감정을 억누르면서. 그 날은 그렇게 지나갔다.
>
> 그러나 다음 날 모든 것이 바뀌었다. 환희에 가득 찬 사람들의 거대한 물결이 온 시내, 온 나라를 뒤덮었다. 어제까지만 해도 텅 비고 조용하기만 하였던 서울, 수많은 사람들이 파도처럼 광장과 거리와 골목을 가득 메웠다. 끝없는 흰 바다가 흔들리며 들끓는 듯하였다."
>
> —「1945년 남한에서」, 샤브쉬나—

마치 한민족 전체가 하나되어 해방의 기쁨을 누리는 것처럼 보였다. 그런데 해방은 모든 사람에게 감격과 환희를 가져다 주었을까? 독립 투사와 일제의 앞잡이, 일제가 곧 망하리라는 것을 예측하였던 사람과 대일본 제국은 영원하리라 생각하였던 사람, '대일본 제국'을 위한 성전에 나가기를 강요받았던 학생들, 그 날의 느낌은 어떠하였을까?

| 새로이 나라를 세우자 |

귀국선의 한인들

돌아오네 돌아오네 고국 산천 찾아서/ 얼마나 그렸던가 무궁화 꽃을/ 얼마나 외쳤던가 태극 깃발을/ 갈매기야 웃어라 파도야 춤춰라/ 귀국선 뱃머리에 희망도 크다.

한반도가 다시 한민족의 품으로 돌아왔다. 감옥에 갇혔던 독립 투사들은 풀려나고, 일본이나 동남 아시아 등지에 징용, 징병으로 끌려갔던 사람들은 귀국선을 탈 수 있으리라는 기대감에 부풀었다. 해외의 독립 운동가들도 귀국을 서둘렀다.

동포를 잡아 고문하면서 권력을 휘두르던 일제의 앞잡이들, 일제에 협력하면서 돈을 모은 자본가들, 소작인의 피땀으로 부귀를 누리던 지주들은 재빨리 피신하거나 두려움에 떨면서 상황을 지켜볼 수밖에 없었다.

조선의 해방을 가장 두려워한 것은 조선에 와 있던 일본인들이었다. 조선 총독부는 항복 시기가 임박하자 조선 거주 일본인과 그들의 재산을 무사히 일본으로 가져가기 위해 친일파로 비판 받지 않을 만한 조선의 민족 지도자들과 접촉하였다.

이미 여운형 등은 건국 동맹을 조직하여 건국 준비를 하고 있었다. 여운형은 조선 총독부가 협상을 요청하자, 일본이 "독립 투사들을 전원 석방하고, 석 달 동안의 식량을 확보하며, 건국 활동을 방해하지 않는다."면 협상 제의를 받아들이겠다고 하였다.

조선 총독부는 이 제안을 받아들였다. 여운형은 곧바로 조선 건국 준비 위원회를 결성하고, 치안권을 행사하면서 새로운 나라를 세우기 위한 준비에 들어갔다.

건국 준비 위원회의 결성

1945년 8월 16일 오전, 여운형이 휘문 중학교에서 강연한 사실을 알리는 매일 신보 기사이다. 건국 준비 위원회는 곧 지역별 인민 위원회를 구성하여 건국 준비 활동을 벌였다.

民族解放의獅子吼

우리들理想의樂土세우자

呂運亨氏講演

건국 준비 위원회의 초기 모임 장면

| 미 · 소 점령군 한반도를 분할하다 |

"미군과 소련군 38도선에서 악수하다."

1945년 8월 12일, 미국은 소련에게 38도선을 경계로 조선을 분할할 것을 제안하였고 소련은 이를 받아들였다. 8월 15일, 미군 사령부에서는 "38도선 이남의 일본군은 미군이, 38도선 이북의 일본군은 소련군이 항복을 받는다."고 공식 발표하였다.

그러나 우리 민족에 의한 새로운 국가 수립은 간단치 않았다. 미국과 소련 때문이었다.

태평양 전쟁이 막바지에 이를 무렵인 8월 6일, 미국은 히로시마에 원자 폭탄을 떨어뜨렸고, 소련은 8월 8일 미국의 요청으로 대일 선전 포고를 하고 만주로 진격해 왔다. 소련은 만주를 지나 8월 12일에 북한의 나남·청진에 들어섰다. 조만간 서울까지 밀고 내려올 태세였다. 이런 상황에서 두 나라는 38도선을 경계로 남북을 분할 점령하기로 타협하였다.

일본의 항복 직후, 일본에 주둔하고 있던 미 태평양군 사령부는 미군이 한반도에 상륙할 때까지 남한 지역을 총독부가 계속 통치할 것을 지시하였다. 미군은 9월 8일 인천항을 통해 서울에 들어왔다. 그리고 총독부로부터 한반도의 통치권을 넘겨받았다. 미 군정이 시작된 것이다.

우리 민족은 미군과 소련군을 일제의 억압으로부터 해방시켜 준 은인으로 환영하였다. 그러나 그들은 점령군으로 행세하였다. 미군이 서울에 들어와 맨 처음 한 일은 총독부 건물에 걸려 있는 일장기를 내리고 미국기를 올리는 것이었다. 북한에 들어온 소련군 역시 미국과의 협상에 따라 38도선 이북을 장악한 채 일본군과 총독부 경찰을 무장 해제시키고 군정을 실시하였다. 두 나라는 한반도에 점령군으로 들어왔던 것이다.

이런 상황에서도 국내 여러 정치 세력은 분주하게 움직였다. 토지 개혁, 친일파 청산, 정부 수립 방법에 대해 다양한 생각을 지닌 정치 세력들의 부산한 움직임, 기회를 엿보며 몸을 사린 친일파들, 어려운 경제 여건 등으로 한반도는 어수선하면서도 활기찬 풍경을 연출하고 있었다.

▶ 8월 6일, 미국, 히로시마에 원자 폭탄 떨어뜨림.

▶ 8월 12일, 소련군, 북한에 들어옴.

조선 총독부의 미국기 게양

1945년 9월 10일, 총독부 광장에서 미군들이 도열한 가운데 일장기가 내려지고 미국기가 게양되었다.

태평양 방면 미국 육군 부대 총사령부 포고령 제1호

태평양 방면 미 육군 총사령관으로서 본관은 아래와 같이 포고한다.
본관의 지휘를 받은 승리에 빛나는 미국 군대는 오늘 북위 38도선 이남의 조선 영토를 점령하였다. (중략) 본관은 태평양 방면 미 육군 총사령관으로서 본관에게 부여된 권한으로써 북위 38도선 이남의 조선 및 조선 인민에 대한 군정을 펴면서 다음과 같은 점령에 관한 조건을 포고한다.
제1조. 북위 38도선 이남의 조선 영토와 조선 인민에 대한 최고 통치권은 당분간 본관의 권한하에 시행된다.

저요, 저요

1. 해방을 맞이하는 것이 싫었던 사람도 있었을까? 그렇다면 어떤 사람이었을까?
2. 일본이 항복한 후 우리 나라를 분할 점령한 나라는 □□과 □□이었다.

나도 역사가

다음과 같은 사람의 입장이 되어서 1945년 8월 15일 하루의 일기를 써 보자.
독립 운동가/ 친일파/ 농민/ 학생

▶ 8월 15일, 일본, 무조건 항복

▶ 9월 8일, 미군, 남한에 들어옴.

〈역사의 현장〉

여운형,
새로운 나라 건설을 역설하다

여운형을 비롯한 국내의 일부 민족 지도자들은 일제의 패망을 예측하고 건국 동맹을 조직하여 건국을 준비하고 있었다. 일제의 항복이 가까워지자, 조선 총독부는 조선에 남아 있는 80여만 명의 일본인과 10여만 명의 일본 군대를 안전하게 자기 나라로 철수시키고자 하였다.

총독부는 당시 한국 민중들에게 존경을 받고 있었던 여운형과 협상하고자 하였다. 여운형은 총독부의 제안을 수락하면서 8월 15일, 바로 건국 준비 위원회를 발족시켰다. 다음날 여운형은 휘문 중학교에 모인 군중들을 향해 건국에 대한 자신의 입장을 밝혔다.

1945년 8월 16일, 군중들에게 연설하고 나오는 여운형 건국 준비 위원회 위원장

國號는朝鮮人民共和國
海內外網羅 委員顧問等選定
六日 全國人民代表大會에서

事大思想버리고
建國大業에總團結

건국 준비 위원회는 1945년 9월 6일, 조선 인민 공화국을 선포하였으나 미 군정은 이를 인정하지 않았다.

"조선 민족 해방의 날은 왔다. 우리 민족 해방의 첫걸음을 내디디게 되었으니 우리가 지난 날에 아프고 쓰렸던 것은 이 자리에서 모두 잊어버리자.

그리하여 이 땅을 참으로 합리적인 이상적 낙원으로 건설하여야 한다. 이 때 개인의 영웅주의는 단연코 없애고 끝까지 집단적 일사불란의 단결로 나아가자.

머지않아 각국 군대가 입성하게 될 것이며 그들이 들어오면 우리 민족의 모양을 그대로 보게 될 터이니 우리들의 태도는 조금도 부끄럽지 않게 하여야 한다. 세계 각국이 우리를 주목할 것이다. 그리고 백기를 든 일본의 심흉을 잘 살피자.

물론 우리들의 아량을 보이자. 세계 신문화 건설에 백두산 아래에 자라난 우리 민족의 힘을 바치자. 이미 전문 대학 학생 경비원이 배치되었다.

이제 곧 여러 곳으로부터 훌륭한 지도자가 오게 될 터이니 그들이 올 때까지 우리는 힘은 적으나마 서로 협력하지 않으면 안 될 것이다."

1945년 8월 16일 휘문 중학교, 여운형의 연설 중에서

– 〈매일 신보〉, 1945. 8. 17. –

8월 28일, 건국 준비 위원회는 다음 강령을 발표하며, 활동 방향을 뚜렷이 세웠다.

1. 우리는 완전한 독립 국가를 건설하고자 한다.
2. 우리는 전민족의 정치적, 경제적, 사회적 기본 요구를 실현할 수 있는 민주주의 정권을 수립하고자 한다.
3. 우리는 일시적 과도기에 국내 질서를 자주적으로 유지하여 대중들의 생활을 보장하고자 한다.

2 우리는 이런 나라를 원한다

우리 민족의 과제는 자주 국가를 수립하는 것이었다. 친일파 청산과 자주 공화국 수립은 민족의 염원이었다. 이는 국민 대다수의 바람이었다. 그러나 누가 어떻게 새로운 나라를 만들고 이끌어 나갈 것인가에 대해서는 의견 차이가 있었다.

■가 볼 곳 | 미 군정청 ■만날 사람 | 이승만, 박헌영 ■주요 사건 | 미 · 소 공동 위원회

| 미국과 소련의 동상이몽 |

미군과 소련군의 한반도 군사 통치는 민족 분단의 씨앗이었다. 두 나라는 일본과 싸울 때는 같은 편이었지만, 전쟁이 끝난 뒤에는 가장 강력한 경쟁자가 되어 있었다. 미국은 자본주의 세력의 중심이었고, 소련은 사회주의 세력의 중심이었다.

미국과 소련은 일본이 항복하기 이전부터 한반도를 자기 세력권으로 끌어들이려는 생각을 가지고 있었다. 미국은 한반도에 사회주의 국가를

한국 민주당과 이승만

한민당은 일제 강점기, 지주나 자본가 등 일제와 타협하여 생활하였던 사람들이 중심이 된 정당이다. 다른 독립 운동 세력으로부터 친일파라는 비판을 많이 받았다. 이승만은 임시 정부의 대통령으로 추대되었다가 탄핵을 받기도 한 인물인데, 명성과는 달리 국내 조직 기반이 없었기 때문에 한민당과 손을 잡았다. 사진의 인물은 순서대로 이승만, 한민당 위원장 김성수, 정치부장 장덕수이다.

대한 민국 임시 정부와 김구

3 · 1 운동 이후 중국에서 독립 운동을 지속적으로 전개해 왔던 대한 민국 임시 정부 요인들로, 핵심 인물은 김구이다. 자유주의를 신봉하는 인사들이 많았으며, 민족주의적인 성향이 높았다. 해방 후 임시 정부 요인들은 미 군정의 압력으로 개인 자격으로 귀국하였다. 당시 민중의 지지를 폭넓게 받았던 정치 세력이었다. 앞줄 가운데가 김구이다.

견제할 수 있는 기반을 마련하려고 하였다. 소련은 이 땅을 장악하여 미국의 포위망을 뚫고 동아시아, 나아가 태평양 지역으로 나아갈 수 있는 기반으로 삼고자 하였다. 그들은 우리 민족의 이해와 상관없이 자기 나라에 우호적인 정부를 세우고자 한 것이다.

| 새 국가 건설 운동 |

우리 민족은 대부분 해방 후 새 국가는 자주적인 공화국이어야 한다고 생각하였다. 이는 3 · 1 운동 이후부터 이어온 소망이었다. 그러나 친일파 청산, 일본인 소유의 재산 분배, 통일 정부 수립 등 구체적인 사안에서는 생각이 달랐다. 이 상황에서 친일파들은 변신과 생존의 기회를 엿보고 있었다.

미국과 소련의 입장, 친일파들의 은밀한 움직임, 여러 정치 세력들 간의 새 나라 건설 구상의 차이는 신탁 통치 문제를 계기로 새로운 국면으로 접어들었다.

중도 세력, 안재홍과 여운형

중도 세력은 해방될 때까지 주로 국내에서 항일 운동을 하였던 사람들로, 일본이 항복하자 새로운 나라 건설을 위해 가장 발빠르게 움직였다. 대표적인 인물이 안재홍(왼쪽)과 여운형(오른쪽)이었다. 여운형은 건국 준비 위원회를 조직하고 이어 인민 공화국을 선포하였다. 그러나 미 군정은 이들의 활동을 저지하였다.

남조선 노동당과 박헌영

남로당은 국내에서 항일 운동을 계속해 왔던 사회주의자들이 해방 후에 결성한 조직이며, 그 대표적인 인물이 박헌영이다. 해방 직후 다른 정치 세력에 비해 강력한 대중 조직 기반을 가지고 있었으며, 사회주의 국가 건설을 목표로 삼았다.

북조선 노동당과 김일성

중국, 소련 공산당과 함께 활동하던 사회주의자들이다. 특히 소련군과 함께 국내로 들어온 김일성은 소련의 도움을 받으면서 발빠르게 38도선 이북의 정치 주도권을 장악해 나갔다. 1945년 10월, 조선 공산당 북조선 분국을 결성하였다.

| 신탁 통치 문제로 나라가 들끓다 |

일제는 물러갔지만 한민족이 스스로 주인이 되어 새 국가 건설을 주도하지 못하였다. 나라의 운명은 미국과 소련에 의해 좌우되고 있었다.

미국은 일본이 항복하기 이전인 1945년 2월, 소련에게 앞으로 20~30년간 미국, 소련, 중국이 한국을 신탁 통치할 것을 제안하였다. 이에 소련도 동의하면서 그 기간이 짧을수록 좋다고 하였다.

전쟁이 끝나자 미국과 소련 대표가 다시 만나 구체적인 방안을 의논하였다. 이 자리에서 미국은, 미국과 영국, 소련, 중국이 한국을 신탁 통치할 것을 다시 제안하였다. 이에 소련은 한국의 정당, 사회 단체들이 참여하는 임시 정부를 곧바로 수립할 것을 제안하였다.

결국 미국과 소련은 공동 위원회를 조직한 다음, 한국인들로 하여금 임시 정부를 구성하게 하고, 미국, 소련, 영국, 중국이 임시 정부와 협의하면서 최고 5년 이내로 한국을 신탁 통치하기로 결정하였다(1945. 12. 모스크바 3상 회의).

국내에서는 모스크바 3상 회의의 결정이 신탁 통치안으로 소개되었고 이는 식민 지배의 연장으로 이해되었다. 남한의 정치 세력은 강대국에 의한 신탁 통치 구상에 격렬하게 반발하며 즉각적인 자주 독립 국가 건설을 외쳤다. 반탁 운동은 곧 전국으로 확산되었다.

신탁 통치 관련 보도

신탁 통치 관련 소식을 처음 보도한 동아 일보는 소련이 38도선 이북을 점령할 목적으로 신탁 통치를 제안하였으며, 미국은 즉시 독립을 주장하였다고 보도하였다.

THE DONG-A ILBO (Orient Daily News)

東亞日報

蘇聯은信託統治主張

蘇聯의口實은三八線分割占領

米國은即時獨立主張

外相會議에論議될朝鮮獨立問題

朝鮮의分占은不當

美輿論에續出되는三八線

얄타 회담(1945년 2월)에 모인 수뇌들

사진 왼쪽부터 처칠(영국), 루스벨트(미국), 스탈린(소련)이다. 얄타 회담은 미국이 한국에 신탁 통치를 실시하겠다는 의사를 처음 내놓았던 회담이다.

미 · 소 공동 위원회

덕수궁에서 열린 미 · 소 공동 위원회는 통일 독립 국가를 수립하는 기초를 놓을 수도 있는 기회였다.

| 좌 · 우익 대립의 골이 깊어지다 |

당시 김구와 이승만 등 우익은 신탁 통치 결사 반대를 외쳤다. 좌익은 처음에는 "우리가 알고 있는 과거의 신탁 통치라면 반대한다."는 입장을 밝혔다. 그러나 모스크바 3상 회의의 결정을 임시 정부 수립에 중점이 두어져 있는 것으로 이해하면서, 모스크바 3상 회의의 결정을 지지하는 입장으로 돌아섰다.

우익은 좌익을 신탁 통치를 받아들인 사대주의자로 비난하였으며, 좌익은 임시 정부를 구성하는 방안이 현실적이라고 주장하였다. 우익과 좌익의 대립은 깊어 갔고, 갈등은 '총성 없는 전쟁'으로 표현될 만큼 심각한 국면으로 흘러갔다.

1946년 3월, 미국과 소련은 한국 임시 정부 수립을 논의하기 위해 미 · 소 공동 위원회를 개최하였다. 그러나 회의는 시작부터 어려움에 빠졌다. 임시 정부 구성 논의에 누구를 참여시킬 것인가 하는 문제 때문이었다. 미국은 신탁 통치 찬반과 관계없이 모든 정당과 사회 단체를 참여시켜야 한다고 주장하였고, 소련은 모스크바 3상 회의의 결정을 받아들이는 정치 세력만 참여시킬 것을 주장하여 결론을 내리지 못하였다.

1년이 지난 뒤 두 번째 미 · 소 공동 위원회가 열렸다(1947. 5.). 그러나 여전히 두 나라는 자신의 입장을 양보할 생각이 없었고, 미 · 소의 군사 점령하에서 우리 민족은 우익과 좌익으로 갈라져 임시 정부 수립 일정에 합의하지 못하고 있었다.

3상 결정 절대 지지(좌익, 왼쪽)와 신탁 통치 절대 반대(우익, 오른쪽)

모스크바 3상 회의는 우익과 좌익을 분열시켜 통일 독립 국가 건설에 결정적인 장애물을 만들었다.

| 우리를 지도해 줄 인물은? |

이 시기 사람들은 어떤 인물이 중심이 되어, 어떤 나라를 만들어 가기를 원했을까? 1945년 12월 '선구회' 라는 단체가 설문 조사한 것이 있어 이를 어느 정도 짐작할 수 있다.

1. 우리를 지도하여 줄 인물은 누구라고 생각하십니까?

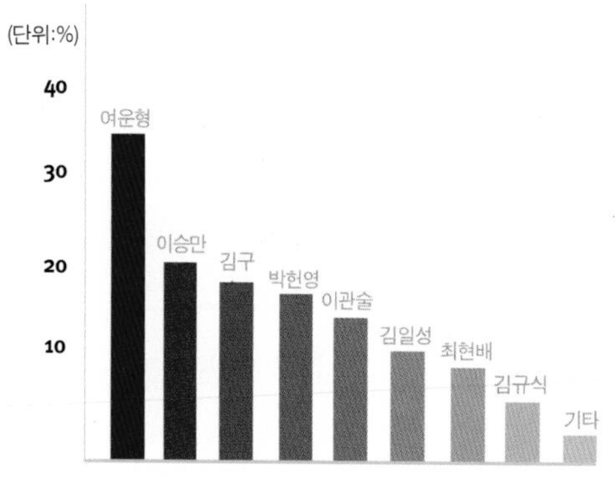

2. 새 나라의 정치 체제로 바람직한 것은 무엇이라고 생각하십니까?

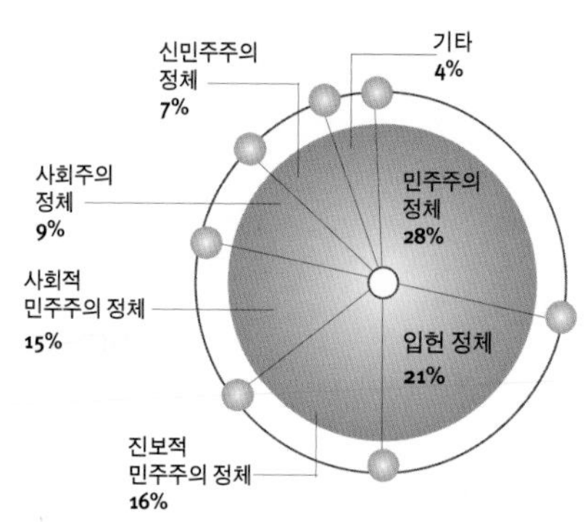

3. 당신에게 내각을 조직하라고 하면 누구를 어느 자리에 임명하시겠습니까 ?

저요, 저요

1. 좌익은 모스크바 3상 회의의 핵심 내용을 □□ □□의 구성으로 이해하였다.
2. 해방 직후의 좌 · 우익 정치 지도자를 각각 1명씩 말해 보자.

나도 역사가

모스크바 3상 회의의 정확한 결정 내용을 알아보고, 찬성과 반대 주장의 근거를 정리해 보자.

〈여성과 역사〉

진정한 해방은 여성 해방으로부터

해방이 되자 우리 민족은 '남녀노소' 할 것 없이 모두 태극기를 들고 나와 만세를 불렀다. 그런데 진정 해방은 '남녀노소' 모두에게 동일한 의미였을까? 여성들에게 해방은 어떻게 다가갔을까?

여성들은 또 한 번의 해방을 부르짖었다. "조선의 진정한 해방은 여성 해방으로 완성된다." 해방 직후 결성된 대표적인 여성 단체가 건국 부녀 동맹이었다. 그러나 곧 전국 여성 단체 총연맹과 조선 부녀 총동맹으로 나뉘었다. 두 단체의 주장을 들어 보자. 이들의 주장이 오늘날 얼마나 달성되었을까?

전국 여성 단체 총연맹

▶ 경제 · 정치 · 문화 부문에 있어서의 남녀 평등권
▶ 선거권에 있어서의 남녀 동등권
▶ 노동 · 사회적 보험 및 교육 부문에 있어서의 남녀 평등권
▶ 상속권에 있어서의 남녀 평등권

조선 부녀 총동맹

'민족 해방은 여성 해방에서 시작하여 여성의 완전한 해방으로 완성된다!'
▶ 남녀 평등의 선거권과 피선거권
▶ 여성의 경제적 평등권과 자주성 확립
▶ 남녀 임금 차별제 폐지
▶ 8시간 노동제 확립
▶ 산전 산후 1개월간의 유급 휴양제 확립
▶ 탁아소 · 산원 · 공동 식당 · 공동 세탁소 · 아동 공원의 완비
▶ 공 · 사창제 철폐
▶ 인신 매매 철폐
▶ 모자 보호법 제정
▶ 봉건적 결혼제 철폐

3 한 민족, 두 국가

"조국이 있어야 한국 사람이 있고, 한국 사람이 있고야 민주주의도 공산주의도 무슨 단체도 있을 수 있는 것이다. 우리 자주 독립 통일 정부를 수립하는 이 때 어찌 개인이나 집단의 사리사욕으로 국가 민족의 백년 대계를 그르치려 하는가?" –김구–

■가 볼 곳 | 제주 ■만날 사람 | 김구, 김규식 ■주요 사건 | 대한 민국과 조선 민주주의 인민 공화국 성립, 남북 협상

| 남과 북, 서로 다른 길로 접어들다 |

미국과 소련의 군정이 실시되면서 38도선 이남과 이북의 상황은 사뭇 다르게 전개되었다.

남쪽에서는 서울을 중심으로 다양한 정치 세력, 미 군정이 서로 부딪치며 혼란스러운 상황을 연출하고 있었다. 한반도에 친미 정부를 세우고자 하였던 미 군정은, 건국 준비 위원회와 인민 공화국, 지방 인민 위원회의 활동을 탄압하여 격렬한 반발을 샀다. 게다가 모스크바 3상 회의 이후 신탁 통치 찬반 논란은 여러 정치 세력을 우익과 좌익의 극단적인 대립 상황으로 몰아갔다. 이 틈을 비집고 친일파들이 반탁, 반공, 반소를 내세우면서 친일 경력을 지우고 민족주의자로 변신하는 경우도 있었다.

북쪽에서는 김일성을 중심으로 한 사회주의자들이 소련의 지원을 받으면서 발빠르게 권력을 장악하였다. 모스크바 3상 회의를 거치면서 신탁 통치 반대 운동에 나섰던 인사는 제거되었다. 이어 김일성을 중심으로 하는 북조선 임시 인민 위원회가 구성되어 중앙 정부 역할을 하면서, '무상 몰수 무상 분배' 방식의 토지 개혁을 단행하였으며, 주요 산업 시설을 국유화하여 사회주의 체제 건설의 기초를 마련하였다.

남과 북이 다른 길로 접어들면서 미 · 소 공동 위원회도 별다른 성과 없이 끝났다. 남쪽에서는 슬금슬금 단독 정부를 수립하자는 주장이 일기 시작하였다.

북조선 임시 인민 위원회 창설

1946년 2월에 조직되었다. 위원장은 김일성(앞줄 가운데)이었으며 사회주의 개혁을 주도하였다.

李博士講演

南方만의臨時政府 或은委員會組織이必要

單獨政府樹立說에 우리黨은贊成不能

남한 단독 정부 수립을 주장한 이승만

이승만은 해방된 지 1년도 채 안 되는 1946년 6월, "통일 정부를 바라지만 뜻대로 되지 않으니, 우선 남한만이라도 정부를 수립하여 38도선 이북에 있는 소련을 몰아내야 할 것"이라며 남한 단독 정부 수립을 주장하였다.

굳어지는 38도선

제2차 미 · 소 공동 위원회가 깨지자 미국은 한국의 독립 문제를 국제 연합으로 넘겼다. 미국의 영향력이 컸던 국제 연합은 "1947년 11월 인구를 기준으로 남북한 주민들이 자유롭게 총선거를 실시하고 이를 바탕으로 통일 정부를 구성한다."는 안을 결정하였다.

이듬해인 1948년 1월, 국제 연합 한국 임시 위원단이 구성되어 서울에 들어 왔다. 소련과 북한은 이들의 북한에서의 활동을 거부하였다. 유엔 소총회는 남한만의 선거를 통해서 단독 정부를 구성하는 방안을 결정하였다. 일찍부터 단독 정부를 수립하여야 한다던 이승만과 한민당은 이 결정을 적극 지지하였다.

이로써 한반도를 가로지르는 38도선은 점점 분단선으로 굳어져 갔고, 남과 북은 서로 다른 길을 걷기 시작하였다. 북한에는 소련의 지원을 받는 사회주의 체제가 자리잡고, 남한에는 미국의 지원을 받는 자본주의 체제가 자리를 잡게 된 것이다.

각 체제에 맞지 않은 사람들은 더 이상 그 땅에서 살 수 없게 되었다. 북한에서는 지주, 자본가, 기독교인들이 숙청되었고, 많은 사람들이 그것을 피해 남쪽으로 내려 왔다. 반면 남한의 사회주의자들은 미 군정과 우익으로부터 철저한 탄압을 받게 되었다.

東歐側「보이콧」을再强調
北朝鮮歡迎希望
公正한選擧實施可能

한반도 총선거안(案) 가결

1947년 11월 14일에 UN의 한반도 총선거안이 가결되었다는 소식을 전한 11월 16일자 조선 일보이다. 동유럽 사회주의 국가들이 보이콧한다는 내용이 보인다.

4 · 3 항쟁(1948)

남한만의 총선거 결정에 대하여 사회주의 세력은 반대하였으며 일부 지역에서는 강력한 저항에 나서기도 하였다. 특히 제주도에서는 격렬한 반대 시위가 전개되었다. 제주도민의 저항과 군 · 경찰의 토벌 작전은 1년여를 끌었다. 이 과정에서 수만 명의 제주도민이 희생되었다.

남한 총선거

처음 실시하는 투표라서 어색하기도 하였고, 남한만의 단독 정부 수립을 반대하는 여론도 만만치 않아 투표장 분위기는 냉랭하였다.

대한 민국 정부 수립 선포식

일제로부터 해방된 우리 민족은 꿈에도 그리던 독립 국가를 갖게 되었다. 하지만 감격에 겨워 눈물을 흘린 이들은 소수에 불과하였다. 많은 사람들이 분단의 아픔을 다시 새겨야 하였고 다가올 더 큰 분열을 걱정하며 잠을 이루지 못하였다.

| 대한 민국과 조선 민주주의 인민 공화국 |

우여곡절을 겪으면서 남한에서는 마침내 1948년 5월 10일, 우리 역사상 처음으로 민주적 절차에 의해 국민의 대표인 국회 의원을 선출하는 선거가 실시되었다. 이 선거 결과 이승만 지지자, 한민당 등이 다수 의석을 차지하였지만 총 200석 중 85석이 무소속이었고, 제주도에 배당된 2석은 무효처리되었다.

이들에 의해 헌법이 제정되고(1948. 7. 17.), 헌법이 정한 절차에 따라 간접 선거를 통해서 이승만이 대통령으로 선출되었다. 1948년 8월 15일, 이승만이 건국을 공포함으로써 대한 민국이 수립되었다.

남한에서 대한 민국이 수립되자 북한에서도 최고 인민 회의 대의원을 선출하고(1948.8.25.) 이어 북한 헌법을 채택하였으며, 1948년 9월 9일 헌법에 정한 대로 김일성을 수상으로 하는 조선 민주주의 인민 공화국을 선포하였다.

단독 정부 수립에 반대하는 사회주의 진영과, 김구를 중심으로 한 임시 정부 세력은 총선에 참여하지 않았다.

조선 민족 청년당 6석
대동 청년단 12석
기타 11석
무효 2석
한국 민주당 29석
총 200석
무소속 85석
독립 촉성 국민회 55석 (이승만 직계)

| 통일 운동의 시작 |

평양 남북 연석 회의에서 연설하는 김구

한평생 올곧은 자세로 겨레의 앞날을 생각하였던 김구는 친일 세력에 의해 쓰러지고 말았다.

분단이 예견될 무렵부터 김구와 김규식을 중심으로 이에 반대하는 운동이 전개되었다. 1948년 2월, 이들은 북한의 지도자들에게 편지를 보내 남북이 함께 만나 통일 정부를 구성하기 위한 노력을 벌이자고 제안하였다. 그리고 남한의 총선거를 20여 일 앞두고 평양을 방문하였다.

평양에서 열린 김구 일행과 북한 정치 지도자들의 연석 회의에서는 남한만의 단독 선거에 반대하고, 미군과 소련군이 동시에 물러난 이후 총선거를 실시하여 통일 정부를 수립하기로 합의하였다.

한민당과 이승만 쪽에서는 김구가 북한에 이용만 당하였다고 비판하면서 단독 정부 수립을 강행하였다. 그러나 민족의 분단은 있을 수 없는 일이라는 김구의 신념은 투철하였고, 그 신념은 민족의 장래에 대한 긴 안목에서 비롯된 것이었다. 김구는 분단이 더 큰 민족의 비극으로 이어질 것을 예측하고 있었다.

> "만약에 우리 동포들이 양 극단의 길로만 돌진한다면 앞으로 남북의 동포는 국제적 압력과 도발로 인하여 본의 아니게 동족 상잔의 비참한 내전이 발생할 위험이 없지 않으며, 재무장한 일본군이 또다시 바다를 건너서 세력을 펴게 될지도 모른다. (중략) 나는 통일된 조국을 건설하려다 38도선을 베고 쓰러질지언정 일신의 구차한 안일을 위하여 단독 정부를 세우는 데는 협력하지 아니하겠다."
>
> — '3천만 동포에게 읍고함', 김구—

저요, 저요

1. 남한의 공식 국명은 □□ □□이며, 북한의 공식 국명은 □□ □□□□ □□ □□□이다.
2. 분단을 막기 위해 38도선을 넘어 남북 협상에 나섰던 민족 지도자 2명은?

과거와 현재의 대화

오늘날 정치인들은 존경하는 인물로 김구를 꼽곤 한다. 김구가 존경받는 이유는 무엇일까? 「백범일지」를 읽고 독후감 형식으로 보고서를 작성해 보자.

4 해방된 조국, 생활 전선은 힘들다

"배고파 못살겠다. 쌀을 내놓아라.
감금된 애국자를 석방하라.
강제 공출을 반대한다. 토지는 농민에게!"

■가 볼 곳 | 용산역 ■만날 사람 | 철도 노동자 ■주요 사건 | 9월 총파업

| 고단한 생활 전선 |

일제 식민 지배로부터의 해방이 곧 일반 민중들의 생활 조건 향상으로 이어지지는 않았다. 이미 일제 식민 통치 몇 해 동안 전쟁에 시달리느라 민중들의 생활은 매우 어려워졌으며, 해방 후 사회가 혼란 상태가 되면서 쉽사리 개선될 기미가 보이지 않았다.

일본인들이 운영하던 공장은 일본인 기술자들이 돌아가 버리고, 중요한 설비들이 파괴되면서 대부분 가동을 멈출 수밖에 없었다. 특히 38도선이 그어지면서 남한과 북한 간의 경제 교류가 끊기게 되어 더욱 어려운 상황이 전개되었다.

수풍댐(평북 삭주)

일제 시대에 북부 지역에 많은 수력 발전소가 건설되어 공업화를 앞당겼다. 해방 후 북한이 남한에 전기 공급을 중단하자 남한 경제는 큰 어려움을 겪기도 하였다. 수풍댐은 당시 압록강 하류에 있는 최대의 수력 발전소였다.

과일 행상하는 소녀

| 우리에게 생필품을 달라 |

미 군정청의 미곡 수집

미 군정은 농민들이 가지고 있는 쌀을 강제로 수집하려고 하였고, 이러한 정책은 농민들의 불만을 자아냈다. 사진은 미 군정이 농민들에게 시가보다 낮은 가격으로 미곡을 수집하는 장면이다.

해방 직전까지 총독부는 전쟁을 치르기 위해 한국인들에게 생활 물자를 최소 수준으로 공급하는 통제 정책을 폈다. 해방이 되면서 이러한 공급과 수요 통제 정책은 무너졌다. 생산 설비가 제대로 가동되지 않은 상태에서 식량을 비롯한 생활 필수품은 턱없이 부족하였고, 물가가 엄청난 속도로 오르기 시작하였다. 더구나 외국에 나가 있던 동포들이 귀국하게 되면서 생필품 부족 현상은 더욱 심각해졌다. 그 틈을 타 중간 상인들이 물품을 독점하여 가격 상승을 부채질하였다.

이러한 혼란을 막기 위하여 미 군정은 식량을 수집하여 배급하는 정책을 폈으나 목표한 바를 달성할 수 없었다. 도시민들은 배급 식량이 부족하다고 아우성을 쳤으며, 그렇다고 농민들이 이익을 본 것도 아니었다.

| 미 군정 시기 남한의 노동 · 토지 정책 |

해방 후 경제 생활 가운데 가장 중요한 문제는 일본인 소유였던 재산을 어떻게 처리하느냐는 것이었다. 일본인 소유의 공장, 농토 등의 재산들을 어떤 원칙에 따라 누구에게 재분배할 것인가의 문제였다.

이는 당연히 민중들에게 돌아가야 할 것이었다. 당시 민중들의 구호는 "공장은 노동자들에게, 농토는 농민들에게" 였다.

농민들은 토지 개혁을 주장하였다. 일본인 지주와 친일 한국인 지주들의 땅을 몰수하여 농민들에게 무상으로 분배하라는 것이었다. 아울러 친일 민족 반역자들을 처단하고 하루빨리 한국인에 의한 민주 정치와 평등한 경제 정책을 펼 것을 주장하였다. 그러나 미 군정은 노동자와 농민들이 일본인의 재산을 차지하는 것을 불법으로 규정하였다. 미 군정은 "일본인 소유의 모든 재산은 미 군정에 귀속된다." 고 선포하였다.

노동 조합 활동에 대해서는 파업권을 인정하지 않았으며, 지주와 소작인 관계도 그대로 유지하면서 소작료만 5 : 5에서 소작인 대 지주의 분할 비율을 $\frac{2}{3}:\frac{1}{3}$로 하여, 소작인에게 유리하게 조정하고자 하였다.

해방 후 남한의 토지 소유 현황

(단위: 1천 정보 ,%)

구분	농지 면적	자작지	소작 면적	소작지 비율
1945년 말	2,226	779	1,447	65.0
1947년 말	2,193	868	1,325	60.4
1949년 6월	2,071	1,400	671	32.6
1951년 말	1,958	1,800	158	8.1

*「자료 한국 근현대사 입문」 이종범 · 최원규 편 1995.

해방 직후 남한의 농민 계층 구성

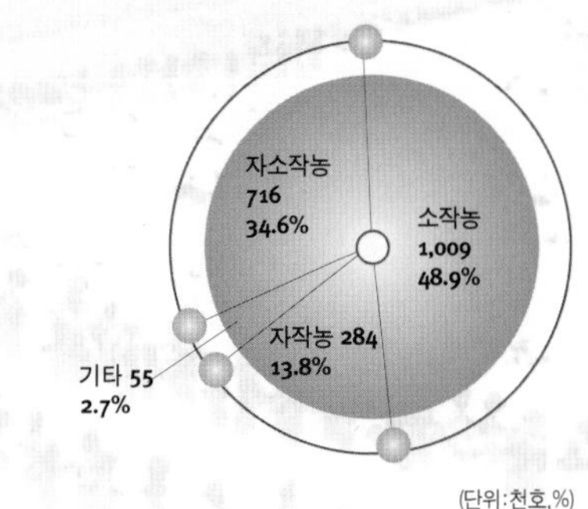

(단위: 천호,%)

—「조선 경제 연보」 조선 은행,1948—

"농토는 농민에게"

일제 시대를 거치면서 대다수 한국 농민들이 자기 땅을 가지지 못하고 소작농으로 생계를 유지하였다. 해방 직후 소작지 비율은 이를 잘 보여 주고 있다.

| 파업 투쟁 |

미 군정의 통치는 조선인의 생활을 안정시키지 못하였다. 미 군정의 노동자와 농민들에 대한 정책은 불만족스러웠다. 반면에 친일파 관료나 경찰들은 미 군정 아래서 활개를 치고 다녔다. 미 군정은 좀더 수월하게 조선을 통치하기 위해 행정 경험이 있는 친일파를 불러들였고, 노동자와 농민들을 탄압하며 그들의 생존을 위협하는 정책으로 나아갔다. 미 군정에 대한 노동자와 농민들의 불만은 점점 쌓여 갔다.

불만은 마침내 전국적인 항쟁으로 폭발하였다. 1946년 9월, 미 군정의 잘못된 식량, 노동 정책에 항의하여 전국의 노동자 약 20여만 명이 파업에 나섰다. 전 민중적 항쟁으로 번진 것이다.

| 소 군정 시기 북한의 토지 개혁 |

북한은 사회주의자들이 일찍 권력을 장악하면서 사회주의 경제 정책을 펴 나갔다. 가장 신속하게 추진한 것이 토지 개혁이었다.

1946년에 접어들면서 전국의 토지를 몰수하여 농민들에게 무상으로 분배하는 토지 개혁을 실시하였다. 북한은 또한 일본인, 친일 자본가 소유의 공장과 경제 시설을 몰수하여, 많은 부분 국유화하였다.

이러한 북한의 토지 개혁을 접한 남한의 농민들은 남한에서도 토지 개

북한의 토지 개혁 선전문

혁이 추진되어야 한다는 목소리를 높였으며, 반면 남한의 지주나 자본가들은 북한에 대해 불신과 적대감을 더욱 강하게 갖게 되었다.

저요, 저요

해방 후 미 군정에서 식량 부족 사태를 해결하기 위해 취한 정책은?

나도 역사가

다음 글을 읽고 해방 직후 보통 사람들의 생활 모습을 구체적으로 조사해 보자.

> (해방이 지난) 한참 뒤 일인의 재산을 조선 사람에게 판다는 소문이 들렸다. 사실이라면 한 생원은 (일본인에게 헐값에 넘긴) 그 논 일곱 마지기를 돈을 내고 사지 않고서는 도로 찾을 수 없을 판이었다. 물론 한 생원에게는 그런 재력이 없거니와, 도대체 이전의 임자가 있는데 아무에게나 판다는 것이 보기에 불합리한 처사였다.
> "그런 놈의 법이 어딨단 말인가? 그래 누가 그렇게 마련을 했는구?"
> "나라에서 그랬을 테죠."
> "나라?"
> "우리 조선 나라요."
> "나라가 명색이 내게 무얼 해 준게 있길래. 이번엔 일인이 내놓구 가는 내 땅을 저희가 팔아 먹으려구 들어? 그게 나라야?"
>
> -「논이야기」, 채만식-

해방으로 되살아난 소년, 소녀들의 꿈과 희망

우리말로 우리 글을 배우다

해방 직후, 빼앗겼던 우리 글을 배우는 아이들

"광복 후 처음 등교하는 날, 우리는 교과서도 없이 강의를 받았다. 생전 처음으로 우리말 국어 강의를 받은 그 날의 환희와 감격은 정말 벅찼다. 학생들의 눈은 초롱초롱 빛났고 그 누구의 숨소리조차도 들을 수 없을 만큼 교실 안은 쥐 죽은 듯 조용하였다. 이 때만큼 무아지경에서 수업받기는 평생 처음이었다."

—해방 당시 어느 학생의 회고담—

해방 직후 교실 풍경

해방이 되자 학교는 일제 시대 황국 신민 교육의 때를 벗겨내기에 바빴다. 일본인 교사들은 본국으로 돌아갔다. 아침마다 외워야 했던 황국 신민 서사를 더 이상 외울 필요가 없었다. 교실에 붙어 있던 왜색 부착물을 거두어 냈다. 더 이상 일본어를 못한다고 매맞을 일도 없게 되었다. 그러나 30여 년 동안 쌓여 왔던 일제 교육의 잔재가 교실을 약간 바꾼다고 해서 지워지는 것은 아니었다. 이후로도 오랫동안 학교 교육에는 일제의 잔재가 남아 있었다.

우리들도 어른들처럼 통일과 민주주의를 외치고 다녔지!

"해방 직후 우리 학생들이 굉장했다꼬. 의식들이 아주 강했지. 우리의 소망은 통일이고, 민주주의 사수니까. 통일이고 민주주의라면 죽어서도 공을 바친다는 그 신념 때문에 빨갱이들도 잘 안 부르는 혁명가를 애송하고 다녔다꼬."

산에 사는 까마귀야 시체 보고 우지 마라
몸은 비록 죽었으되 혁명 정신 살아 있다.
만리장성 머나먼 곳 부모 형제 다 버리고
조국 통일 이 한마음 영원토록 간직하리.

"이것이 우리가 부르던 노래라꼬. 당시 혁명이란 말은 우리가 몰랐어. 어데? 우리가 만들어 낸 게 아니고, 일제 때 만주하고 중국 나가서 독립 운동 하던 사람들이 해방 후에 귀국해서 우리 젊은 사람들에게 전해 줬던 거라. 그 가사 중에 혁명이란 말이 있었던 거지."

—「구술한국사」, 진주 학도병 열다섯이 겪은 그 해 여름, 김명길 구술—

전쟁으로 깊어지는 분단 구조

8

1950

● **1월** 애치슨 미 국무 장관, '애치슨 라인' 발언

● **6월** 6 · 25 전쟁 발발

10월 중국군의 6 · 25 전쟁 개입

1951

6월 말리크 UN 주재 소련 대표, 정전 회담 제의

1952

● **7월** 전쟁 중 국회, 경찰 포위 속에 발췌 개헌안 통과

1953

6월 포로 교환 협정 조인(8. 5. 교환 시작, 9. 6. 완료)

7월 휴전 협정 조인

1954

11월 국회, 개헌안 사사 오입(四捨五入) 통과 처리(사사 오입 개헌)

1958

1월 진보당 사건 발생(위원장 조봉암 등 간부 7명 간첩 혐의로 구속)

전쟁은 멈추었지만, 대립은 깊어가고…

"한국의 해방과 통일 문제를 평화리에 해결하기 위하여 정치 회담이 개최되고 있는 동안의 정전을 우리는 방해하지 않을 것이다. 우리와 미국 사이에 도달된 합의는 양국의 공동 이익이 관련되어 있는 지역의 안전을 유지하기 위하여 양국이 효과적으로 협동한다는 것을 보장하고 있다.

북한 동포들에게 외친다. 동포여, 희망을 버리지 마시오. 우리는 여러분을 잊지 않을 것이며, 모른 체 하지도 않을 것입니다. 한국 민족의 기본 목표, 즉 북쪽에 있는 우리의 강토와 동포를 다시 찾고 구해 내자는 목표는 계속 남아 있으며, 결국 성취되고야 말 것입니다."

—1953. 7. 휴전 협정 조인에 관한 이승만 대통령의 성명서—

북한 소년병들

1 폭풍 전야

남과 북, 두 정부는 공존과 협력보다는 적대감과 불신으로 맞섰다. 남북의 대립은 미국과 소련을 양대 축으로 하는 냉전 체제의 최전선이었다. 극한적인 대립은 결국 전쟁으로 치달았다.

■가 볼 곳 | 평양 ■만날 사람 | 최남선 ■주요 사건 | 반민족 행위 특별 조사 위원회 활동

| 서로 다른 길 |

해방의 감격은 분단된 두 개의 국가 수립으로 마무리되었다. 두 정부는 서로 다른 길을 걷게 되었다. 남북은 공존을 모색하기보다는 적대감을 키워 갔다.

정부 수립 이후 남한에서는 '반민족 행위 처벌에 관한 특별법' 을 제정하여 친일파 청산에 나섰으며, 농민들의 염원이던 농지 개혁을 서둘렀다. 그러나 이승만 정권이 늘 '반공을 위해서는 과거를 묻어 두자.' 는 주장을 내세웠던 터라, 친일파 청산은 오래지 않아 뒷전으로 밀려났다. 친일 민족 반역자를 처단하기 위해 만들어진 반민특위가 친일 경력의 경찰들로부터 공격을 받았으며, 별다른 활동을 하지 못하고 해산되었다.

농지 개혁도 지지부진하였다. 해방 이후 오랫동안 농지 개혁이 미루어지는 통에 수많은 지주들이 미리 땅을 빼돌려 개혁 대상이 된 토지가 적었고, 그나마 농민들이 많은 부담을 지고 토지를 사들이는 방식으로 진행되어 농민 생활의 개선으로 이어지지 못하였다.

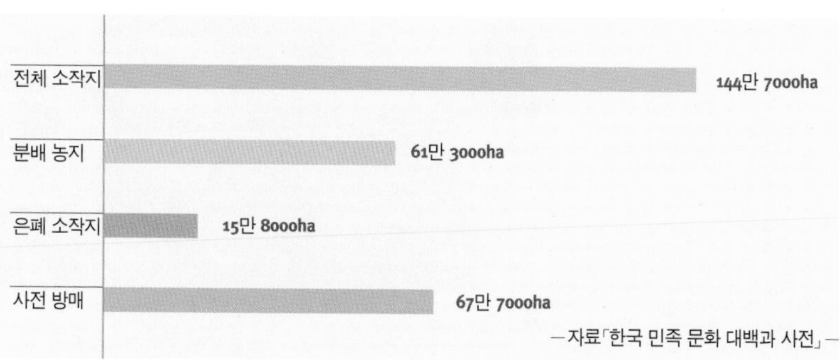

전체 소작지 중에서 농지 개혁의 적용을 받은 것은 절반이 안 되었음을 보여 주고 있다.

조선 총독부와 일본인 소유의 각종 산업 시설이나 부동산에 대한 처리도 중요한 문제였다. 남한 정부는 '귀속 재산 처리법' 을 만들어 해방 전에 연고가 있는 사람들에게 우선권을 주어 매입하게 하였다. 결국 친일파들에게 돌아가는 경우가 많았다.

| 깊어지는 남북간의 적대감 |

조선 인민군 훈련 장면

북한은 노동당 일당 지배의 국가 체제를 단단히 하면서 남한에 대한 공세를 취하였다. 북한은 외국 군대가 모두 철수한 다음 총선거를 실시하여 평화적으로 통일하자는 제안을 내놓고 미군 철수를 압박하였다. 김일성과 북한 사회주의자들은 남한을 미 제국주의자들이 친일파를 내세워 다스리는 식민지로 여겼다.

남한에서도 북한을 적대시하기는 마찬가지였다. 남한의 사회주의자들이 북한의 지령을 받아 움직인다고 생각하여 그들을 철저하게 탄압하였으며, 북한을 공존할 수 없는 상대로 보았다. 이승만 대통령이나 국방부 고위 관리들의 입에서 '북진 통일' 이라는 말이 자주 나왔다.

| 북한 · 소련 · 중국의 삼각 동맹 |

김일성 — 스탈린 동지, 이제 상황이 무르익어 전 국토를 무력으로 통일할 수 있게 되었습니다. 남한은 자신들이 북침하기에 충분한 힘을 확보할 때까지 분단 상태의 지속을 원할 것입니다.
우리가 먼저 공세를 취해야 합니다.

스탈린 — 공격해서는 안 됩니다. 북조선 인민군은 남조선군에 비해 확실한 우위를 확보하지 못하고 있습니다. 또한 남조선에는 아직 미군이 있습니다. 전쟁이 나면 그들이 개입할 것입니다. 우리가 먼저 전쟁을 일으키면 미국의 개입을 막을 명분이 없습니다.

1949년 3월 말, 김일성과 박헌영 등 북한의 핵심 인물들이 평양을 떠나 소련을 방문하여 스탈린을 비롯한 소련 지도자들과 회담하였다. 북한은 소련으로부터 공장을 복구하거나 새로 세우고, 지하 자원 등을 개발하는 데 필요한 기술을 지원받고자 하였다.

그러나 더욱 중요한 것은 군사 원조였다. 북한 지도부의 소련 방문으로 두 나라 사이에 '조 · 소 경제 문화 협정' 이 체결되었다. 이 때 스탈린은 북한의 남한 공격에 동의하였다. 소련과 북한 사이에 긴밀한 협력의 길이 마련된 것이다.

김일성은 이어 중국 공산당의 마오 쩌둥과 만나 남침에 대한 동의를 얻어 내었다. 1949년 7, 8월에는 중국 공산당에서 활동하고 있는 조선인 부대를 귀국시켜 북한의 전투력을 강화하였다. 마오 쩌둥은 남은 조선인 부대도 귀국시키고 보급품을 공급하겠다고 약속하였다.

| 한반도에 이는 전쟁의 먹구름 |

1948년 12월 말, 소련은 북한에서 군대를 철수시켰다. 그리고 미국에게도 남한에서 군대를 철수시킬 것을 강력히 요구하였다. 이듬해 6월, 미

소련을 방문한 김일성

김일성, 박헌영과 스탈린은 공식적인 회담 뒤 비밀 회담을 가졌다. 이 때 김일성은 남한을 공격하겠다는 뜻을 드러내면서 소련에게 군사 원조를 요청하였다. 소련은 이러한 북한의 의도를 일방적으로 지지하지는 않았지만 지원을 약속하였다.

중국군에게 훈련받는 인민군

중국의 공산화는 북한 지도부에게 한반도 적화 통일에 대한 자신감을 갖게 하였고, 군사 원조 등의 실질적인 도움도 받을 수 있게 하였다. 사진은 중국군 교관으로부터 기관총 사격 교육을 받고 있는 북한 인민군들의 모습이다.

소련군 철수

남한에 비해 일찍 사회주의 정권이 안정되면서 북한 주둔 소련군이 철수하고 있다.

군이 철수하자 북한의 전쟁 준비는 더욱 활기를 띠었다.

김일성, 박헌영 등 북한 지도부는 당시 북한이 남한에 비해 군사력에서 크게 우위를 보이고 있으며, 친일파 청산이나 토지 개혁 등으로 남북 인민의 지지를 고루 받을 것이라고 확신하고 있었다. 따라서 당시가 무력 '통일'을 위한 절호의 기회이며, 이 때를 놓치면 다시는 기회가 오지 않을 것이고, 오히려 남한이 군사력을 강화하여 북한 사회주의 체제를 위협할 것으로 판단하고 있었다. 승리에 대한 자신감, 때를 놓칠지 모른다는 조바심, 이것이 그 해 여름 북한 지도부의 분위기였다.

남한에서도 1949년 6월 이후 북진 통일 주장이 한층 강해졌다. 반공 북진 통일을 외치던 이승만 정권은 미국에 무기와 물자 원조를 요구하였다. 3일이면 북한군을 제압하고 평양을 점령할 수 있다는 자신감을 보이기도 하였다.

저요, 저요

1. 대한 민국 정부 수립 후 친일파 청산을 위해 설치되었던 기구는?
2. 북한 김일성은 □□을 방문하여 전쟁 계획을 설명하고 군사 지원을 약속받았다.

과거와 현재의 대화

문화계에서 친일 경력을 갖고 있는 사람의 해방 후 활동과 그 작품을 조사해 보자.

〈역사의 현장〉

반민특위 법정— 민족 반역자 처벌하여 민족 정기 회복하자!

1948년 9월, 일제 시대에 반민족적인 행위를 하였던 친일 민족 반역자를 처벌하기 위해 '반민족 행위 처벌에 관한 특별법' 이 만들어졌다. 이 법에 따라 국회 의원 10명으로 반민족 행위 특별 조사 위원회가 구성되었다. 아울러 특별 재판부를 두어 반민족 행위자들을 재판하게 하였다.

당시 어느 신문 사설에서는 반민특위 활동에 대해 다음과 같은 기대감을 보이고 있다.

> "과연 민족 정기는 죽지 않았다. 보라, 눈부신 특위 활동을! 우리는 기대한다. 반민족 행위 처벌은 결코 보복적인 감정이 아니다. 대한 민국의 정신을 살리고 사리사욕 때문에 민족을 파는 반역자가 다시는 생겨나지 않도록 하는 교훈적 의의가 크다."

위원회는 4개월 동안 약 300여 명을 반민족 행위자로 체포하였다. 그러나 이승만과 친일파들은 법률의 제정과 조사 위원회의 활동을 끈질기게 방해하였다. 결국 1949년 8월, '반민족 행위 특별 조사 위원 해체안' 이 국회를 통과함으로써 반민특위는 이렇다 할 성과없이 해산되고 말았다.

반민족 행위 처벌법 원전

反民族行爲處罰法

大統領 李承晩

이 법은 일본 정부와 공모하여 한 · 일 합병에 협력한 자, 일본 정부로부터 작위를 받은 자, 독립 운동가나 그 가족을 살상 · 박해한 자 등을 처벌하기 위하여 만들었다.

끌려가는 민족 반역자들

반민특위가 활동한 1년간 총 680여 건이 다루어졌다. 이 과정에서 노덕술, 김태식 등 친일 경찰과 최남선, 이광수 등이 체포 · 구속되었다.

재판 광경

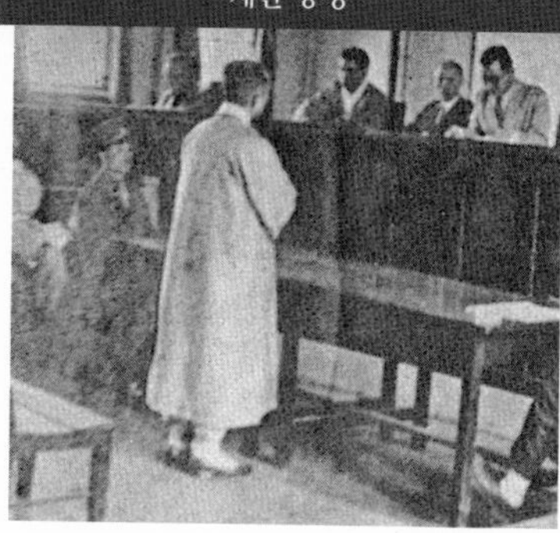

체포된 민족 반역자들에 대한 재판 중 판결이 확정된 것은 38건에 불과하였다. 형량도 사형 1건을 포함하여 징역 12건, 공민권 정지 18건 등으로 가벼웠다. 그나마도 6 · 25 전쟁이 일어나서 형량대로 감옥살이를 한 사람은 몇 안 되었다.

법정에 선 반민족 행위자들의 최후 진술

최남선

까마득하던 조국의 광복이 뜻밖에 얼른 실현되어 이제 민족 정기의 호령이 굉굉히 이 강산을 뒤흔드니 (중략) 오직 공손히 법의 처단에 모든 것을 맡기고, 그 채찍을 감수함으로써 조그만치라도 국민 대중 앞에 참회의 표시를 삼는 것 외엔 다른 것이 없다.

최린

변변치 못한 최린이지만 기미년 3·1 운동 당시 일제에 정면으로 반기를 든 자라고 해서 그들은 그 후 나를 주목하고 위협하고 또 유혹하여, 끝내 민족을 배반하는 행동을 하게 하였으니 오직 죄스럽고 부끄러울 뿐입니다.

이광수

나는 민족을 위해 친일하였소. 내가 걸은 길이 정경대로는 아니오마는 그런 길을 걸어 민족을 위하는 일도 있다는 것을 알아 주오.

반민특위 조사부 위원들(활동 마감 후)

이승만 대통령은 반민특위 활동을 방해하였으며, 친일 경력을 가진 경찰이 도리어 반민특위를 습격하는 일도 있었다. 결국 1년여 만인 1949년 8월 31일에 반민특위는 해체되고 말았다.

반민특위 투서함

대한 민국의 반민족 행위자 처벌은 프랑스의 경우와 비교된다. 프랑스는 3년 정도 나치 치하에 있었지만 해방 이후 사법 기관에서 유죄 판결을 받은 사람이 15만 8천여 명이었다. 재판을 거쳐 처형된 사람과 즉결 처분된 사람을 합하면 1만여 명에 이른다.

2 갈갈이 찢기는 금수강산

분단은 결국 전쟁으로 이어졌다. 이 전쟁은 남북간의 내전이면서 동시에 미국과 소련으로 대표되는 두 진영간의 국제적인 전쟁이었다. 한민족의 터전은 철저하게 파괴되었고 수많은 사람들이 목숨을 잃었다.

■가 볼 곳 | 서울, 평양 ■만날 사람 | 맥아더 ■주요 사건 | 휴전 협정

| 피의 폭풍, 한반도를 덮치다 |

1950년 6월 25일 새벽 4시, 북한은 38도선 전 지역에서 총공격을 시작하였다. 작전명은 '폭풍' 이었다. 남한은 그 동안의 호언장담에도 불구하고 북한군의 공격에 속수무책이었다. 북진 통일을 외치면서도 속은 텅 비어 있었다. 미국만 믿고 있었던 것이다.

이전에도 휴전선에서 충돌이 자주 있었기 때문에 서울 시민들은 '38도선에서 또 전투가 벌어졌나 보구나.' 하면서 대수롭지 않게 생각하였다. 그 사이 북한군은 서울을 향해 밀고 내려왔다.

서울이 위태로워지자 북한군의 남하 속도를 늦추기 위해 한강 철교 폭파 명령이 내려졌고, 6월 28일 새벽 2시 30분에 한강 철교가 폭파되었다. 피난민들이 철교를 건너고 있었고, 서울에는 피난을 가지 않은 시민들이 100여만 명 남아 있는 상황이었다.

북한 전투 명령서 1호

▶ 6월 25일, 남침

▶ 6월 28일, 한강 철교 폭파

▶ 6월 28일, 북한군 서울 입성

인천 상륙 작전

수세에 몰리던 남한군과 유엔 군이 전세를 유리하게 끌어가는 결정적인 계기가 된 작전이다.

이승만의 귀경

인천 상륙 작전에 이어 서울을 되찾게 되자, 부산에 있던 이승만 대통령이 서울로 돌아와 9월 28일 서울 수복 기념식을 하였다.

| 미국, 전쟁에 개입하다 |

다급해진 이승만은 미국에 도움을 요청하였다. 미국은 신속하게 남한에 군대를 파견하였으며, 유엔을 움직여 유엔 군 파견을 결정하였다. 7월 7일 유엔 군 사령부가 설치되었고, 미군 극동 사령관이 지휘를 맡았다. 7월 12일 이승만은 남한군의 지휘권을 유엔 군 사령관에게 넘겼다.

미군이 개입하였지만 북한군의 남하를 곧바로 저지하지는 못하였다. 남한군과 미군은 7월 말경에 낙동강까지 밀렸다. 북한의 계획대로 전쟁은 곧 끝날 것처럼 보였다.

그러나 파죽지세로 밀고 내려오던 인민군은 8월을 넘어서면서 기세가 꺾이기 시작하였다. 9월 15일 새벽, 미군은 북한군의 저항을 누르고 인천 상륙에 성공하였다. 이어 19일에는 한강을 건너 서울을 공격하였고, 9월 28일에는 서울을 되찾았다.

서울에 돌아온 이승만 정권은 내친 김에 미국의 힘을 빌려 북진 통일을 달성하고자 하였다. 1950년 10월 1일, 이승만의 비밀 지시하에 남한군이 먼저 38도선을 넘었고, 10월 7일에는 유엔 군도 사령관의 명령에 따라 북진하기 시작하였다.

남쪽에 남아 있던 북한군들은 고립되어 산 속으로 들어갔으며, 북쪽의 북한군은 후퇴를 계속하였다. 북진을 거듭한 남한군과 유엔 군은 10월 20일에 평양을 점령하였고, 10월 26일 마침내 압록강에 이르렀다. 북진 통일이 눈앞에 온 것이다.

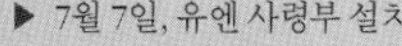

▶ 7월 7일, 유엔 사령부 설치

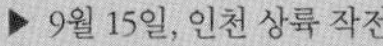

▶ 9월 15일, 인천 상륙 작전

▶ 9월 28일, 서울 수복

▶ 10월 1일, 38도선 돌파

| 중국군의 개입 |

궁지에 몰린 북한이 중국에 도움을 요청하자, 중국은 18만여 명의 중국 인민 의용군을 이끌고 압록강을 넘었다. 한반도의 전쟁은 이렇게 강대국의 대리전으로 확산되었다.

중국군의 개입으로 전세는 다시 역전되었다. 12월 10일 평양이 다시 중국군의 손에 들어갔고, 이듬해 1월에는 서울이 다시 북한군의 수중에 들어갔다. 그러나 전열을 가다듬은 남한군과 미군은 우세한 화력을 앞세워 다시 북한군을 몰아붙였고, 3월 5일에 서울을 되찾았다.

ARTICLE V

MISCELLANEOUS

KIM IL SUNG

PENG TEH-HUAI

MARK W. CLARK

PRESENT

NAM IL

WILLIAM K. HARRISON, JR.

휴전 협정 조인서

북한 인민군 최고 사령관, 중국 인민 의용군 사령관, 미 합참의장의 서명이 보인다. 즉, 조인 당사자는 북한과 중국, 미국이다. 남한이 군 지휘권을 미군에게 넘겨 주었기 때문이다.

| 휴전, 전쟁은 끝나는가 |

1951년 3월, 38도선을 중심으로 밀고 밀리는 공방이 계속되었다. 미국과 중국은 이쯤에서 휴전의 필요성을 느꼈다. 남북한은 물론, 미군이나 중국군의 피해도 만만치 않았다. 그들은 소모적인 전쟁을 계속할 생각이 없었다. 휴전 회담은 지루하게 2년을 끌었다.

이승만은 휴전에 반대하면서 여전히 북진 통일을 주장하였다. 그러나 미국은 남한에 경제 원조 등을 약속하면서 휴전 쪽으로 유도하였다. 1953년 7월 27일, 유엔 군 사령관과 중국군 사령관 및 북한군 총사령관 사이에 휴전 협정이 맺어졌다. 맞서 싸우던 전선은 휴전선이 되었다.

▶ 10월 25일, 중국군 참전

▶ 12월 5일, 평양 철수

▶ 3월 5일, 서울 재탈환

부역자들

북한군에게 협력한 사람을 부역자라고 불렀다. 북한군에게 점령되었다가 국군이 되찾게 되면 북한군에게 협력하던 사람들을 색출하여 처벌하였다.

인민 재판

북한군이 점령한 지역에서는 지주나 자본가, 경찰과 군인 및 그 가족 등을 재판에 넘겨 처벌하였다.

| 빨갱이와 반동분자 |

전쟁은 군인만의 싸움이 아니었다. 해방 이후 쌓였던 증오와 저주, 대립과 살상은 민간인들에게도 가해졌다.

서로에 대한 증오와 저주를 담은 말이 바로 '빨갱이' 와 '반동분자' 였다. '반동분자' 라는 말은 북한이 전쟁 전 사회주의 개혁을 추진하면서 청산 대상으로 삼은 사람들을 일컫는 말이었다. 전쟁으로 남한이 북한군 치하에 들어가면서 남한의 관리, 경찰, 군인, 지주와 그 가족들이 반동분자로 취급되어 고통을 당하거나 죽임을 당하였다.

한편, 사회주의 이념을 가진 사람들, 전쟁 중 북한군 치하에서 활동한 사람들은 남한에서 빨갱이로 몰렸다. 이들은 대한 민국 국민으로 보호받지 못하였다. 전쟁을 치르면서 북한에 대한 적대감은 빨갱이들을 향해 폭발하기 일쑤였다.

전쟁 중에는 전 국토가 싸움터였고 대한 민국과 인민 공화국이 수시로 뒤바뀌었다. 힘없는 백성들은 생존을 위해 행동하였다. 대한 민국이든 인민 공화국이든 일단 살아 남아야 하였던 것이다.

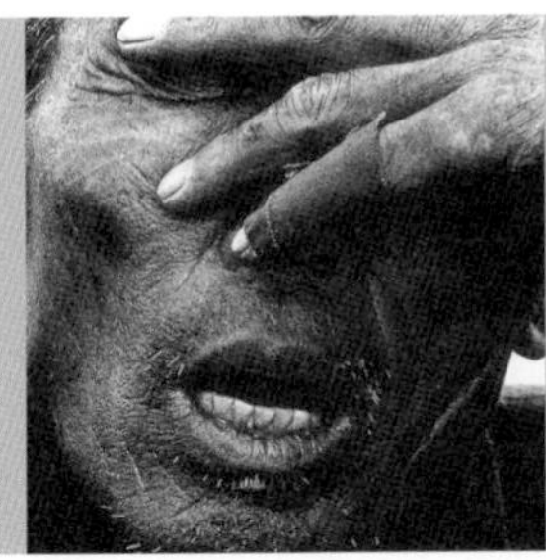

'대한 민국이 옳으냐 인민 공화국이 바르냐, 대한 민국을 따르느냐 인민 공화국을 좇느냐.' 는 확고 부동한 태도가 서 있지 않고, 결국 어느 쪽이 이길 것이냐, 그렇다면 어느 쪽을 위하여 일하는 것이 유리하냐, 아니 당장 어느 쪽인 척해 두는 것이 위험을 모면하고 나중에 가서도 말썽이 없을 것이냐.'

–「역사 앞에서」, 김성칠–

| 전쟁은 끝나지 않았다 |

1983년 남한 내 이산 가족 상봉

전쟁의 상처는 이 민족 모두의 가슴 속에 남아 있고, 전쟁 이후에 태어난 세대도 전쟁의 상처로부터 자유로울 수 없었다.

해방과 더불어 희망과 활기가 넘쳤던 한반도는 민족간의 처절한 싸움으로 쑥대밭이 되었고, 한민족은 참혹한 전쟁터에서 굶주림, 절망, 죽음의 공포로 철저하게 망가졌다.

수백만 명의 군인, 민간인들이 부상, 사망 또는 실종되었고 전쟁에 참가한 외국 군인 수십만 명이 목숨을 잃거나 부상을 당했다.

전쟁이 끝난 뒤에도 포성 없는 전쟁은 계속되었다. 사람들의 마음은 피폐해졌으며, 가족은 흩어졌고 사회는 철저히 파괴되었다. 전쟁은 우리 민족에게 지울 수 없는 상처를 남겼다.

저요, 저요

1. 낙동강까지 후퇴하였던 국군과 미군은 □□ □□ □□을 계기로 전세를 뒤집을 수 있었다.
2. 남한에서 북한에게 협력한 사람을 일컫는 말은?

나도 역사가

전쟁이 보통 사람들에게 어떤 의미로 다가왔을까? 할아버지, 할머니께 당시 이야기를 직접 듣고, "내가 겪은 6 · 25 전쟁" 이라는 제목으로 글을 써 보자.

과거와 현재의 대화

우리 주변에서 아직 아물지 않은 전쟁의 상처를 찾아보자. 그리고 그것을 치유할 수 있는 방안을 생각해 보자.(예:이산 가족 만남, 장기수 문제 등)

〈여성과 역사〉

짧은 사랑, 긴 이별

"그립고 보고 싶은 당신께.

기도 속에서 언제나 당신을 만나고 있습니다. 부모님과 아이들이 힘든 일을 당할 때마다 저는 마음 속의 당신에게 물었습니다. 그 때마다 당신은 이렇게 하면 어떠냐고 응답해 주셨고 저는 그대로 하였습니다. 잘 자란 우리 아이들, 몸은 헤어져 있었지만 저 혼자 키운 것이 아닙니다."

"택용 엄마, 어느덧 40년이 흘렀소. 6 · 25 참화로 가족과 생이별한 이가 어찌 나뿐이오만, 해마다 6월이 되면 뭉클 가슴 깊은 곳에서 치미는 이산의 설움을 감당하지 못하고 기도로 눈물을 삭이곤 하오. 후퇴하는 국군을 따라 평양을 떠날 때 둘째 가용이만 데리고 월남한 것이 지금 내 가슴에 못이 되었소."

이 애뜻한 편지의 주인공은 6 · 25로 인해 이산 가족이 되었던 남한의 장기려 박사와 북한에 남은 부인 김봉숙이 나눈 편지이다. 6 · 25가 일어났을 때 북한에 살고 있던 의사 장기려는 남쪽으로 가야겠다고 생각하였다.

"여보, 당신 먼저 아이들과 함께 출발하시오. 나는 병원과 교회에 들러서 짐을 꾸려서 갈 것이니."

"그러세요. 짐꾸리는 걸 도와 줘야 하니 가용이 네가 아버지와 함께 다녀오너라."

이것이 마지막이었다. 후에, 아내와 아이들은 해주 쪽으로 가다가 중국군이 남행 길을 막는 바람에 북에 남게 된 것이다. 이후 부부는 재혼하지 않은 채 서로를 마음 속에서나마 옆에 두고 50여 년을 헤어져 살게 된다.

1980년대에 들어 남북 관계가 개선되자, 노부부는 편지를 주고 받으며 언젠가는 만나게 될 것이라고 생각하였다. 그러나 1995년 장기려의 별세로 만남은 끝내 이루어지지 못하였다. 돌아가신 아버지 장기려를 대신해 아들 장가용이 2000년에 어머니를 만났다.

"어제 아침 평양 보통강 호텔에서 50년 만에 어머니를 만났다. 헤어질 때 38세였던 어머니는 이제 얼굴에 세월의 골이 깊게 패였으나 피부는 여전히 맑고 고우셨다. 한동안 껴안고 울다 내가 어머니에게 처음 건넨 말은 "나를 기억하세요?" 였다. 어머니는 목멘 작은 소리로 "이게 꿈이에요, 생시예요?" 라고 존댓말로 말씀하셨다."

3 남과 북, 자본주의와 사회주의

휴전 이후 이승만 정권과 김일성 정권의 기반은 더욱 강화되었다. 남한은 미국의 군사 · 경제 원조를 받으면서 전후 복구에 나섰고, 북한은 소련과 중국의 원조를 받으며 사회주의 체제를 굳혀 나갔다. 아울러 남과 북의 적대감은 더욱 깊어만 갔다.

■가 볼 곳 | 1956년 대통령 선거 유세장 ■만날 사람 | 조봉암, 박헌영 ■주요 사건 | 한 · 미 상호 방위 조약, 북한의 농업 협동화

| 이승만, 헌법을 바꾸어 권력 연장을 거듭하다 |

사사 오입 개헌을 놓고 싸우는 의원들

대통령 중임 제한 철폐 개헌안이 국회의원 203명 중 찬성 135, 반대 60, 기권 7표로 2/3 찬성에 1표 부족으로 부결되었다. 이승만 정권은 2/3선인 '135.3333…' 을 사사오입하여 135명이면 된다고 억지로 해석하여, 개헌안을 통과시켰다.

전쟁이 계속되고 있던 1952년, 초대 대통령 임기가 끝나고 2대 대통령을 선출하게 되었다. 국회에서의 간접 선거로는 당선을 기대할 수 없었던 이승만은 권력 연장을 위하여 대통령을 국민이 직접 선출하도록 헌법을 바꾸려 하였다. 그는 계엄령을 선포하고 반대 세력을 체포하는 등 폭력적인 방법으로 헌법 개정안을 통과시켜 대통령에 재선되었다.

다시 2대 대통령 임기가 2년 정도 남은 1954년 6월, 이승만은 대통령을 두 번밖에 할 수 없다는 규정을 없애기 위한 헌법 개정안을 국회에 제출하였다. 그리고 이를 어거지로 통과시켜 정권을 연장하려 들었다. 이른바 사사 오입 개헌이었다.

| 반대 세력을 제거하다 |

1956년, 부정 부패와 폭력, 관권 개입으로 얼룩진 선거에서 이승만은 다시 대통령에 당선되었다. 당시 이승만의 경쟁자는 진보당의 조봉암이었다. 조봉암은 관권, 금권, 폭력으로 엉망이 된 선거에서도 30%에 이르는 지지를 얻어 이승만 진영을 긴장시켰다.

곧이어 이승만 정권은 조봉암을 비롯한 진보당 지도부를 체포하였다. 그러고는 조봉암을 북한의 간첩으로 몰았다. 결국 조봉암은 사형당하였고, 진보당은 완전히 무너졌다. 이렇게 이승만 정권은 반정부 세력들을 '빨갱이' 혹은 '간첩' 으로 몰아 정치적으로 억압하였고, 그것을 바탕으로 독재 권력을 지탱해 가고 있었다.

"3 · 1 정신 이어받아 북한 동포 구출하자." (배경 사진)

전쟁을 거치며 멸공과 북진 통일을 강조하는 교육이 크게 강화되었다. 학생들은 수시로 '멸공 의식 함양을 위한 우리의 맹세' 를 암송하여야 했다.
"우리는 대한 민국의 아들 딸, 죽음으로써 나라를 지킨다./ 우리는 강철같이 단결하여 공산 침략자를 쳐부수자./ 우리는 백두산 영봉에 태극기를 날리고 남북 통일을 완성한다."

조봉암 재판

조봉암(1898~1959)은 3·1 운동 이후 줄곧 독립 운동에 몸을 던졌으며, 대한 민국 정부 수립 이후 농림부 장관을 지냈다. 또 대통령 선거에 야당 후보로 두 차례 출마하기도 하였다. 그는 북한과 전쟁을 벌여 무력으로 통일하겠다는 이승만과 달리 평화 통일을 주장하였다. 사진 제일 왼쪽에 있는 이가 조봉암이다.

| 남한 경제와 주민들의 생활 |

한·미 상호 방위 조약 체결 장면

전쟁은 한반도의 생활 기반을 통째로 무너뜨렸다. 남한은 전쟁 후에 국방뿐만 아니라 경제 생활에서도 미국에 기댈 수밖에 없었다. 미국은 자기 나라에 남아 도는 농산물과 무기를 남한에 제공하면서 영향력을 유지하였다. 남한을 중국, 소련에 맞서는 반공 기지로 삼은 것이다. 미국과 대한 민국은 한·미 상호 방위 조약을 맺어 혈맹임을 확인하였다.

미국은 군사 원조뿐 아니라 경제 원조까지도 약속하였다. 원조 물자는 주로 식료품, 농업용품, 의류, 의료품, 원면, 원당, 원분 등의 소비재 산업이었다. 특히 원당, 원분, 원면을 가공한 설탕, 밀가루, 목면 등이 1950년대 남한 경제의 중요 유통 품목이었다.

원조 물자의 하역

1950년대 남한 경제를 지탱하였던 것이 미국의 원조 물자로, 소비재나 농산물이 주요 품목이었다.

농산물과 소비재 원료의 수입은 서민들이 당장의 곤란함에서 벗어나는 데는 도움이 되었으나, 길게 보면 한국 경제를 어렵게 하는 쪽으로 작용하였다. 더욱이 이승만 정권은 정치 자금을 확보하기 위해 필요 이상의 농산물을 수입하였고, 국내에서 생산되는 농산물 가격이 떨어지면서 국내 농업 기반이 약해졌다. 농민들의 생활은 더욱 어려워져 파산하는 사람이 늘어갔다. 산업 원료 수입 과정에서 생기는 이윤도 정권과 연결된 특정 세력의 재산을 불려 주었을 뿐, 민중들의 생활에는 크게 보탬이 되지 못하였다.

| 북한의 유일 지배 체제 강화 |

김일성과 박헌영

북한과 남한의 사회주의 세력을 대표하였던 두 사람. 6·25 전쟁 이후 박헌영을 실각시키면서 김일성의 권력은 더욱 강화되었다.

이승만 정권이 남한에서 권력을 연장해 가고 있을 때, 역시 북한에서도 김일성 정권이 정적들을 제거하면서 유일 지배 체제를 강화해 갔다. 전쟁 직후 박헌영이 제거되었다. 그는 김일성과 함께 6·25 전쟁을 이끌었던 중심 인물로, 남한 사회주의 세력의 지도자로 자처하고 있었다. 전쟁 후 박헌영은 '미제의 스파이'라는 죄목으로 숙청되었다.

이어 김일성의 절대 권력에 도전하는 다른 정적들이 차례로 제거되었다. 그리하여 1958년 후반에 이르러 김일성의 권력은 더욱 강화되었다. 북한의 주요 직책은 김일성과 함께 항일 운동을 하였던 유격대원들이 차지하였다.

이와 함께 인민들에 대한 사상 교육도 강화되었다. 주체 사상이 등장하기 시작한 것도 이 때쯤이었다. 북한 정권은 미국과 남한에 대한 적개심을 강조함으로써 인민들의 불만을 잠재우면서 강력한 권력 기반을 다져 나갔다.

| 북한 경제와 주민들의 생활 |

북한은 남한에 비해 상대적으로 파괴의 정도가 심했다. 미군의 엄청난 공중 폭격으로 주민들의 생활 시설은 물론, 산업 시설이 잿더미로 변하였다. 전쟁이 그친 뒤 북한에서는 파괴된 산업 시설을 회복하는 일이 최대 과제가 되었다.

폐허가 된 평양 시가지(왼쪽) 전후 복구(오른쪽)

6·25 당시 미군의 폭격으로 평양은 철저하게 파괴되었다. 전후 복구와 경제 건설을 위해 북한은 일사불란한 인민 동원 체제를 구축하였다.

북한은 중공업을 우선적으로 발전시키는 정책을 추진하였다. 남한이 미국의 원조 물자에 의존하는 소비재 경공업을 산업의 중심으로 삼았던 것과 비교되는 정책이었다. 이는 군수 산업을 발전시켜 남한과 미국에 대한 방어 능력을 강화하기 위한 것이었다.

북한 경제는 빠른 속도로 회복되었다. 주민들을 일사불란하게 동원한 강력한 계획 경제 정책이 효과를 본 것이다. 또한 소련과 중국 등 사회주의 국가들의 지원도 북한 경제를 회복시키는 데 큰 힘이 되었다.

농업에서는 협동화를 통해서 생산성을 향상시키고자 하였다. 개인 소유 농토를 공동 소유로 바꾸어 협동 농장을 운영하고, 생산물을 공동 분배하는 것이 원칙이었다.

양강도 보천군 협동 농장

협동 농장은 공동 생산과 공동 분배를 지향하는 북한 사회주의 경제 건설의 핵심 사업이었다.

북한은 협동화를 한꺼번에 전국적으로 추진하지 않고, 조금씩 그 비중을 높여 갔다. 1950년대 후반에 이르러 북한 농촌 전 지역의 농업 생산 방식이 협동화되었다. 협동 조합의 숫자는 3800여 개에 이르렀고, 단위 조합은 대체로 300여 가구 정도의 규모로 구성되었다.

농업과 함께 상업과 공업도 사회주의 체제로 바꾸어 갔다. 생산 협동 조합을 만들어 가는 것이었다. 상업 부문도 농업 부문과 마찬가지로 1950년대 후반에 전면적으로 국가 관리의 협동 생산 체제로 넘어 갔다. 이렇게 전쟁이 끝난 1950년대 북한에서는 확고한 사회주의 체제가 자리를 잡아 가고 있었다.

저요, 저요

휴전 후 남북한에서 이승만과 김일성에 의해 제거된 유력한 정치인은 □□□과 □□□이었다.

나도 역사가

1950년대 남북한 농민들의 생산 활동과 생활상을 남한과 북한의 토지 정책을 바탕으로 비교해 보자.

남한:농지 개혁→ 자유 경작　북한:토지 개혁→ 협동 농장

소년병, 책 대신 총을 잡고

전쟁 중에는 어린 학생들이 책 대신 총을 들고 전쟁터에 나가기도 하였다. 이들을 학도 의용군이라 부르는데, 학생 신분으로 전선에 뛰어든 학도병을 말한다. 이 가운데서도 15~17세로 징집에 응할 의무가 없는 학도병들을 '소년병' 이라고 하였다.

남한의 경우, 기록으로 확인된 숫자만도 3000여 명이 참전하여 그 중 2400여 명이 목숨을 잃었다. 북한 인민군에도 17~18세의 청소년이 많았고, 전투가 치열해진 8월 중순부터는 남한 점령 지역 내에서 징집된 '의용군' 이 전선에 투입되기도 하였다. 소년병들은 전투 경험이나 전술 요령이 없어 상대적으로 희생이 더 컸다. 최전선에서 인민군에 끌려간 남한 지역 출신 의용군과 국군의 소년 지원병이 마주보고 싸우는 경우도 있었다.

●소년병 이우근의 일기(1950년 포항 전투)

8월 10일 목요일, 쾌청

어머니, 나는 사람을 죽였습니다. 그것도 돌담 하나를 사이에 두고. 10여 명은 될 것입니다. 나는 4명의 특공대원과 함께 수류탄이라는 무서운 폭발 무기를 던져 일순간에 죽이고 말았습니다. 다리가 떨어져 나가고 팔이 떨어져 나갔습니다. 너무나 가혹한 죽음이었습니다. 아무리 적이지만 그들도 사람이라고 생각하니, 더욱이 같은 언어와 같은 피를 나눈 동족이라고 생각하니 가슴이 답답하고 무겁습니다.

어머니, 전쟁은 왜 해야 하나요? 이 복잡하고 괴로운 심정을 어머님께 알려 드려야 제 마음이 가라앉을 것 같습니다. 무서운 생각이 듭니다. 지금 제

옆에서는 수많은 학우들이 죽음을 기다리는 듯 적이 덤벼들 것을 기다리며 뜨거운 햇볕 아래 엎드려 있습니다. 적병은 너무나 많습니다. 우리는 겨우 71명입니다.

어머니, 어쩌면 오늘 죽을지도 모릅니다. 상추쌈이 먹고 싶습니다. 찬 옹달샘에서 이가 시리도록 차가운 냉수를 한없이 들이키고 싶습니다. 아! 놈들이 다가오고 있습니다. 다시 또 쓰겠습니다. 어머니 안녕! 안녕! 아, 안녕은 아닙니다. 다시 쓸 테니까요.… 그럼.

※그는 국군 제3사단 소년병으로 1950년 8월, 포항 여중 앞 벌판에서 전사하였다. 이 일기는 그의 주머니 속에서 발견되었다.

—「월간 조선」, 2001. 6.—

● **소년병 하봉수의 증언** (당시 16살 · 대구 영신중 2학년 재학 중 지원)

8월 하순, 어린 소년이지만 나라를 지키지 않으면 안 되겠다는 생각이 들어 지원하였습니다. 지금도 잊혀지지 않는 일은, 경북 금릉군에서 빈 집을 수색하다가 숨어 있는 공비들을 발견해서 두 명은 사살하고 한 명은 생포하였는데, 심문해 보니 나와 같은 하동 하(河)씨라는 것이었습니다. 북한 의용군으로 징집된 어린 남한 학생이었어요. 어른들이 일으킨 전쟁에서 어린 소년들이 희생되는 현실에 무척 괴로워하였던 생각이 납니다. 지금도 두려움에 떨던 그 소년의 얼굴이 잊혀지지 않습니다.

—「월간 조선」, 2000. 10.—

산업화와 민주화

9

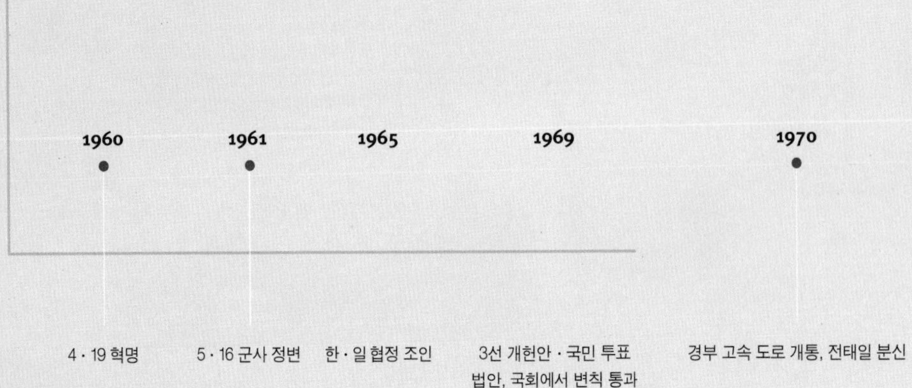

깃발을 아직 내릴 수 없다

4 · 19 혁명으로 날카롭게 제기된 민족 자립과 민주주의에 대한 열망은 5 · 16 군사 정변으로 질식되었다. 외국 세력과 자본가들을 동원하여 경제 개발이라는 이름 아래 민중을 억압해 온 박정희 정권은 10월 부 · 마 항쟁으로 붕괴하고 말았다. 박정희 독재 정권의 붕괴는 곧 반민주 세력에 의해 거부되어 오던 민주주의 회복과 기본적 생존권 확보를 의미하여야 한다. (중략)
현대사는 결국 4 · 19를 죽이려는 자들과 완결지으려는 자들의 투쟁의 역사이며, 이제 우리는 그 싸움에서 이기고 있는 것이다. (중략) 그리하여 이 땅에 일하는 자, 땀 흘리는 자가 움직여 나가는 진정한 민주 사회를 건설함으로써 그 함성을 맞이하여야 한다. 그리하여 성숙한 민족 자체의 역량으로 외세를 배제한 평화적 민족 통일을 완수하여야 한다. 우리는 그 벅찬 혁명의 숨결과 함께 끝까지 뛰어야 한다.

—1980년 4월, 서울대 총학생회 4 · 19 20주년 선언—

1972	1979	1980	1987	1988	1991
10월 유신	박정희 대통령, 김재규 정보부장에 의해 피격 · 사망(10 · 26 사태)	5 · 18 광주 민중 항쟁	6월 민주 항쟁	제24회 서울 올림픽 개최	유엔 총회에서 남북한 유엔 가입안 만장 일치로 통과

1960년 4월 25일 교수단 시위

「데모學校」廢校가능

大統領 緊急조치 4號선포

違反者는 최고死刑

「民主青年學生聯盟」同調등 엄단

地方長官 兵力요청 할수도

不純요인根源 安保다지려

1 4 · 19 혁명, 자유와 통일의 길

"선거권은 권력에 의해 농락당하였고, 언론 · 출판 · 집회 · 결사 및 사상 자유의 불빛은 무식한 전제 권력의 악랄한 발악으로 사라졌다. 보라! 우리는 자유의 횃불을 올린다. 캄캄한 밤의 침묵에 자유의 종을 난타한다."

■가 볼 곳 | 4 · 19 국립 묘지 ■만날 사람 | 김주열 ■주요 사건 | 4 · 19 혁명

| 부정 선거의 결정판 |

이승만 독재 정권 아래, 민중들의 생활은 어려웠고 독재 정치에 대한 불만은 높아만 갔다. 1960년 대통령 선거가 실시되자 85세의 고령이던 이승만이 다시 후보로 나왔다. 자유당은 이승만과 이기붕을 각각 대통령과 부통령 후보로 내세웠고, 이에 맞서 민주당은 조병옥과 장면을 후보로 내세웠다. 국민들은 다시 기대를 갖기 시작하였다.

그런데 선거를 한 달 앞두고 민주당 후보 조병옥이 미국에서 질병 치료 중 사망하였다. 이승만은 자연스럽게 당선될 수 있었고, 문제는 부통령 선거였다. 분위기는 자유당에 불리하게 돌아갔다. 위기를 느낀 자유당은 선거 승리를 위해 관청 공무원까지 동원한 불법 선거를 저질렀다. 선거일 이전에 투표하게 하거나 3인조, 9인조 공개 투표, 투표함 바꿔치기 등이 대표적인 수법이었다.

투표장에 나서는 여인들

자유당은 경찰과 공무원을 총동원하여 유권자들을 3~5인으로 묶어 투표장에 가도록 강압하였다. 자유당 선거 운동원은 이들의 기표 상황을 확인한 후 투표 용지를 함에 넣게 하였다.

1960년 3월 15일에 행해진 선거는 이승만과 이기붕의 압도적 승리로 끝났다. 일부 지역에서는 자유당 표가 전체 유권자 수보다 많이 나올 정도여서 당황한 선거 관리 위원회는 이승만, 이기붕의 득표율을 낮추어 발표하였다. 3 · 15 부정 선거는 이승만 정권이 민주주의를 정면으로 부정한 사건이었다.

자유의 종을 거세게 두드려라!

수송 초등 학교 학생들의 시위

시위가 확산되면서 초등 학교 학생들까지 시위에 가담하기에 이르렀다. "국군 아저씨들, 부모 형제에게 총부리를 대지 마라."는 깃발을 들고 시위를 하고 있다.

민중들은 분노하였다. 이미 선거 이전부터 부정 선거에 대한 반발이 있었고, 선거 직후 전국 몇몇 지역에서 이승만 자유당 정권에 반대하는 시위가 일기 시작하였다.

선거 당일, 마산에서는 선거 무효를 주장하는 학생과 시민의 시위가 있었고, 시위는 점차 전국으로 확산되었다. 이승만 정권은 경찰을 동원하여 시위를 무력으로 진압하였다.

4월 11일, 마산 앞바다에 최루탄 파편이 눈에 박힌 시체가 떠올랐다. 당시 마산 상고 1학년 김주열 학생이었다. 국민의 분노는 폭발하였다.

4월 19일, 중 · 고등 학생, 대학생, 시민 등 수십만 명의 시위대가 서울 거리를 가득 메웠다. 시위대 행렬은 이승만 정권의 심장부인 경무대(지금의 청와대)로 향하였다. 시위대는 이제 선거 무효를 넘어 독재 정권 타도를 외쳤다. 경찰은 시위대를 향하여 총을 쏘아 댔다. 많은 사람들이 죽고 다쳤다. 19일 하루 동안 전국의 시위 참가자 중 사망자가 130여 명, 부상자가 6000여 명에 이르렀다.

▶ 경무대 앞 시위 ▶ 대학 교수단 시위 ▶ 이승만의 망명

장면 내각

제1공화국이 무너지고 의원 내각제 헌법 개헌이 이루어진 뒤, 총선거에서 다수당으로 집권한 장면 정권 내각이 첫 합동 기자 회견을 하는 모습이다.

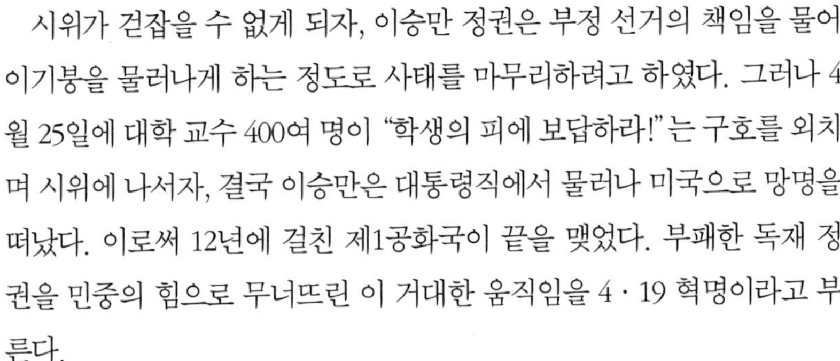

시위가 걷잡을 수 없게 되자, 이승만 정권은 부정 선거의 책임을 물어 이기붕을 물러나게 하는 정도로 사태를 마무리하려고 하였다. 그러나 4월 25일에 대학 교수 400여 명이 "학생의 피에 보답하라!"는 구호를 외치며 시위에 나서자, 결국 이승만은 대통령직에서 물러나 미국으로 망명을 떠났다. 이로써 12년에 걸친 제1공화국이 끝을 맺었다. 부패한 독재 정권을 민중의 힘으로 무너뜨린 이 거대한 움직임을 4 · 19 혁명이라고 부른다.

이승만이 물러난 다음 내각 책임제 개헌이 이루어지고, 총선거를 통해 다수 의석을 차지한 민주당이 장면을 총리로 하는 내각을 구성하였다. 제2공화국이 출범한 것이다.

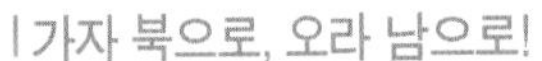

| 가자 북으로, 오라 남으로! |

교원 노동 조합 결성

이승만 정권 때 교육이 독재 권력에 이용되었던 점을 반성하면서 올바른 교육을 통한 민주주의 건설에 앞장서겠다는 다짐이었다.

이승만 정권을 무너뜨린 민중들은 그 동안의 억눌림에서 벗어나 자신들이 바라던 세상을 만들기 위한 활동을 활발히 벌였다. 독재자에 의해 자유로운 활동을 하지 못하였던 교사와 기자들은, 교원 노동 조합과 기자 노동 조합을 결성하여 참된 교육과 진실 보도를 새롭게 다짐하였다. 전국에서 수많은 노동 조합들이 새로 만들어졌으며, 자주적인 노동 조합 단체로 한국 노동 조합 총연맹이 탄생하였다.

진보적인 지식인들은 '사회 · 혁신 · 통일' 등의 명칭을 갖는 정당을 결성하고 새 사회 건설을 위해 움직였다.

학생과 지식인들이 적극적으로 벌인 운동은 통일 운동이었다. 이들은 이승만 정권의 '무력에 의한 북진 통일' 정책에 반대하고, 상호 교류와 통신 및 거래를 확대하여 평화적인 통일을 추구할 것을 요구하였다. '가자 북으로, 오라 남으로!' 라는 구호가 이 때 유행하였다.

하지만 독재 정권이 무너진 뒤에도 민중들의 요구를 실현할 수 있는 정치 세력은 없었다. 이승만 정권 아래서 외무부 장관을 맡았던 허정은 임시 과도 정부 책임자로서, '비혁명적인 방법으로 혁명을 달성하겠다.'

는 아리송한 말을 내세우면서 혁명의 불길을 끄기에 바빴다.

선거를 통해 수립된 제2공화국 장면 정권도 보수적이기는 마찬가지였다. 그들 정치인들은 4 · 19 혁명에 주도적으로 참여하지 않았으면서, 혁명의 열매를 차지한 사람들일 뿐이었다. 혁명을 더욱 계승, 발전시키려는 노력보다 내부 권력 다툼이 심하여 제대로 나라를 끌어가지 못하였다.

저요, 저요

1. 마산에서 3 · 15 부정 선거 반대 시위 도중 살해되었다가 바다에 떠올라, 혁명의 도화선이 되었던 학생은 □□□이다.
2. 4 · 19 혁명의 성공 후 개정된 헌법에 따른 우리 나라 정부 형태는?

나도 역사가

1960년 4월 19일, 내가 만일 경무대 앞에 있었다면 어떤 기록을 남겼을까? 당시 중학생이 썼던 편지를 참고로 하여 현장감 있게 써 보자.

진영숙(한성 여중 2학년) 양이 부모에게 남긴 편지

시간이 없는 관계로 어머님을 뵙지 못하고 떠납니다. (중략) 어머님, 데모에 나간 저를 책하지 마시옵소서. 우리들이 아니면 누가 데모를 하겠습니다. 저는 아직 철없는 줄 압니다. 그러나 국가와 민족을 위하는 길이 어떻다는 것을 알고 있습니다. (중략) 저는 생명을 바쳐 싸우려고 합니다. 데모하다 죽어도 원이 없습니다. 어머님, 저를 사랑하시는 마음으로 무척 비통하게 생각하시겠지마는 온 겨레의 앞날과 민족의 해방을 위하여 기뻐해 주세요. (중략) 부디 몸 건강히 계세요. 거듭 말씀드리지만 저의 목숨은 이미 바치려고 결심하였습니다.

大統領 緊急조치 4號선포

違反者는 최고死刑

「民主靑年學生聯」同調등 엄단

「데모學校」廢校가능

地方長官, 兵力요청 할수도

不純 요인塞源 安保다지려

2 5 · 16 군사 정변, 반공과 경제 개발

"민주주의라는 빛 좋은 개살구는 기아와 절망에 시달린 국민 대중에게는 너무나도 무의미한 것이다. 경제 개발을 위해서는 모든 것을 희생할 각오로 나서야 한다."

—박정희—

■가 볼 곳 | 서울 시청 앞 ■만날 사람 | 박정희 ■주요 사건 | 5 · 16 군사 정변, 한 · 일 협정 체결

| 군인들, 전면에 나서다 |

정변을 일으킨 박정희

박정희(1917~1979)는 경북 구미 출신으로 만주 육사를 졸업하고 만주국 소위로 군생활을 시작하였다. 5 · 16 군사 정변으로 정권을 잡은 뒤, 18년 동안 최고 권력자로 군림하였다.

혁명 공약

1. 반공을 첫 번째 국가 이념으로 삼고 반공 체제를 강화하겠다.
2. 미국을 비롯한 자유 우방과 유대를 강화하겠다.
4. 굶주림에 허덕이는 민중들의 생활을 개선하겠다.
5. 통일을 위하여 공산주의와 대결할 수 있는 실력을 기르겠다.

혁명 후 1년이 지난 1961년 5월 16일, 다시 한 번 총소리가 서울의 새벽을 뒤흔들었다. 이번에는 박정희 소장이 지휘하는 군인들이 정변을 일으킨 것이다. 혁명의 씨앗이 싹터 뿌리를 내리기에는 너무나 짧은 기간이었다.

서울을 장악한 군인들은 군사 혁명 위원회를 설치하고는, 이른바 '혁명 공약'을 내걸어 정변을 일으킨 명분을 밝혔다.

정변의 주동 세력은 박정희 소장을 중심으로 한 200여 명의 장교와 그들의 지휘 아래 있었던 3000여 명 정도의 군인에 불과하였지만, 정변이 성공한 것은 그들이 내세운 반공, 친미, 경제 재건이 군부의 뜻을 잘 반영하였기 때문이었다. 또한 민주당의 잘못된 정치 운영과 경제 정책의 실패에 따른 민중들의 실망도 한몫하였다.

정변이 일어나자 장면 내각은 총사퇴하고, 정권은 군사 혁명 위원회로 넘어갔다. 제2공화국이 무너지고 군사 통치가 시작된 것이다.

| 제3공화국, 문을 열다 |

미국 케네디 대통령을 만난 박정희

박정희는 1961년 11월에 미국을 방문하여 반공 및 미국과의 유대 관계를 유지할 것임을 알렸다.

"군정 연장 결사 반대"

박정희 군정 통치에 대한 국민들의 반발을 잘 보여 주고 있다.

박정희는 군사 혁명 위원회를 국가 재건 최고 회의로 바꾸고 군사 통치를 시작하였다. 제2공화국 때의 정치인들의 활동을 금지하였으며, 사회 단체를 해산시키고, 집회와 시위, 단체 결성을 금지하였다. 또한 언론·출판을 검열, 통제하였다. 이로써 4·19 혁명으로 싹트기 시작하던 민주주의, 통일 운동, 각 부문의 민주화 움직임은 무참하게 싹이 잘렸다.

군부가 특히 힘을 기울인 것은 미국과의 관계 개선이었다. 박정희는 미국을 방문하여 케네디 대통령에게 2년 안에 민간인들에게 정권을 넘기겠다는 약속을 하고 미국의 지지를 얻어 냈다.

군부 세력은 정권 유지에 필요한 정보를 수집하고 반대 세력을 조종, 탄압하기 위해 중앙 정보부를 만들었다. 또한 다른 정치인들의 활동을 금지시킨 상태에서 1962년부터 공화당 조직 작업에 착수하였다. 이어 국가 재건 최고 회의에서는 헌법을 개정하여, 국민의 직접 선거에 의해 선출된 대통령이 강력한 권한을 행사하는 대통령 중심제 정부 체제를 만들었다.

1963년 8월 30일, 군대로 돌아가겠다던 박정희는 민간인이 되어 대통령 출마를 선언하였다. 이어 실시된 대통령 선거에서 윤보선을 아슬아슬하게 앞질러 대통령에 당선되었다. 제3공화국이 출범한 것이다.

한 · 일 협정 체결

한국 정부가 앞으로 식민 지배와 관련해 더 이상 일본에게 배상을 요구하지 않기로 하고, 일본이 무상 3억 달러, 정부 차관 2억 달러, 민간 차관 1억 달러를 주기로 합의하였다. 이 협정은 35년간의 식민 통치로 인한 우리 민족의 고통을 외면한 굴욕이었다.

박정희는 "민주주의라는 빛 좋은 개살구는 기아와 절망에 시달린 국민 대중에게는 너무나도 무의미한 것이다."라며, 경제 개발을 위해서는 모든 것을 희생할 각오로 나서야 한다고 주장하였다. 그리고 "조국 근대화를 통해 민족 중흥을 이룩하겠다."고 하였다.

박정희는 "국가와 기업이 손을 잡고 수출을 통해 경제를 성장시키자."며 기업의 성장을 우선적으로 강조하였다.

이제 경제 개발을 위해서는 개인의 자유와 인권도 희생할 수 있어야 하며, 심지어는 독재 정치마저도 인정되어야 한다는 주장도 일어났다. "선(先) 건설, 후(後) 통일"이라는 주장 아래 통일을 이야기하는 것조차 어려워졌다.

경제 개발을 위해서는 자본이 필요하였다. 박정희 정권은 자본을 마련하기 위해 일본으로 눈을 돌렸다. 35년간의 식민 통치 책임을 면제하는 대신, 일본으로부터 경제 개발에 필요한 자본을 가져오려고 하였던 것이다. 국민들의 격렬한 반대 속에 1965년 6월, '한 · 일 협정'이 정식으로

구로 공단 조성

경제 개발 5개년 계획을 추진하면서 울산(1962년), 서울의 구로동(1965년)에 대규모 공업 단지를 조성하여 수출 산업을 육성하기 시작하였다.

경공업 육성 정책

박정희 정권의 '조국 근대화' 정책은 경제 개발 5개년 계획을 통해 이루어졌다. 1962년에 처음으로 시작된 제1차 경제 개발 5개년 계획은 값싼 임금을 바탕으로 경공업을 육성하는 데 주안점을 두었으며, 제3차 경제 개발 5개년 계획 때에는 중화학 공업 육성을 강조하였다.

베트남 파병

조인되었다.

이 시기 박정희 정권이 추진한 또 하나의 정책은 '월남 파병' 이다. 박정희는 미국의 지지와 경제 원조를 보장받고, 북한이 도발할 경우 미군이 자동적으로 개입하게 될 상황을 염두에 두고 베트남에 군대를 보내겠다고 제안하였다.

베트남에서 전투가 본격화되고, 미군이 어려움을 겪게 되자 미국은 한국에 전투 부대 파견을 요청하였다. 1965년 국회에서 '베트남 공화국 지원을 위한 국군 부대의 해외 파병 동의안' 이 통과되었다. 이후 1973년에 비둘기 부대가 철수할 때까지 10여 년 동안 베트남 전쟁에서 국군의 군사 작전으로 베트남 인 4만여 명이 희생되었으며, 우리 군도 5천여 명의 사상자를 냈다.

베트남에 파병된 젊은이들의 희생으로 한국은 미국과의 군사적 동맹 관계를 더욱 강화할 수 있었다. 이 희생은 또한 한국의 경제 재건에도 상당한 도움이 되었다. 그러나 미국을 제외한 다른 외국으로부터 비난의 대상이 되었으며, 오늘날까지도 한국 · 베트남 간의 아픈 상처로 남아 있다.

저요, 저요

1. 박정희 정권이 경제 개발에 필요한 자본을 확보하기 위해 취한 정책은?
2. 박정희 정권은 미국과의 협력 관계를 강화하기 위해 □□□에 군대를 파견하였다.

과거와 현재의 대화

박정희 전 대통령에 대한 오늘날의 엇갈린 평가들을 바탕으로 근거 자료를 수집하고, 토론해 보자.

지지 : 1960년대부터 시작된 급속한 개발과 산업화로 한국 사회는 엄청난 발전을 이루었다. 수출과 GNP의 급속한 성장, 공업과 주요 기간 시설의 눈부신 발전, 도시의 팽창, 산업 구조의 변화 등이 빠른 속도로 진행되었다. 이 과정에서는 민주주의를 유보하는 것이 불가피하였다.

비판 : 개발과 성장의 이면에는 어두운 그림자들이 도사리고 있었다. 독재 정권에 의한 정치, 민주화 억압과 인권 탄압, 특혜와 비리로 점철된 정경 유착, 군사 문화의 범람, 가혹한 노동 착취 등 심각한 문제가 대두되었다.

大統領 緊急조치 4號선포

「데모學校」廢校가능

違反者는 최고死刑

「民主青年學生聯」同調등 엄단

地方長官, 兵力요청 할수도

不純요인 塞源 安保다지려

3 산업화와 생활의 변화

박정희가 집권한 지 딱 10년째인 1970년, 그 해 한국에서는 두 가지의 상징적인 사건이 있었다. 바로 경부 고속 도로의 개통과 청년 노동자 전태일의 분신이다.

■가 볼 곳 | 평화 시장 ■만날 사람 | 전태일 ■주요 사건 | 경부 고속 도로 건설, 전태일 분신

| 1970년, 경부 고속 도로 개통 |

경부 고속 도로는 제2차 경제 개발 5개년 계획 기간 동안인 1968년 2월 1일에 시작하여, 약 2년간의 공사 기간을 거쳐 1970년 7월에 완공되었다. 총공사비 약 420억 원, 서울~부산 간 총연장 428km였다.

경부 고속 도로는 경제적으로 매우 중요한 기능을 하였다. 수도권과 영남 공업권을 연결하는 경제 대동맥으로, 2대 수출항인 인천과 부산을 연결하여 수출 주도의 경제 개발에 박차를 가하게 되었다. 또한 전국이 하루 생활권으로 바뀔 수 있었다.

경부 고속 도로는 제3공화국 경제 개발의 상징이었다. 매년 10%에 가까운 경제 성장이 이루어졌으며, 세계에 '한강의 기적' 으로 소개되기에 이르렀다. 그러나 이러한 고도 성장의 이면에는 기술과 자본의 해외 의존, 기업의 부실화, 농업의 침체, 도시 · 농촌 간의 소득 격차, 재벌과 권력의 결탁 등 부정적인 요소들이 쌓여 가고 있었다.

경제 성장의 빛

수출 주도의 경제 정책으로 '한강의 기적' 이라고 지칭되는 경제 개발이 이루어졌다.

▲ 수출품을 나르는 컨테이너 ▲ 수출 100억 불 달성(1977년) ▲ 강남 신흥 아파트 단지

籠城근로자 燒身自殺

處遇改善의 外面 青年 「基準法」 껴안은채

"내 죽음 헛되이 말라"

전태일 분신 보도 기사

| 1970년 젊은 노동자의 분신 |

이 시기의 경제 성장은 값싼 물건을 만들어 해외에 수출하는 방식으로 이루어졌다. 저가품 생산을 위해서는 노동자들의 임금과 농산물 가격이 낮아야 하였다. 그리하여 경제가 성장하였어도 노동자와 농민의 생활은 여전히 어려웠다. 이러한 상황을 상징적으로 보여 주는 사건이 청계천 의류 생산 공장의 재단사였던 청년 전태일의 분신이다.

전태일, 그는 국민 학교 졸업 학력으로, 17세에 평화 시장의 의류 생산 노동자가 되었다. 당시 의류 생산 노동자들의 임금과 노동 환경은 열악하기 그지없었다. 10대 중반의 나이 어린 여공들이 비좁은 먼지투성이 작업장에서 직업병에 시달리면서 하루 16~18시간을 작업하기 일쑤였다. 그렇게 일한 대가도 근근히 생계를 유지할 정도밖에 되지 않았다.

전태일은 이러한 노동 현실을 개선하기 위해 앞장섰다. 노동 실태를 조사하여 노동청 등에 진정서를 제출하였다가 다니던 공장에서 해고되기도 하였다.

22세 때인 1970년 11월 13일, "일 주일에 한 번만이라도 햇빛을 보게 해 달라!" "우리는 기계가 아니다!"라고 외치며 시위에 나섰다가 경찰의 제지를 받고, 몸에 휘발유를 뿌려 분신을 하였다.

전태일의 분신은 1970년대 전후의 경제 성장이 노동자·농민의 피와 땀으로 이루어졌음을 잘 보여 준다.

경제 성장의 그늘

경제 성장은 낮은 임금 노동력을 기반으로 하는 것이었다. 열악한 작업 환경과 주거 환경 등 노동자의 희생은 한국 경제 발전의 밑거름이었다.

▲ 청계천 피복 공장 내부

▲ 무허가 판자촌(달동네)

| 산업화로 인한 생활의 변화 |

1960년대 이후 경제 개발을 통한 산업화와 기술 문명의 발달은 사람들의 생활을 크게 변화시켰다. 농업과 임업 같은 1차 산업의 비중이 낮아지

만원 버스 출근길

▶ [아스팔트 생활] 도시로의 인구 집중

산업화는 필연적으로 도시화를 촉진시켰다. 1970년대 중반에 이르러 도시 인구가 전체 인구의 절반을 넘어서게 되었다. 농촌은 텅 비어 갔고, 넘쳐나는 도시 인구로 도시 빈민들은 어려운 생활을 겪어야 하였다.

사라져 가는 석유등

▶ [도깨비불의 위력] 전기 보급

19세기 말, 최초로 경복궁의 밤을 밝힌 이래, 전기의 보급은 생활을 크게 변화시켰다. 1965년 말 농어촌 12%, 도시 51% 수준에 불과하였던 전기 보급률은 1979년이 되면서 전국 평균 98.7%로 급상승하게 되었다. 전력은 산업 활동에서 없어서는 안 되는 중요한 자원이다. 전깃불은 사람들의 활동 시간을 연장시켜 주었다. 석유 등잔, 호롱불은 점차 골동품이 되어 갔다.

저요, 저요

1. 1970년대 경제 성장의 상징으로, 산업 발달과 전국 일일 생활권을 가능하게 하였던 것은 □□ □□ □□이다.
2. 1970년 노동자들의 생존권 보장을 외치다 분신한 노동자는?

고, 공업, 서비스 업의 비중이 높아지면서 인구의 절반 이상이 도시 생활을 하게 되었다. 기술의 발달은 실생활을 더욱 편리하고 윤택하게 해 주었다. 또한 경제 성장은 교육 기회의 확대를 가져왔다.

▶ [여보세요?] 전화 보급

1970년대에는 학생들의 가정 환경 조사서에 '전화 있는 집'을 표기하는 칸이 있었다. 이 때까지만 해도 전화는 부유한 사람들의 전유물이었다. 전화는 원거리 의사 소통을 가능하게 하였고, 우체국 전보 이용도 점차 줄게 되었다. 이제는 무선 통신과 인터넷의 발달로 유선 전화의 비중이 줄게 되었다.

인터넷 PC방

▶ [텔레비전에 내가 나왔으면…] 텔레비전 보급

한국에서 TV 방송이 개국된 것은 1956년의 일이고, 한국산 TV는 1966년 흑백 진공관식 19인치 TV가 최초였다. 1982년에는 한국이 흑백 텔레비전 수상기에서 세계 제1의 수출 및 생산국이 되기에 이르렀다. 컬러 텔레비전은 1980년 8월부터 시판되었고, 컬러 방송은 같은 해 12월부터 시작되었다. 텔레비전 수상기의 가구당 보급률은 1980년도의 86.7%에서 1985년의 99.1%로 늘어나는 추세였다. 텔레비전은 가정과 사회에 많은 변화를 가져 왔다. 공감대의 형성과 교양의 증진이라는 긍정적인 측면이 있는가 하면, 가족 구성원 간의 대화 단절과 저질 문화의 양산을 초래하였다는 부정적인 측면도 있었다.

컬러 텔레비전 시판회

나도 역사가

다음과 같은 기술 물질 문명은 이전에 비해 생활을 어떻게 변화시켰을까? 설문 조사를 포함한 보고서를 작성하여 보자.

● 아파트 보급 ● 자가용 자동차 ● 개인용 컴퓨터(PC)

「데모學校」廢校가능
大統領 緊急조치 4號선포
違反者는 최고死刑
「民主靑年學生聯」同調등 엄단
地方長官, 兵力요청 할수도
不純요인禍源 安保다지려

4 자주, 민주를 향한 거센 파도

"박정희 독재 정권의 붕괴는 곧 민주주의의 확보와 기본 생존권의 확보를 의미하여야 한다. 20년 동안 잘못되어 온 사회, 경제 구조를 재편성하여야 한다."

■가 볼 곳 | 부 · 마 항쟁 현장 ■만날 사람 | 장준하 ■주요 사건 | 유신 체제와 민주화 운동

3선 개헌 변칙 통과

야당 의원들이 국회에서 밤샘 농성을 하고 있는 사이에, 여당은 다른 곳에서 법안을 통과시켰다.

1968년 그 한 해

1960년대 후반 국내외의 불안 상황은 독재 권력 강화의 빌미가 되었다. 북한의 공격적인 도발이 계속되었고, 미국 정보함 푸에블로 호가 영해 침해로 북한에 끌려가는 사건이 발생하여 안보 문제가 더욱 부각되었던 것이다.

| 종신 대통령을 향해 |

박정희 정권의 제1차 경제 개발 5개년 계획은 어느 정도 성과를 거두었다. 박정희는 이 해에 실시된 대통령 선거에서 다시 윤보선과 대결하여 10% 이상의 득표 차이를 보이며 쉽게 승리하였다. 그러나 이 때 영남에서는 70% 이상 득표한 반면, 호남에서는 윤보선에 비해 약간 적은 표를 얻었다. 경제 개발 계획의 투자가 영남에 치우친 것에 대한 반응이었다.

자신감을 얻은 박정희는, 경제 개발의 지속적인 추진을 위해서는 강력한 통치력이 필요하다는 명분을 내세워 권력을 독점해 가기 시작하였다. 1969년, 박정희는 두 번만 하게 되어 있는 대통령직을 세 번까지 할 수 있도록 헌법을 개정하려 하였다.

야당인 신민당과 학생, 재야의 지식인들은 헌법 개정에 반대하는 운동을 대대적으로 전개하였다. 그러나 여당인 공화당은 야당 의원들이 없는 곳에서 몰래 개헌안을 통과시켰다.

▲1968년 1월, 무장 간첩 청와대 습격

▲1968년 1월, 북한, 미국의 푸에블로 호 나포

▲1968년 11월, 울진·삼척 무장 공비 침투

| 유신 체제의 성립 |

박정희는 헌법을 개정한 후 야당 후보로 결정된 김대중과 겨루었다. 김대중은 박정희가 다시 헌법을 바꾸어 아예 대통령 선거를 없앨지도 모르니 민주주의를 위해 자신을 지지해 달라고 하였다. 박정희는 경제 개발 계획의 완성을 위해서는 그 계획을 추진해 온 사람이 필요하다며, 이번 한 번만 더 밀어 주면 다음에는 반드시 물러나겠다며 지지를 호소하였다.

선거가 시작되자 헌법 개정과 독재 정치에 반대하는 국민이 김대중을 지지하면서 그 결과는 예측하기 어려울 정도가 되었다. 그러나 승리는, 권력을 활용하면서 영남과 호남의 지역 감정을 조장한 박정희에게 돌아갔다.

대학을 점령한 군인들

학생들의 반독재 투쟁을 막기 위해 계엄령, 위수령 등을 발동하고 대학 구내에 군대를 주둔시켰다.

곧이어 치러진 국회 의원 선거에서도 야당의 지지율이 높게 나타나자, 정권 유지가 어렵다고 생각한 박정희는 결국 위수령을 선포하여 군대를 통해 민주화 운동을 탄압하였다.

박정희는 여기에서 그치지 않고 영구 집권을 위한 계획을 추진하였다. 이른바 '10월 유신'이다. 아예 간접 선거 방식으로 대통령을 뽑으며, 임기 6년에 중임 제한을 없앴다. 또한 국회 의원의 3분의 1은 실질적으로 대통령이 임명할 수 있도록 하였다. 이제 박정희는 절대 권력을 가질 수 있게 되었고, 민주주의는 더 이상 존재하지 않게 되었다.

박정희는 나라 안팎이 몹시 어렵다며, 국력을 모으기 위해 특별한 조치를 할 수 밖에 없다고 선언하였다. 그리하여 통일 주체 국민 회의가 체육관에서 대통령을 뽑게 되었으며, 박정희는 놀라운 득표율로 당선되었다.

▲1972년 10월, 계엄령 선포

▲1972년 12월, 체육관 대통령 선거

장준하(1918~1975)

해방 전 한국 광복군으로 항일 투쟁에 참가하였으며, 1970년대에는 유신 체제에 대한 반대 운동을 전개하였다. 1975년 의문의 죽임을 당하였다.

유신 헌법으로 대통령의 권한은 극대화되었고, 독재 정치가 한국 사회를 짓눌렀다. 그러나 이에 맞서 민주주의를 실현하려는 운동도 활발하게 전개되었다.

학생과 언론, 종교계의 민주 인사들은 유신 체제 폐지를 요구하는 시위 운동을 꾸준히 벌여 나갔다. 1973년에는 장준하 등이 중심이 되어 '개헌 청원 100만인 서명 운동' 을 대대적으로 벌이기도 하였다.

박정희 정권은 이를 탄압하기 위해 여러 차례에 걸쳐 헌법의 효력을 능가하는 긴급 조치를 선포하였다. 그리고 저항이 있을 때마다 경찰 등을 동원하여 반대 세력을 탄압하였다.

「데모學校」廢校가능

大統領 緊急조치 4號선포

違反者는 죄고死刑

「民主靑年學生聯」同調등 엄단

地方長官, 兵力요청 할수도

不純요인塞源 安保다지려

긴급 조치 4호

긴급 조치 1호

1. 대한 민국 헌법을 부정 · 반대, 왜곡 · 비방하는 일체의 행위를 금한다.
2. 헌법의 개정, 폐지를 주장하는 등의 일체의 행위를 금한다.
5. 이 조치를 위반하는 자는 법관의 영장 없이 체포 · 구금 · 압수 · 수색하며, 15년 이하의 징역에 처한다.

憲法비방·改廢선전 禁止

流言비어·學生 政治관여 不容

違反내용 報道하면 停·廢刊도

公務員收賄 加重처벌

모든國力 總集結해야

高大 休校令

「週刊朝鮮」復刊號 오늘

긴급 조치 9호

가혹한 탄압에도 불구하고 민주주의를 향한 열망은 수그러들지 않았다. 재야의 정치인과 종교인, 지식인들은 여러 단체를 만들어 유신 체제 철폐를 위해 노력하였다. 민주주의를 향한 학생들의 열정은 놀라울 정도였다. 학생들은 학교별로 시위를 벌이는 한편, 연합 시위를 주도하여 유신 체제에 대한 국민적 저항을 앞장서서 이끌었다.

| 부 · 마 항쟁, 유신 체제를 무너뜨리다 |

박정희 장례식

1978년, 박정희는 통일 주체 국민 회의 대통령 선거에 혼자 나섰으며, 대의원 2578명 중 무효 1표를 제외한 2577명 100%의 찬성으로 다섯 번째 대통령에 당선되었다.

그러나 민심은 박정희 정권을 떠나고 있었다. 그 해 실시된 국회 의원 선거에서 야당인 신민당이 득표율에서 여당인 공화당을 앞섰다. 이에 자신을 얻은 신민당은 봇물처럼 터져 나오던 유신 반대 운동에 합류하였다. 그러자 박정희 정권은 신민당 총재인 김영삼을 국회 의원에서 제명하고 민주 인사들을 폭력적으로 탄압하였다.

김영삼의 의원직 제명을 계기로 박정희 정권에 대한 투쟁이 새롭게 불타 올랐다. 특히 부산과 마산에서는 수많은 시민과 학생들이 거리로 쏟아져 나왔다. 이들은 '유신 철폐, 야당 탄압 중지' 등을 내걸고 격렬하게 시위를 벌였으며, 경찰서나 공화당 당사를 공격하기도 하였다(1979. 부·마 항쟁). 정부는 부산과 마산 지역에 계엄령을 내리고 군대를 파견하여 난폭하게 진압하였다.

유신 반대 열기가 치솟는 가운데, 박정희 정권 내에서는 이의 처리를 놓고 의견이 갈라졌다. 갈등의 와중에서 박정희가 당시 중앙 정보부장이던 김재규에게 피살됨으로써 18년에 걸친 박정희 장기 집권은 갑작스럽게 막을 내렸다.

저요, 저요

1. 박정희가 권력을 영구히 독점하기 위해 만든 헌법을 □□ 헌법이라 부른다.
2. 한국 광복군 출신으로 유신 체제에 맞서 투쟁한 인물은?

나도 역사가

박정희와 장준하에 대해 조사하여 두 사람의 삶을 연대별로 비교해 보자.

● 해방 전 행적 ● 1950년대 ● 1970년대 ● 핵심 사상

〈역사의 현장〉

1979년 가을 궁정동에서 울린 총소리

부 · 마 항쟁

박정희의 유신 독재는 민중들의 생존권과 민주화 열망을 억눌렀다. 민중들의 열망이 폭발하여 부 · 마 항쟁으로 이어졌다.

박정희 시해 현장 검증

1979년 10월 26일 저녁, 청와대 근처 궁정동에서 몇 발의 총성이 울렸다. 다음날 아침 놀라운 사실이 발표되었다. 박정희 대통령이 당시 중앙 정보부장이었던 김재규의 총에 맞아 사망하였다는 것이다. 18년을 이어오던 박정희 정권이 하루 저녁에 무너진 것이다.

"국민 여러분, 민주주의를 만끽하십시오."

김재규는 무슨 생각을 하고 있었을까? 다음은 김재규가 사형을 언도받고 처형되기 며칠 전 교도관에게 남긴 최후 증언의 일부이다.

"나의 죽음, 즉 나의 희생이라고 하는 것은 무엇을 의미하느냐 하면, 우리나라 모든 국민이 동시에 자유 민주주의가 절대 필요하고 자유 민주주의는 절대 회복되어야 하겠구나 하는 것을 아주 확실히 깨닫게 되고, 또 그것을 확실히 자기 몸에다가, 목에, 자기 가슴에다가 못박고 생각할 수 있는 그런 계기가 될 것입니다. 그렇기 때문에 요번에 나의 희생이라고 하는 것은 민주주의의 아름다운 꽃과 열매를 맺기 위한 민주주의 나무의 거름이다, 이렇게 생각합니다.

그렇기 때문에 나는 지금 이 시간이 된 것을 명예롭게 생각하고, 또 보람으로 생각하고 매우 즐겁습니다. 나의 심정을 바로 이해해 주는 사람은 바로 나의 뜻을 짐작할 수 있으리라고 생각합니다."

그는 담담하게 죽음을 맞았다고 한다.

박정희 대통령 사망 이후 잠시 동안 권력의 공백이 생겼다. 이 기회를 재빨리 포착하여 권력을 장악해 간 세력은 군부였다. 당시 보안 사령관으로 군대 내의 정보와 사회의 동태를 민감하게 파악하고 있었던 전두환이 권력을 장악하였다. 오래 전부터 군대 내에는 '하나회'라는 정치 권력을 지향하는 장교의 사조직이 있었고, 그 핵심 인물이 그였던 것이다.

전두환(1931~)

경남 합천에서 태어나 군인이 되었다. 5·16 군사 정변을 지지하는 육사 생도들의 시위를 주도한 이후 박정희의 특별한 배려를 받았다. 박정희가 죽은 후 쿠데타를 일으켰다.

大統領 緊急조치 4號선포

「데모學校」廢校가능

違反者는 최고死刑

「民主青年學生聯」同調등 엄단

地方長官, 兵力요청 할수도

不純요인 根源 安保다지려

5 민주주의여 만세!

"더 이상 군사 독재 정권이 잔혹하고 야만적인 지배를 강요한다면 민주화도, 통일도 꿈에 지나지 않을 것이다. 국민이 진정 나라의 주인이 되고 통일된 나라에서 살기 위해서는 독재 정권을 물리치고 민주 헌법을 쟁취하여야 한다."

■가 볼 곳 | 1980년 5월 광주 ■만날 사람 | 전두환, 박종철 ■주요 사건 | 광주 민중 항쟁, 6월 민주 항쟁

| 쿠데타와 신군부의 등장 |

절대 권력자 박정희의 사망으로 나라는 한순간 권력의 공백 상태가 되었다. 그 동안 의회나 행정부의 정상적인 기능을 통해서 나라를 운영한 것이 아니었기 때문이다.

권력의 공백 상태를 밀고 들어온 것은 군인들이었다. 당시 보안 사령관으로 군대와 국내의 정보를 폭넓게 파악하고 있던 전두환과 일부 군부 세력은 기습적으로 육군 참모 총장을 제거하고 군대를 장악하는 쿠데타를 일으켰다(1979. 12. 12.).

군부 내의 이러한 움직임에도 불구하고 민주화를 열망하는 국민의 기대는 1980년 봄부터 활활 타올랐다. '서울의 봄'이 열린 것이다. 그 동안 묶여 있던 정치인들은 다시 활동을 시작하였고, 대학생들도 민주주의를 외치며 거리로 나섰다. 임금 인상과 노동 조건의 개선을 요구하는 노동자들의 운동도 크게 일어났다.

신군부는 박정희 사후 군대내 사조직인 '하나회' 장교를 중심으로 쿠데타를 일으켜 권력을 장악하였다. 학생, 시민의 민주화 요구는 총칼로 짓밟았다.

12 · 12 쿠데타의 주역

계엄령

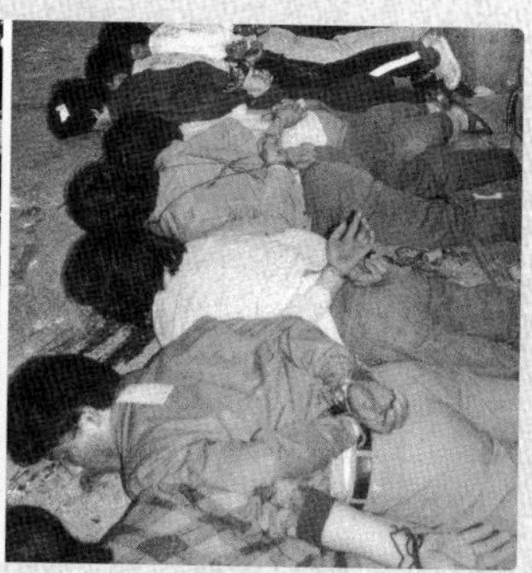

1980년 5월 광주

1980년 5월 광주 계엄군은 평화로운 시위대에 총격을 가하여 사태를 악화시켰다. 결국 10일간의 긴 항쟁으로 이어졌다.

| 광주 민중 항쟁 |

민주화 열기가 날로 치솟자, 전두환 등 군부에서는 이를 사회 혼란으로 몰아붙이며 정권 장악을 시도하였다. 이들은 1980년 5월 17일, 계엄령을 전국으로 확대하고, 전국 주요 거리와 대학에 군대를 주둔시켰다. 그리고 민주화 운동에 나섰던 이들을 체포하기 시작하였다.

5월 18일, 광주의 대학생들은 이에 굴하지 않고 군인들에 맞서 시위를 벌였다. 군인들은 광주 시내 곳곳을 돌아다니며 학생과 시민들에게 마구잡이로 폭력을 휘두르고, 수많은 사람을 끌고 갔다. '화려한 외출' 이라는 이름의 민간인 대상 군사 작전이 전개된 것이다.

광주 시내는 순식간에 피로 얼룩졌다. 다음날부터 학생과 시민들의 시위는 전 시가지로 확대되었다. 계엄군은 시위대에 총격을 가하였고, 시위대는 계엄군에 대항하기 위해 예비군 무기고를 열고 무기를 들기 시작하였다.

시위대가 무장하고 저항하자 5월 22일, 계엄군은 시 외곽으로 철수하였다. 광주 시내는 시민군에 의해 장악되었다. 시민들은 수습 위원회를 구성하여 총기를 거두어들이는 등 질서와 치안을 유지하였다. 폭동과 파괴와 약탈은 일어나지 않았다. 수습 위원회는 군대의 과잉 진압에 항의하고 연행자 석방을 요구하는 등 계엄군과 협상을 벌였다. 그러나 계엄군은 무조건적인 항복만을 강요하였다.

5월 27일 새벽, 계엄군이 기습 공격을 가하여 도청을 포함한 주요 기관을 점거함으로써 광주 민중 항쟁은 끝을 맺었다. 광주 민중 항쟁은 권력을 연장하려는 군부에 대한 민주 세력의 저항이었다. 광주 민중 항쟁을 끝으로 잠시 열렸던 민주화의 봄은 다시 얼어붙었다.

'민주주의를 위해 흘린 피'

민주화 과정에서 많은 사람이 희생되었다. 1987년 정보 기관에서 수사를 받다 사망한 박종철을 애도하는 행렬(위)과 민주화 시위에 참가하였다가 최루탄을 맞고 쓰러진 이한열(아래). 우리는 이들을 민주 열사라 부른다.

민주주의여 만세!

국민의 민주화 열망을 폭력으로 억누른 군부의 통치는 박정희 유신 체제 못지않은 독재였다. 간접 선거로 선출된 전두환 대통령은 절대 권력을 행사하였으며, 국민의 기본권은 철저하게 부정당하였다.

그러나 민주주의를 향한 국민의 열망은 결코 식지 않았으며, 독재 정권에 맞선 민주화 운동은 날이 갈수록 활발해졌다. 학생과 지식인, 종교인들의 투쟁이 이어졌으며, 노동자들도 자신들의 생존권을 지키고 민주주의를 이룩하기 위한 투쟁에 나섰다.

그러나 전두환 정권은 민주 세력을 공산주의자로 몰고, 북한의 남침 위협을 빌미로 민주화 운동을 탄압하였다. 민주 인사들에 대한 체포와 고문 · 투옥이 거듭되었고, 살상에 대한 은폐 · 조작이 이어지고, 원인을 밝히지 못한 의문의 죽음도 꼬리를 이었다.

1987년 1월, 정보 기관에서 조사를 받던 박종철 군이 고문 끝에 사망하는 사태가 발생하였다. 정보 기관은 단순 사망으로 은폐하려고 하였으나 마침내 고문에 의한 사망이었음이 드러났다.

분노한 국민은 정권의 퇴진을 요구하였으며, 전두환이 여당의 후계자를 지명하던 6월 10일을 기해 독재 타도와 헌법 개정을 요구하는 전국적인 시위를 벌였다.

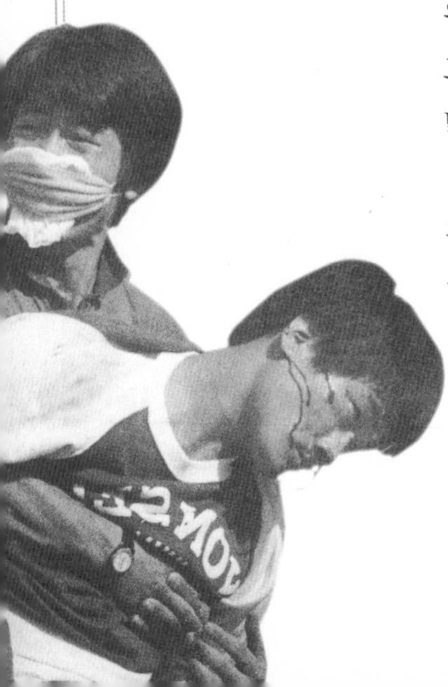

6 · 29 선언

노태우는 전두환과 함께 신군부의 핵심 인물로서, 전두환의 후계자로 지명되었다. 그러나 민중들의 민주화 투쟁으로 6 · 29 선언을 하여 대통령 직선제 개헌 등을 수용하였다.

전국 교직원 노동 조합 결성

교원 노동 조합은 4 · 19 혁명 이후 결성되었다가 5 · 16 군사 정변으로 탄압받고 해체되었다. 1989년 다시 민족 · 민주 · 인간화 교육을 내세우면서 전국 교직원 노동 조합이 창립되었다.

전국의 주요 도시에서 날마다 수백만의 시위대가 독재 타도를 소리 높여 외쳤고, 곳곳에서 경찰의 무장을 해제하기도 하였다. 결국 전두환 정권은 국민의 요구를 수용하여 민주적인 헌법을 제정하기로 약속하였다.

6월 항쟁에 참가하였던 민중들은 이후 자신의 생활 현장을 개혁하기 위한 활동에 나섰다. 노동자들은 노동 조합을 조직하여 자신의 권리를 실현하고자 하였으며, 농민이나 도시 빈민들도 조직을 만들어 생존권을 지키려고 하였다. 교사들은 전국 교직원 노동 조합을 조직하여 교육의 민주화와 참교육의 실현을 위해 나섰다. 이렇게 6월 항쟁은 정치의 민주화에서 그치지 않고, 사회 전체의 민주화를 위한 큰걸음이 되었던 것이다.

저요, 저요

1. 1980년대 초 군부에 저항하여 무장 투쟁이 전개되었던 도시는 □□이다.
2. 정보 기관에서 조사를 받던 중 고문으로 사망하여 6월 항쟁의 직접적인 도화선이 되었던 사람은?

과거와 현재의 대화

2001년에 의문사 진상 규명 위원회가 구성되어 독재 정권 아래서 의문의 죽음을 당한 인사들의 사망 경위를 조사하는 활동을 벌이고 있다. 이 활동이 갖는 의미를 토론해 보자.

의문사 진상 규명 위원회
http://www.truthfinder.go.kr

우리 위원회는 지난 권위주의 통치에서 민주화 운동과 관련하여 공권력에 의하여 희생된 의문사의 진실을 밝히기 위해 대통령 소속으로 2000년 10월 17일에 출범하였습니다.
앞으로 저희는 역사적 소명 의식을 갖고 후손들에게 부끄럽지 않은 역사를 남기기 위해 최선의 노력을 다할 것입니다. 위원회의 활동에 대한 네티즌 여러분의 깊은 사랑과 신뢰를 부탁드립니다.

「데모學校」廢校가능
大統領 緊急조치 4號선포
違反者는 최고死刑
「民主靑年學生聯盟」關聯등 엄단
地方長官 兵力요청 할수도
不純요인 根源 安保다지려

6 국민이 주권자인 시대를 열며

20세기 마지막 10년 동안 한국은, 선거라는 평화로운 절차를 통해 국민 주권자의 시대를 열었다. 21세기에 들어선 한국은, 민주 · 평등 사회의 정착과 통일을 향한 발걸음을 내딛고 있다.

■가 볼 곳 | 국회 의사당 대통령 취임식장 ■만날 사람 | 김영삼, 김대중 ■주요 사건 | 직선에 의한 대통령 선출

| 대통령 직선, 민주 세력의 분열 |

1987년 6월 민주 항쟁에 굴복한 전두환 정권은 대통령 직선제 개헌과 정치 활동의 자유를 인정하기에 이르렀다. 박정희 통치 이후 30여 년을 이어 오던 군부 독재를 국민의 힘으로 끝장낸 것이다. 대통령 선거가 간접 선거 방식의 체육관 선거에서 국민 투표에 의한 직선제로 바뀌었고, 그 동안 정치 활동을 제한당했던 정치인들이 풀려났다. 그리고 사회 각 분야에서 다양한 의견들이 넘쳐나는 등 사회의 민주화가 크게 진전되었다.

그 해 12월, 바뀐 헌법에 따라 제13대 대통령 선거가 치러졌다. 당시 집권 민정당 대표였던 노태우, 1970~1980년대 민주화 투쟁의 핵심 인물이었던 김영삼과 김대중, 박정희 정권의 핵심 인물이었던 김종필 등이 유력한 대통령 후보였다. 6월 항쟁을 이어 민주주의의 완성을 바라던 많은 민중들은 김영삼과 김대중의 후보 단일화를 열망하였다. 그러나 두 사람은 민주 세력의 바람을 저버리고 저마다 후보로 나섰다. 선거 결과는 노태우 후보의 승리였다. 그는 전두환과 더불어 12 · 12 쿠데타를 주도한 군인 출신 정치가였다. 김영삼, 김대중의 분열로 말미암아 군부 통치가 말끔하게 종식되지 못한 것이다.

그렇다고 해서 예전의 군부 독재가 그대로 연장된 것은 아니었다. 노태우 정권은 '보통 사람'을 선거 구호로 내세웠고, 제6공화국을 열면서 '보통 사람'의 시대를 선언하였다. 국민들의 염원과 열망을 일부 수용할

수밖에 없었던 것이다. 남북 관계도 좀더 개선되어, 1991년 남북 기본 합의서를 교환하기에 이르렀다. 이렇게 민주와 통일을 향한 진전은 계속되었다.

| 두 김씨, 차례로 대통령에 당선되다 |

대통령 직선제가 실시되고 새로운 정체를 갖추게 된 제6공화국 이후 평화적인 정권 교체가 이루어질 수 있는 기반이 마련되었다. 이후 5년 주기로 행해지는 대통령 선거와 4년 임기의 국회의원 선거는 국민의 여론과 국가의 운영 방향에 대한 논의가 활발해지는 계기로 작용하였다. 선거를 통해 여론, 민심이 정치의 방향을 제시하였다.

노태우 대통령의 임기가 끝나고, 뒤이어 김영삼과 김대중이 차례로 대통령에 당선되었다. 이들은 독재 정권 시절 민주화 투쟁의 동지이자 강력한 정치적인 라이벌이었으며, 영남과 호남의 지역 정서를 상징하는 인물이었다. 이 두 사람의 당선은 민주화의 정착 과정이라고 할 수 있다. 이들의 경쟁은, 박정희 정권 때부터 형성되기 시작하여 한국 사회에 깊이 뿌리내린 영남과 호남 간의 대립 감정을 반영하고 있었다. 두 번의 선

보통 사람의 시대

쿠데타가 아닌 선거를 통한 평화적인 정권 이양

문민 정부

군부 통치의 종식, 민간 정부의 탄생

IMF의 개입

30년 개발 지상주의의 역풍

거를 치르는 동안 지역 감정이 가열되었으며, 국민들도 그 심각함을 점차 인식하게 되었다.

두 사람은 각각 '문민 정부', '국민의 정부' 로 자기 정권의 역사적인 의미를 부각하려 하였다. 김영삼 정부는 군인에서 민간으로 평화적으로 권력을 옮겨 왔다는 점을 자기 정부의 역사적인 의미로 강조하였다. 김대중 정부는 대한 민국 헌정사상 처음으로 선거를 통해 야당이 집권한 점을 강조하였다. 이를 국민의 힘, 국민의 승리로 해석하여 그 정부를 '국민의 정부' 로 자칭한 것이다.

20세기 마지막 10년, 한국은 이렇게 선거라는 평화로운 절차를 통해 민주 국가의 정착 및 발전을 위한 순조로운 항해를 계속하였다. 지방 자치제가 자리를 잡아 가면서 각 행정 단위의 자율적인 지역 운영이 정착되어 갔다. 사회 문화적으로도 자율성이 점차 확대되어 가고, 자발적인 참여에 의한 시민 운동도 활발해졌다.

경제의 외적인 성장도 계속되었다. 그러나 1990년대 중반, 이제 선진국임을 선언하며 OECD에 가입한 직후 외채 상환에 어려움을 겪으면서 국제 금융 기구인 IMF의 개입을 받는 위기를 맞게 되었다. 이것은 그 동안 속으로 누적되어 왔던 한국 사회의 문제가 곪아 터진 것이라고 할 수 있다. 이 위기로 많은 국민들이 어려움을 겪었다. 위기 극복을 위한 국가적 노력으로, 21세기를 맞이하면서 상황을 어느 정도 호전시킬 수 있게 되었다. 그러나 그 와중에 국가 경제가 외국 자본에 노출되면서 국가 차원의 자립 경제 체제를 강화해 나가야 하는 과제를 안게 되었다.

| 새로운 세대, 새로운 국가 |

2002년 12월, 새로운 세기의 힘찬 출발을 이어갈 정부 구성을 위한 선거가 실시되었다. 선거 결과 노무현 후보가 대통령으로 당선되었다. 노무현 후보의 당선은 몇 가지 한국 사회의 변화 가능성을 확인할 수 있는 결과였다.

우선 지역 감정이 많이 완화되고 있음을 보여 주었다. 영남 출신인 노

국민의 정부

헌정 사상 최초로 여당에서 야당으로 정권 교체

참여 정부

세대 교체의 바람

무현 후보는 호남, 충청 지방의 높은 지지를 바탕으로 당선될 수 있었다. 또한 젊은 세대가 활발하게 정치에 참여하였다는 점도 주목할 만하였다. 특히 정보 통신의 발달에 맞추어 인터넷을 통한 지지 여론의 확산이 선거 결과에 큰 영향을 미쳤다. 젊은 세대는 보다 변화를 추구하는 노무현 후보에게 많은 지지를 보냈다. 노무현 정부는 1970~1980년대 민주화 투쟁에 참여하였던 사람들이 중심이 되고 있다. 한국 사회의 변화 열망을 반영한 선거 결과라고 할 수 있다.

이렇게 21세기에 들어서면서 한국 사회는 민주, 평등 사회의 정착 및 통일을 향한 발걸음을 한걸음 한걸음 내딛고 있다.

저요, 저요

1. 1990년대 영남과 호남을 상징하는 인물로 민주화 투쟁의 동지이자 정치적 경쟁자였던 두 사람은?
2. 우리 나라는 1995년 선진국들의 모임인 □□□□에 가입하였으며, 1997년 외환 위기를 맞아 □□□의 개입을 받았다.

나도 역사가

다음은 대통령 4인의 당선, 취임 연설문 가운데 일부이다. 이 연설문의 내용을 이용하여 우리 나라 민주주의의 발전 과정을 서술해 보자.

이제 우리는 평화적 정부 이양의 전통을 이룩한 민주 국가로 커졌습니다. 우리 국민은 위대하였습니다. (중략) 민주 개혁과 국민 화합으로 이제 우리는 '위대한 보통 사람들의 시대'를 열어야 하는 것입니다. (중략) 한 사람의 뛰어난 재주보다 평범한 상식을 지닌 여러 사람들의 협력을 필요로 하는 '상식의 시대'입니다.

–노태우 대통령 취임사

우리는 그렇게도 애타게 바라던 문민 민주주의 시대를 열기 위하여 (중략) 30년의 세월을 기다려야 하였습니다. 오늘 탄생되는 정부는 민주주의에 대한 국민의 불타는 열망과 거룩한 희생으로 이루어졌습니다. (중략) 신한국은 보다 자유롭고 성숙한 민주 사회입니다.

–김영삼 대통령 취임사

정부 수립 50년 만에 처음 이루어진 여야간 정권 교체, (중략) 이 정부는 국민의 힘에 의해 이루어진 참된 '국민의 정부'입니다. (중략) '국민의 정부'는 민주주의와 경제 발전을 병행시키겠습니다.

–김대중 대통령 취임사

지난 2002년은 위대한 국민 승리의 한 해였습니다. 그 중에서도 가장 뜻깊은 일은 지난 대통령 선거에서 국민 여러분들께서 직접 참여하셔서 정치를 바꿔 주신 것입니다. 우리 국민 여러분의 강인한 힘과 성숙한 민주 의식이 만들어낸 결과였습니다. (중략) 저는 국민이 대통령인 시대, 국민이 주권자인 시대를 열어가겠습니다. 권위주의 정치와 지역주의 정치, 부패 문화를 청산하겠습니다.

–노무현 당선자 신년사

〈여성과 역사〉

호주제를 없애자!

아직도 한 해에 3만 명 가량의 태아가 단지 여자라는 이유로 세상 빛을 보지 못하고 있다. 남아 선호 사상 때문이다. '남자' 라는 것이 생명과 맞바꿀 수 있는, 생명보다 소중한 가치가 있는 것일까? 법마저도 이를 부추기고 있다는데.

〈사례 1〉 68세 할머니 A씨는 3년 전 아들 내외가 교통 사고로 죽고 5살 난 손자를 키우고 있다. 그런데 5살 난 손자가 법적으로는 호주다. 법적으로 할머니의 보호자인 셈이다.

호주제 폐지 운동

〈사례 2〉 두 아이의 어머니인 B씨는 재혼을 하면서 고민에 빠졌다. 아이들의 성을 바꿀 수 없다는 것이다. 이 경우 우리 나라의 법에 의하면 아이들의 성은 반드시 친아버지를 따라야 한다. 어머니의 성을 따를 수 없다. 전 남편이 친권을 포기할 경우에도 양자로 입적해 호주만 바꿀 수 있을 뿐, 성을 바꿀 수는 없다. 어떠한 경우에도 어머니는 아이들과의 관계에서 동거인에 불과하다. B씨는 아버지와 성이 다른 아이들이 겪을 심리적인 위축이 걱정이 되어 이민까지 생각을 하였다.

현재 호주 제도에 의하면, 결혼한 여성은 자신의 부모를 떠나 남편의 가(家)에 입적하고 남편 또는 남편의 아버지인 호주의 보호 아래 있게 된다. 결혼이란 한 남성과 한 여성이 독립된 인격 주체로서 가정을 이루는 것일진대, 법은 이를 부정하고 있는 셈이다.

호주제는 1921년 일제가 식민 통치 수단의 하나로 도입한 것인데, 우리의 가부장적 전통과 결합하여 오늘까지 이어지고 있다. 일본에서는 1947년에 이미 이 법을 폐지하였으며, 큰아들이 호주를 이어받는 우리 식의 호적 제도는 사실상 세계적으로 유일무이한 것이다.

1970년대 중학교 무시험 진학과 고등 학교 평준화

—시험에서 완전히 해방되는 날은 언제일까 …

중학교 입시 시험

1960년대까지 존속했던 중학교 입학 시험으로, 오늘날의 고3병과 비슷한 학습 부담을 초등 학교 6학년 때부터 겪어야 하였다.

중학교 무시험 진학 발표에 환호하는 어린이들

1968년 7월 15일, 문교부는 중학교 입시 지옥으로 인한 수업의 폐단을 근절하고 학부형 사교육비 부담 과중 등을 해소하기 위하여 중학교 시험 제도를 폐지하고, 추첨제를 실시하여 무시험 진학을 시키겠다는 획기적인 선언을 하였다.

1969학년도부터 시작된 중학교 무시험 진학 제도는 초등 학교 교육의 정상화에는 상당히 기여하였으나 고등 학교 입시 준비에 부담을 가져 와 중학교 교육을 비정상화하는 부작용을 초래하였다. 특히 무시험으로 중학교에 입학하였던 학생들이 고등 학교에 입학하기 시작한 1972학년도의 고등 학교 입시는 매우 치열하였다.

1973년 2월, 문교부는 다시 고등 학교 입시 제도를, 선발 고사(연합 고사)를 거쳐 인문 고교는 학군제에 의한 추첨 배정, 실업 고교는 임의 지원에 의한 선발 등을 골자로 하는 입시 제도 개혁 방안을 발표하였다.

문교부에서 입시 폐지 결정이 발표되자 국민은 물결치는 갈채, 갸우뚱한 의구, 어리둥절한 표정을 지으면서도 입시 지옥에서 헤매는 청소년을 구출하겠다는 정부의 결정을 크게 환영하였다. 그리고 이에 대하여 입시 개혁, 교육 혁명, 경우에 따라서는 7 · 15 어린이 해방이라는 용어가 나오는가 하면 한편으로는 한국 현대 교육사에서 일종의 쿠데타라는 표현까지 나돌기에 이른 것이다.

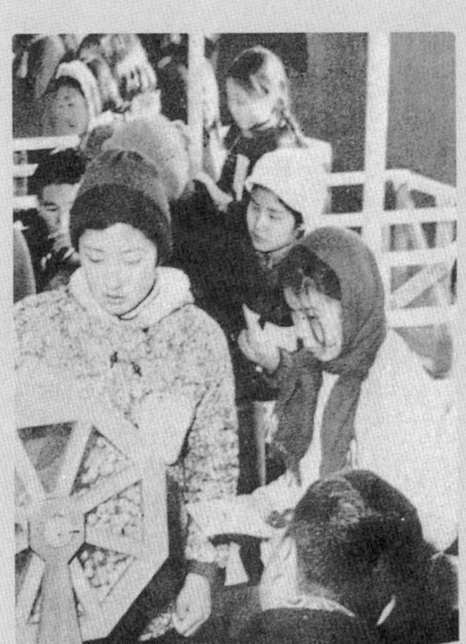

중학교 무시험 입학제 학교 배정 방식은 물레 모양의 추첨기 안에 학교 번호가 쓰여진 은행알들을 넣고 본인이 직접 돌려 은행알을 꺼내는 것이었다. 그래서 "뺑뺑이 세대"라는 말이 유행하기도 했다.

사회주의 북한의 변화

10

북한 사회주의 건설은 국방과 경제 발전으로부터

우리의 혁명 투쟁과 건설 사업에서 가장 중요한 것은 국방력을 강화할 수 있도록 경제 건설과 국방 건설을 병행하는 것입니다. 전쟁이 일어나면 다 파괴될 것이라 하여 국방 건설에만 치우치고 경제 건설을 제대로 진행하지 않는 것도 잘못이며, 평화적 기분에 사로잡혀 경제 건설에만 치우치고 국방력을 충분히 강화하지 않는 것도 잘못입니다.(중략)

그러나 우리는 인민 경제의 발전 속도를 좀 조절하더라도 조국 보위의 완벽을 기하기 위하여 응당 국방을 강화하는 데 더 큰 힘을 돌려야 합니다.

—1966. 현정세와 우리 당의 과업, 「북한연구자료집」 제7집—

1945	1948	1950	1958	1960	1962
해방, 소련군 진주	조선 민주주의 인민 공화국 선포	6·25 전쟁(~53)	농업 협동화 완료	천리마 운동 본격화	4대 군사 노선 현실화

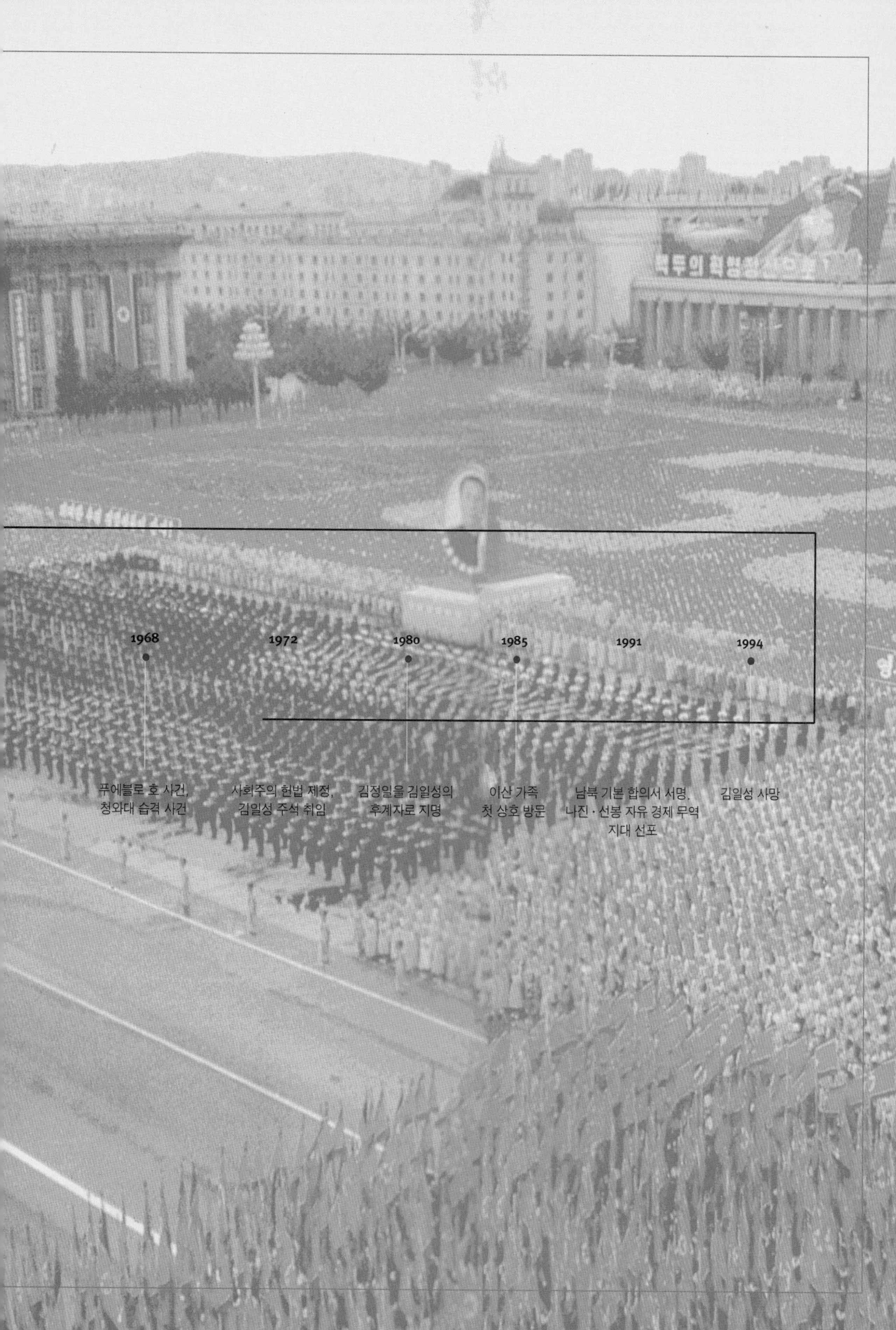

1968 푸에블로 호 사건, 청와대 습격 사건

1972 사회주의 헌법 제정, 김일성 주석 취임

1980 김정일을 김일성의 후계자로 지명

1985 이산 가족 첫 상호 방문

1991 남북 기본 합의서 서명, 나진·선봉 자유 경제 무역 지대 선포

1994 김일성 사망

1 사회주의 공업화

북한은 분단 이후 현재까지 사회주의 계획 경제를 유지하면서 자립 경제 건설과 중공업 우선 정책을 추구해 왔다. 사회주의 계획 경제란 모든 생산 수단을 국가와 사회 협동 단체가 소유하고, 생산과 분배를 계획대로 조절 통제하는 방식이다.

■가 볼 곳 | 군수 공장 ■만날 사람 | 천리마 운동에 참여한 노동자 ■주요 사건 | 푸에블로 호 억류 사건

| 천리마 운동 |

1950년대를 거치면서 협동 농장의 창설, 기업의 국유화를 진행한 북한 정권은 사회주의 국가 체제가 갖추어졌다고 판단하였다. 그리하여 1961년에는 '승리자의 대회'라 일컫는 노동당 4차 전당 대회를 열어 새로운 사회주의 공업국을 건설하자는 목표를 내세웠다.

이를 위해 1961년부터 1차 7개년 계획을 수립하여 본격적인 경제 성장 정책을 추진하였다. 경제 정책의 큰 방향은 자립 경제 건설이었으며, 이를 위해 산업의 전 분야를 고루 발전시키려 하였다.

북한 정권이 사회주의 경제 건설을 위해 동원한 방법은 '천리마 운동'이었다. 소련을 비롯한 사회주의 국가들의 재정적, 기술적 도움을 받기 어려운 상태에서 노동의 경쟁력을 강화하여 경제를 발전시키고자 한 것이다. 천리마 운동은 1950년대 후반에 시작되어 공장, 농장, 학교 등 모든 분야로 확산되었다.

이러한 계획 경제로 1960년대 후반까지 북한은 산업 생산의 모든 분야에 걸쳐 상당한 발전을 보였다. 농업에서 기계화가 이루어지고, 중공업이 크게 발전한 것이다.

천리마 운동 기념탑(◀)과 청산리 협동 농장을 방문한 김일성 (▶)

천리마 운동은 하룻밤에 천리를 달린다는 천리마처럼, 열심히 일하여 사회주의 국가를 이룩하자는 노동 동원 운동이다. 이 운동을 벌이는 과정에서, 당의 지도부가 현장을 방문하여 함께 대화하는 가운데 문제를 해결하는 현지 지도 사업 방법이 확립되었다.

'경제와 국방력을 함께 발전시키자'

북한은 국방력 강화에도 많은 힘을 쏟았다. 중국과 소련의 도움을 받지 않고 남한과 미국의 군사력에 대항하기 위한 것이었다.

1960년대에는 북한의 우방이라 할 수 있는 중국과 소련이 대립하였고, 두 나라와 북한의 관계도 멀어지고 있었다. 반면, 남한에 군사 정권이 성립하고 한·일 협정, 베트남 파병이 진행되면서 한·미·일 관계는 두터워져 갔다. 북한에서는 이러한 국제 정세 변화에 맞춰 국방력 강화를 주장하는 사람들의 목소리가 크게 높아졌다.

경제와 국방을 함께 발전시키는 것은 쉽지 않은 일이었다. 국방비는 해가 갈수록 증가하여, 경제 성장 속도를 앞질렀다. 국가 예산에서 국방비가 차지하는 비율이 1970년에 이르면 약 30% 정도까지 높아지게 된 것이다.

군사비 지출이 증가하고 전 인민의 무장화가 진행되면서 경제 발전의 속도가 늦어지고, 인민들의 생활은 점점 힘들어지게 되었다.

4대 군사 노선

국방력 강화 방안은 '4대 군사 노선'으로 나타났다. '전 국토의 요새화, 전 군의 간부화, 전 인민의 무장화, 전 군의 현대화'가 바로 그것이었다. 전 국토가 병영이 된 것이다.

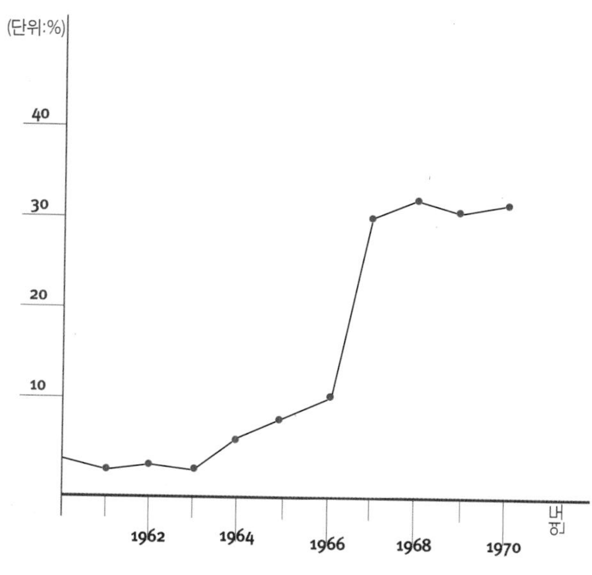

◀국가 예산에서 군사비가 차지하는 비중

1970년대에 국가 예산의 30%(국민 총생산의 약 20%)가 군사비로 쓰였다.

| 주체 사상과 자주 외교 노선 |

1960년대 북한이 경제 자립 및 군사 강국의 건설과 함께 내세운 것이 자주 외교 노선이었다. 그들은 남쪽으로부터 남한 - 일본 - 미국이 포위해 들어온다는 위기 의식을 느꼈던 것이다.

또한 이웃 사회주의 국가인 중국과 소련 사이가 악화되면서 자주 외교 노선은 더욱 강화되었다. 1960년대 초 북한은 소련과 갈등 관계에 있었고 1960년대 중반에는 중국과 사이가 나빠졌다. 이러한 상황에서 북한 지도부는 자주와 주체를 강조하였고, '주체 사상'을 내세웠다.

그들은 소련이나 중국 어느 한 쪽에 치우치지 않으면서 비슷한 처지에 있는 제3세계와 외교 관계를 강화하였다.

인도네시아에서 명예 박사 학위를 받는 김일성

미국과 소련의 대립이 깊어진 제2차 세계 대전 이후 아시아, 아프리카의 여러 국가들은 비동맹 정상 회의를 꾸준히 열어 미 · 소에 치우치지 않으면서 서로 협력할 수 있는 방안을 찾았다. 사진은 1965년 비동맹 회의 10주년을 기념하여 김일성이 인도네시아를 방문하였을 때이다.

저요, 저요

1. 북한은 □□□ □□을 통해 공업화를 중심으로 한 경제 성장 정책을 추진하였다.
2. 북한이 국방력을 강화하기 위해 내세웠던 4대 군사 노선은?

나도 역사가

1960년대 북한 사회의 정치 · 외교 정책을 남한과 비교해 보자.

〈알고 싶어요 오늘의 북한〉

농민들도 식량을 배급받을까?

"조선 민주주의 인민 공화국에서 생산 수단은 국가 및 협동 단체의 소유이다. 텃밭 경리를 비롯한 개인 부업 경리에서 나오는 생산물과 그밖의 법적인 경리 활동을 통하여 얻은 수입은 개인 소유에 속한다."

—「사회주의 헌법 24조」—

식량의 확보와 배급

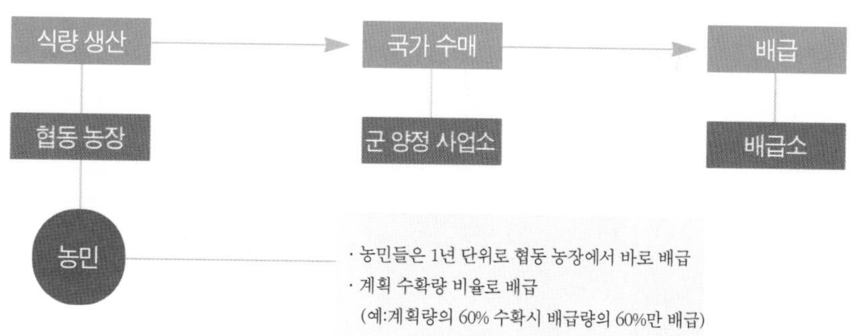
생산물 분배의 원칙
· 공동 생산, 공동 분배
· 생산량은 국가가 정한다.
· 생활 필수품을 모두 배급하는 것을 원칙으로 한다.
· 일한 만큼 먹는다.
식량 생산
국가 수매
배급
협동 농장
군 양정 사업소
배급소
농민
· 농민들은 1년 단위로 협동 농장에서 바로 배급
· 계획 수확량 비율로 배급
(예:계획량의 60% 수확시 배급량의 60%만 배급)

최근의 북한 실정

최근 몇 년 동안 북한은 기상 이변으로 수확량이 엄청나게 감소하여 국가 수매는커녕 생산 농민들이 먹고살기에도 부족한 실정이다. 양정 사업소에 식량이 쌓이지 않고, 따라서 배급소 창고는 텅 비어 있다. 북한 이탈 주민들의 증언에 의하면 정상적인 배급은 1970년대 말 정도까지 이루어졌을 것이라고 한다. 요즘에는 외화 벌이를 많이 한 기업 집단이 그것으로 다른 기업 집단보다 생필품을 더 풍족하게 구입하여 쓸 수 있다.

〈역사의 현장〉

한반도,
다시 전쟁 위기!

풀려나는 푸에블로 호 승무원들

푸에블로 호는 현재 평양 대동강에 관광용으로 전시되고 있다.

미국 정보선 원산항으로 끌려가다

1968년 1월 23일, 미국의 국가 안보국 소속 푸에블로 호가 북한군에 의해 원산항으로 끌려갔다. 당시 이 배는 북한 근처에서 도청을 통해 정보를 수집하던 중이었다.

미국은 "푸에블로 호가 민간 해양 연구선이며, 북한 영해를 침범하지 않았다."고 주장하며 "전쟁도 피하지 않겠다."고 외쳤다. 그러나 북한은 "보복에는 보복, 전쟁에는 전쟁으로"라면서 미국에 맞섰다. 푸에블로 호 선원들은 자신의 배가 간첩선이며 북한 영해를 침범하였다는 점을 시인하였다.

북한과 미국의 대립은 전쟁 직전 상황까지 가면서 약 일 년을 끌었다. 결국 미국이 이 사건에 대해 공식적으로 사과함으로써 푸에블로 호의 선원들이 석방되었다. 그러나 선원들이 돌아온 후 미국은 이들의 자백이 가혹한 고문 때문이었다고 주장하였다.

사살당한 북한 특수 부대원들

이 사건에서 유일하게 생포된 북한 특수 부대원 김신조(왼쪽)가 주검이 된 동료들의 신원을 확인하고 있다.

북한 특수 부대 청와대 습격 사건

푸에블로 호 사건 이틀 전인 1968년 1월 21일, 북한군 제124군 소속 군인 30명이 청와대 근처 수백 미터 거리까지 숨어 들었다. 그들의 임무는 대통령 관저와 미 대사관저 및 육군 본부, 서울 교도소 등을 폭파하고 중요 인사들을 암살하는 것이었다. 이들은 경찰, 군인들과 총격을 벌여 김신조를 제외한 전원이 사살되었다.

정규 부대가 한 나라의 국가 원수를 암살하려고 한 것은 거의 전쟁 행위나 다름없었다. 남한은 이 사건을 계기로 국방력 강화와 250만 명의 향토 예비군 창설, 방위 산업 공장의 설립을 서둘러 추진하였다. 정부 정책을 경제 개발과 동시에 국방을 강화하는 방향으로 정함으로써 '싸우면서 일하자!' 는 구호가 널리 퍼졌다.

2 '어버이 수령'의 나라

1972년 사회주의 헌법의 제정으로, 북한의 권력은 수령인 김일성 한 사람에게 더욱 집중되었다. 또한 사회주의를 북한의 실정에 맞게 주체적으로 수립한다는 주체 사상은 김일성 유일 주체 사상으로 변화되어 갔다.

■가 볼 곳 | 김일성 생가 ■만날 사람 | 김정일 ■주요 사건 | 사회주의 헌법 제정

|'수령 유일 주체'의 사회주의 헌법|

1967년 북한에서 사상과 문화 사업을 담당하던 고위 관리 중 일부가 숙청되었다. 이들은 일제 강점기 항일 운동에서 다양한 혁명 전통을 강조하였는데, 북한 정권은 이를 '유일 최고 지도자로서의 김일성'의 권위를 해치는 일이라 여긴 것이다.

이와 함께 해방 이후 북한에서 활발하게 활동하였던 문화 예술인 중 상당수가 숙청되거나 활동 중지를 강요당하였다. 많은 책들이 도서관에서 사라졌고, 인민들에게 공개되지 않는 정보도 많아졌다.

이후 북한에서는 김일성에 대한 개인 숭배가 크게 강화되었다. 모든

만경대 김일성 생가

북한에서는 김일성이 일제 강점기 동안 가장 올바른 방법으로, 가장 열심히 항일 무장 투쟁을 벌였다고 주장한다. 그리고 그의 아버지와 할아버지 역시 3·1 운동과 제너럴 셔먼 호 사건 때 앞장서서 항일, 항미 운동을 벌였다고 주장한다.

공식 행사는 '위대한 수령 김일성 동지'에 대한 찬양으로 시작하였으며, 인민들은 학습을 통해 김일성의 혁명 활동을 암송하여야 했다.

권력은 수령인 김일성에게 더욱 집중되었으며, 사회주의를 북한의 실정에 맞게 주체적으로 수립한다는 주체 사상은 김일성 유일 주체 사상으로 변화되어 갔다.

이 같은 변화는 마침내 1972년 '조선 민주주의 인민 공화국 사회주의 헌법'으로 완성되었다.

> 조선 민주주의 인민 공화국 사회주의 헌법은 위대한 수령 김일성 동지의 주체적인 국가 건설 사상과 국가 건설 업적을 법화한 김일성 헌법이다.
>
> —북한 1972년 사회주의 헌법 전문 일부—

이 헌법의 제정으로, 북한은 수령 1인이 당과 인민을 이끄는 일사불란한 사회로 바뀌어 갔다.

| 3대 혁명 운동 |

3대 혁명 소조 운동

사상 개혁을 통한 인민들의 혁명화, 기술 개발을 통한 기계화, 인민들의 문화 수준 향상이라는 세 분야의 혁신 운동이다.

북한은 당이 국가의 중심에 서서 모든 계획을 세우고 인민을 체계적으로 동원하여 운영하는 사회이다. 1950년대 말부터 행하여졌던 천리마 운동이 그 대표적인 사례이다.

이러한 사회 운영은 1970년대에 들어와 3대 혁명 운동을 내세우면서 더욱 강화되었다. '사상도 기술도 문화도 주체의 요구대로!' 이것이 3대 혁명 운동의 구호이다.

이 운동은 핵심 당원과 청년 엘리트들이 중심이 된 3대 혁명 소조를 조직하고, 인민들을 3대 혁명 붉은기 쟁취 운동 등에 동원하는 방식으로 진행되었다.

이 운동을 지도한 사람이 바로 김정일이었다. 이는 북한 지도부가 김정일을 후계자로 키우기 위해 고려한 것이다.

| 경제 성장이 벽에 부딪히다 |

북한은 1960년대의 공업화를 넘어서 '기술 혁신을 통한 자립적 공업화' 를 내걸고 국가 경제를 운영하였다. 또한 인민들의 실생활을 개선할 수 있는 경공업 발전 및 사회 복지에도 관심을 두었다.

그러나 1970년대 중반 이후 남한의 비약적인 성장에 비해 북한은 점차 성장이 둔화되면서 국민 1인당 총생산량에서도 남한에 뒤지기 시작하였다. 개인 소유의 제한 및 국가에 의한 생산과 분배의 통제로 인해 경제 활동에서 창의성이 발휘될 수 있는 여지를 마련하지 못하였기 때문이다.

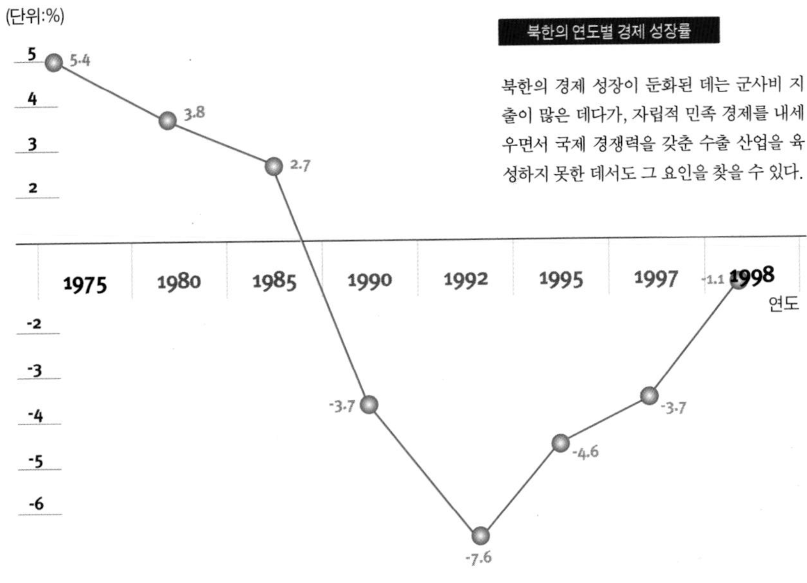

북한의 연도별 경제 성장률

북한의 경제 성장이 둔화된 데는 군사비 지출이 많은 데다가, 자립적 민족 경제를 내세우면서 국제 경쟁력을 갖춘 수출 산업을 육성하지 못한 데서도 그 요인을 찾을 수 있다.

저요, 저요

1. 북한 사회주의 헌법의 제정으로 김일성은 □□으로서 당과 인민을 이끄는 유일 최고 지도자임을 거듭 확인하였다.
2. 1970년대 이후 북한에서 일어난 3대 혁명 소조 운동의 세 분야는?

나도 역사가

1970년대 후반에 들어 북한의 경제 발전 속도가 늦어진 이유를 생각해 보자.

〈여성과 역사〉

북한 여성의 사회 활동과 탁아소

이른 아침, 탁아소에 아이를 맡기러 가는 북한 여성들

우리는 북한 관련 방송에서 평양 거리의 여성 교통 경찰을 볼 수 있다. 멋지고 씩씩하다고 생각하는 사람도 있고, 힘들고 불쌍해 보인다는 반응도 있다. 북한에서 여성들은 어떻게 생활하고 있을까?

북한은 건국 초부터 국가가 직접 나서서 여성의 사회 진출과 이에 따른 육아, 가사 노동의 '사회화'에 힘을 기울였다. 남녀 평등과 모성 보호 관련법을 일찍이 정비하였고, 이와 관련된 정책을 펴 나갔다. 북한에 많은 탁아소가 세워진 것은 이런 배경에서였다.

탁아소는 전국적으로 6만여 개. 도시는 물론 산간 벽지까지, 큰 규모의 직장은 물론이고 웬만한 직장에도 있다.

여성들은 아이 낳기 전 60일, 아이 낳은 후 90일 동안 출산 휴가를 갖는다. 휴가를 마친 어머니들은 출근하면서 직장에 딸린 탁아소에 아이를 맡기고, 퇴근할 때 아이를 데리고 집으로 돌아간다. 아이들은 탁아소에서 자라는데, 생후 일 년까지는 오전에 두 번, 오후에 두 번, 모두 4번씩 아이에게 젖먹이는 시간이 주어진다.

북한에서는 직장 탁아소의 시설과 숫자가 북한 여성의 권익 향상을 대변하는 것이라 주장한다. 그러나 남한에서는 여성 노동력을 더 많이 동원하기 위해서라는 비판이 제기되기도 한다.

평양의 탁아소

3 북한식 사회주의

동유럽 사회주의의 붕괴와 소련의 해체는 북한에게 엄청난 충격을 주었다. 또한 에너지난과 식량난으로 인해 경제적인 어려움을 겪었다. 북한 정권은 이러한 어려움을 이겨내기 위해 '사회주의 강성 대국'을 건설하자는 구호를 내세우고 있다.

■가 볼 곳 | 나진 · 선봉 지구 ■만날 사람 | 외국계 회사 근로자 ■주요 사건 | 북 · 미 핵 협상

| 사회주의 혁명 전통의 혈통적 계승 |

제6차 당대회에 참석한 김정일

38세가 된 김정일은 제6차 당대회에서 김일성의 후계자로 지명되었다. 본격적으로 당 활동을 전개한 1974년으로부터 6년이 지난 후의 일이다.

1980년, 조선 노동당 제6차 대회가 열렸다. 북한의 최고 의사 결정 기구라 할 수 있는 이 당대회에서는 '혁명 전통의 계승 발전'이라는 안건이 제기되었으며, 노동당 지도부에는 혁명 2세대와 실무 능력을 갖춘 지도자들이 중요한 직책을 차지하였다.

이들은 주로 '혁명 1세대'의 자녀로, '혁명 열사'들의 유자녀를 위해 세워진 만경대 혁명 학원 출신들이었다. 이들이 핵심 권력에 참여하고, 북한 사회를 이끄는 중심 세력이 되는 것은 곧 혁명 전통의 혈통적 계승이라는 생각이었다.

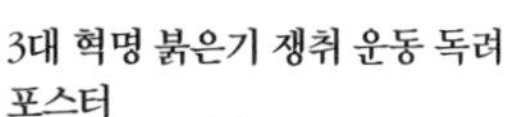

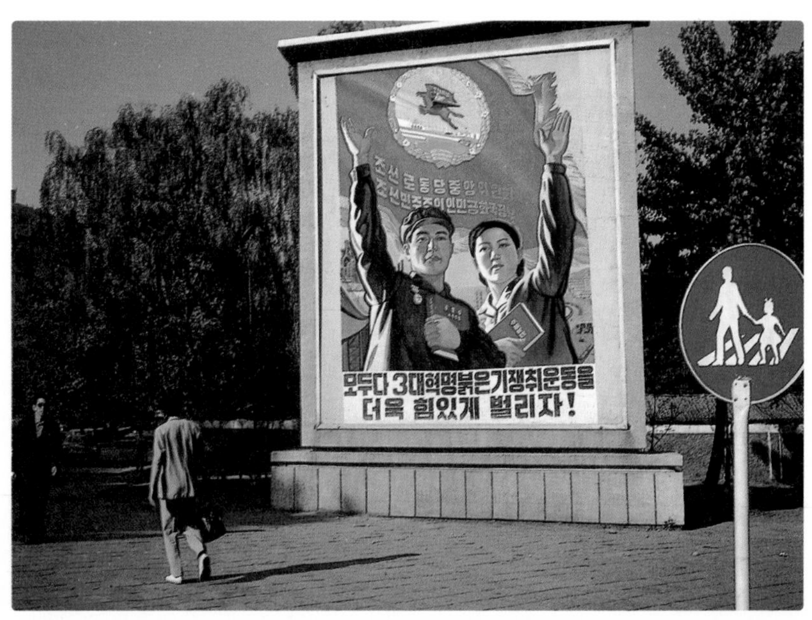

3대 혁명 붉은기 쟁취 운동 독려 포스터

북한은 1970년대부터 사회를 집단 활동 위주로 조직해 갔다.

이 대회에서 김정일은 김일성의 뒤를 이어 2인자의 자리에 올랐으며, 언론에서는 이제 그를 '친애하는 지도자 동지' 로 불렀다. 김정일은 바로 혁명 전통의 혈통적 계승을 상징하는 존재였던 것이다.

또한 1980년 조선 노동당 제6차 대회에서 김일성은 '온 사회의 주체 사상화' 를 통해 공산주의를 완성하자고 제안하였다. 무계급 사회 단계의 '완전한 사회주의' 를 이루는 것 즉, 물질 · 기술적 토대를 마련하여 인민의 물질 · 문화 생활을 높이자는 것이었다. 전력, 석탄, 강철, 시멘트 등 국가 주요 산업 및 농업 수확량을 증가시키는 것과 함께 경공업 부문, 주택 건설을 늘려 인민 생활의 향상을 꾀하였다.

| 사회주의의 몰락과 북한식 사회주의 |

1980년대 말, 시대를 가르는 거대한 변화의 물결이 세계를 휘몰아쳤다. 소련을 비롯한 동유럽 공산 정권들이 무너져 내렸다.

공산 정권이 무너진 국가들은 자본주의 경제 체제로 전환하는 개혁을 추진하였고, 서방 국가들과의 교류를 확대하는 등 개방 정책을 취하였다.

이러한 세계 정세 변화의 여파는 북한에도 닥쳤다. 그러나 북한은 사회주의 체제를 포기하지 않았다. 소련과 동유럽 사회주의 정권의 붕괴는 일시적인 현상일 뿐이며, 진정한 사회주의 체제가 아니었기 때문이라고 진단하였다.

철거되는 레닌 동상(러시아)과 '우리 식대로 살아 나가자.'(북한)는 선전물

북한은 소련을 비롯하여 세계적으로 사회주의 정권이 무너지는 가운데, 주체 사상을 앞세워 사회를 유지하려고 하였다.

김일성 정권은 북한이 이들 국가와는 다른 사회주의 체제라고 강조하며 이를 '우리식 사회주의'라고 하였다. 북한식 사회주의는 주체 사상에 바탕을 둔 유일 사상의 지배, 사회주의적 민주주의, 군중 노선에 따른 경제 관리를 특징으로 한다.

| 북한식 사회주의의 경제 정책 |

북한 사회주의 경제 체제는 1970년대 중반까지 꾸준한 성장 곡선을 유지하였으며 생산과 배급도 원활하였다. 그러나 성장 곡선은 점점 둔화되어 1980년대 이후로는 성장 목표를 달성하지 못하기 일쑤였다. 이러한 경제 침체에서 벗어나기 위해 북한은 무역량을 늘려 외화 획득에 적극적으로 나서고, 외국 자본을 끌어들이는 등 활로를 모색하였다.

1987년부터 시작된 제3차 7개년 계획은 인민 경제의 주체화, 현대화, 과학화를 목표로 삼았다. 특히 기술 혁신을 강조하였다. 그러나 무역 수지는 적자를 면치 못하였고, 주요 무역 상대국인 소련과의 교역량이 크게 감소하는 등 북한 경제는 더욱 어려워졌다.

1990년대에 들어서면서 서방의 자본과 기술 도입에 더욱 적극적으로 나섰다. 외국의 기술과 자본을 끌어들이기 위해 '자유 경제 무역 지대'를 설정하기도 하였다. 나진 · 선봉이 바로 그 곳이다. 이어 북한은 유럽 자본주의 국가들과의 국교 관계를 확대하였으며, 미국, 일본 등 주변 강대국과의 국교 관계 수립에도 접근해 가고 있다.

나진 · 선봉 지구와 나진항

북한은 '우리식 사회주의'를 내세우면서도 다른 한편으로는 대외 개방을 통한 경제 회복 가능성을 모색하고 있다. 나진 · 선봉 지구 개방은 그 첫 시험대라고 할 수 있다.

| 대외 개방 |

위 사진은 북한 중앙 TV가 일본 TV에 배포한 영변의 핵 관련 시설이고, 아래 사진은 북 · 미 핵 협상 장면이다.

사회주의의 몰락과 개혁 · 개방은 북한의 대외 관계에도 영향을 미쳤다. 1990년 고르바초프의 개혁 · 개방 노선에 따라 소련과 남한이 외교 관계를 수립하자, 북한은 소련을 배신자로 격렬하게 비난하였다.

북한의 변함 없는 우방은 중국이었다. 중국과의 전통적인 우호 관계는 1990년대에 들어서도 변함이 없었다. 그러나 남한과 중국과의 관계가 급속도로 가까워지면서 이 관계도 달라지기 시작하였다.

북한은 미국과의 관계 개선을 통해 활로를 모색하고자 하였다. 한반도 문제에 가장 강력한 영향력을 행사하는 미국과의 관계 개선은 북한에게 매우 중요한 일이었다. 북한은 미국과의 직접 협상을 원했다. 협상의 가장 큰 걸림돌은 북한의 핵 시설 문제였다. 미국은 북한이 원자력 발전을 구실로 핵폭탄을 개발하고 있다고 의심하였던 것이다. 북한은 국제 원자력 기구의 핵 사찰을 수용하는 대신, 남한과 주변 국가들로부터 전력 개발을 지원받는 것으로 타협하였다.

저요, 저요

1. 소련 등 사회주의 국가들의 몰락 이후에도 북한은 □□□ 사회주의를 내세워 주체 사상을 중심으로 한 체제를 유지하고 있다.
2. 북한이 경제 위기 극복을 위해 외국 자본을 끌어 들여 자유 경제 무역 지대로 설정한 곳은?

나도 역사가

1980년대 말 연이은 동유럽 사회주의 정권의 몰락이 북한에 미친 영향을 토론해 보자.

남북 무역의 증가 추세

남북 경제 협력

남북 교역을 중심으로 한 남북 경제 협력은 어려운 여건에도 불구하고 지난 10년 동안 꾸준히 진행되었으며, 남북간의 신뢰 회복과 화해 분위기를 조성하는 데 나름대로의 역할을 수행하여 왔다.

남한 정부는 정경 분리 원칙에 의거하여 기업의 자율성을 존중하는 방향에서 남북 교역을 활성화하는 데 필요한 조치들을 지속적으로 추진하였다.

남북간의 경제 교류는 단순 물자 교역, 위탁 가공 무역 등 교역 사업과 북한 현지에 투자하는 협력 사업으로 나눌 수 있다.

1) 물자 교역

목포~나진 간 남북 무역선 첫 출항

매매 계약에 의한 단순 상품 거래이다. 현재 남북간 물자 교역의 형태는 교역의 85% 이상이 제3국 중개인을 통한 간접 교역이다. 남한 정부는 북한과의 직접 교역 확대를 위해 노력하고 있으며, 최근 그 비중이 점차 증가하는 추세이다.

2) 위탁 가공 교역

북한에서 온 가공 식품들

남한에서 원자재의 일부 또는 전부를 북한에 공급하면 북한에서 이를 완성품 또는 반제품으로 가공하여 반입하는 형태이다. 남한의 자본 기술력과 북한의 인력이 결합되는 형태로서 물품의 소유권은 남한의 원자재 공급자에게 있으며, 북한에는 가공 임금만을 지급한다.

3) 협력 사업

금강산 유람선

북한 현지에 투자 법인을 설립하는 형태로, 북한에서는 합영 사업과 합작 사업으로 구분하고 있다. 합영 사업은 남북한이 공동 투자하고 공동 경영하는 사업 방식이다. 합작 사업은 남북한이 공동 투자하고 북한이 단독 경영하는 방식과 남한이 단독 투자하여 단독 경영하는 방식이 있다. '현대' 의 금강산 개발과 관련하여 남한 단독 투자 · 단독 경영 형태의 합작 사업이 최초로 합의된 상태이다.

대한 무역 투자 진흥 공사
http://www.kotra.or.kr

남북 교역 통계(연도별 교역 현황)

[2003년 12월 말 현재]

연도 \ 구분	반입(IMPORT)			반출(EXPORT)		
	건수	품목 수	금액	건수	품목 수	금액
1989	66	25	18,655	1	1	69
1992	510	76	162,863	62	24	10,563
1995	1,124	105	222,855	2,720	174	64,436
1998	1,963	136	92,264	2,847	380	129,679
2001	4,720	200	176,170	3,034	490	226,787
2003	6,356	186	289,252	4,853	530	434,965

*1995년 금액은 대북 쌀지원 237,213천 달러 반출을 제외한 것임.(통일부 자료)

금액 단위 : 천 달러

북한 청소년의 학교 생활과 사회 진출

11년 의무 무상 교육

북한은 1975년부터 유치원 높은 반 1년, 인민 학교 4년, 고등 중학교 6년까지를 무상 의무 교육 기간으로 정하였다.

고등 중학교 6년은 남한의 중·고등 학교에 해당한다. 1학년 때 담임 교사가 같은 학생을 6년간 맡는 것이 특징이다. 수재들은 도별로 하나씩 설치되어 있는 제1고등 중학교에 모아서 교육한다.

북한 고등 중학교의 생활

북한 사회는 철저하게 조직 생활을 유지하는데, 이는 학교도 마찬가지이다. 인민학교에서 소년단에 소속되어 생활하며, 중학교 4학년 때부터 청년동맹으로 옮긴다. 소년단 시기는 넥타이를 맨 시기이다. 어릴 때부터 규율과 질서 교육을 받는다.

고등 중학생들이 등교하는 모습

학교 교육 체계

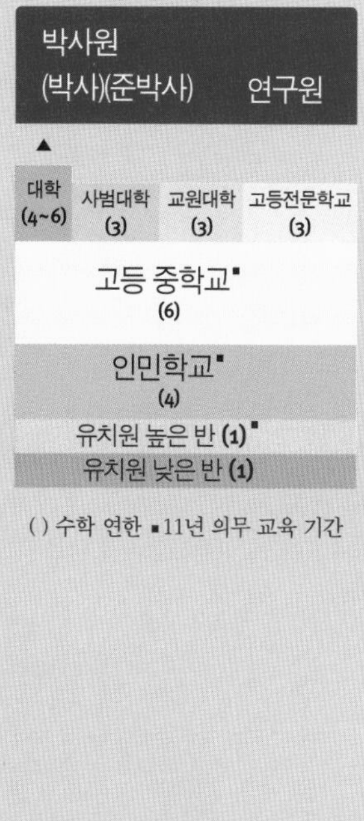

박사원 (박사)(준박사)		연구원	
▲			
대학 (4~6)	사범대학 (3)	교원대학 (3)	고등전문학교 (3)
고등 중학교■ (6)			
인민학교■ (4)			
유치원 높은 반 (1)■			
유치원 낮은 반 (1)			

( ) 수학 연한 ■11년 의무 교육 기간

북한 고등 중학생의 진로

북한에서는 고등 중학교를 졸업할 즈음, 진로에 따른 교육 과정이 따로 없다. 그저 중학교를 졸업하면 일반적인 지식을 갖춘 사람이 되게 할 뿐이다. 남한에서와 같이 중학교에서 고등 학교로 올라가면서 인문계와 실업계로 나누어 진학하지 않는다.

대학 진학 여부는 고등 중학교 6학년 때 결정된다. 대학 시험 때는 여러 과목을 두루 잘하여야 한다. 졸업할 때 대학 갈 아이는 담임 교사가 추천을 한다. 6학년 마지막에 1, 2, 3지망을 적어 내게 하는데, 국가에서 각 중학교에 어느 대학 몇 명, 어느 직장 몇 명, 어느 군대에 몇 명을 배정하면, 학교에서는 배정받은 인원에 따라 아이들을 배치한다.

대학의 경우 고등 중학교 졸업생의 30%를 추천하는데, 그 안에서 다시 시험을 본다. 시험을 칠 때는 국어, 영어, 수학이 다른 과목에 비해 비중이 높다. 대학 추천을 받으면 해당 대학에서 시험을 친다. 거기서 떨어지면 공장에 간다. 재수는 하지 않는다.

대학에 가지 못한 사람들은 군대에 가거나 사회에 진출한다. 대체로 남자들은 다 군대에 가려고 한다. 중학교를 졸업하고 군대에 가는 경우가 약 70%이다.

–「북한 사람들이 말하는 북한 이야기」, 좋은 벗들–

21세기,
새로운 미래를 향하여

11

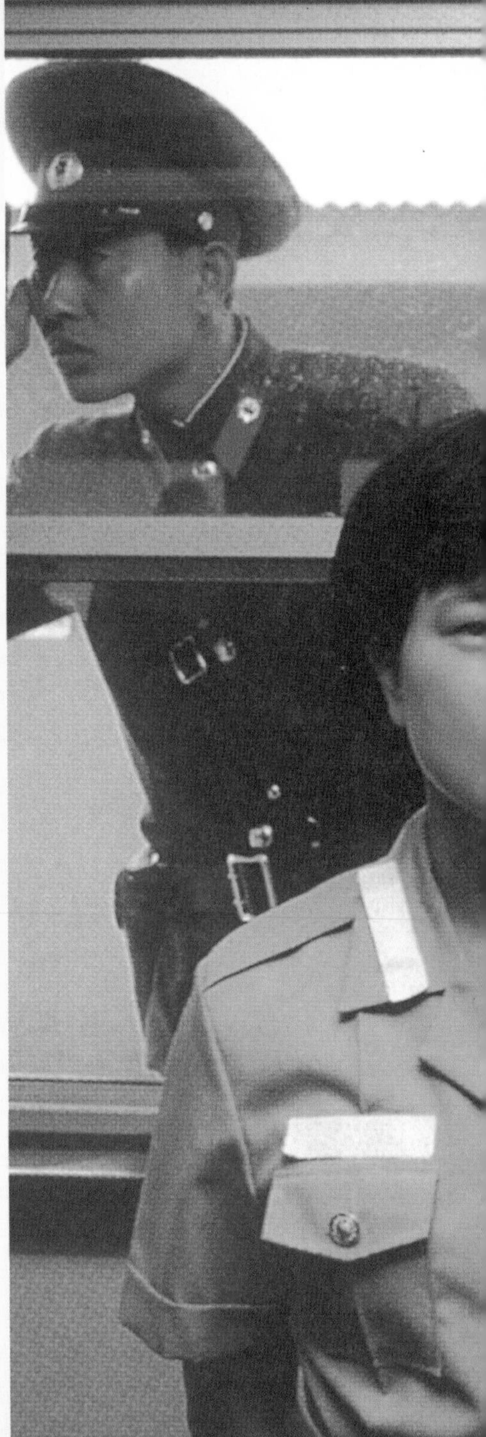

GUEST
UNCMAC

1 20세기 100년, 우리 민족이 걸어온 길

ㅣ20세기의 시작과 끝ㅣ

조선은 19세기 말 외국 열강의 압력을 받아 개항하면서 20세기의 문턱을 넘어섰다. 세계사의 흐름 속에 들어선 우리 민족의 과제는 자주적인 근대 민족 국가의 수립이었다.

민족 구성원이 자유를 누리며 평등하게 대우 받는 사회, 풍요로운 삶을 누릴 수 있는 사회, 그것을 보장해 줄 수 있는 근대 주권 국가를 만드는 것이었다. 이 목표의 실현을 위해 우리 민족은 20세기를 숨가쁘게 달려 왔다.

이제 우리 민족은 남북이 분단된 상태로 20세기를 넘어 새로운 세기를 맞았다. 자주 근대 국가를 실현하는 과제는 얼마나 달성되었을까? 20세기 100년 동안 우리 민족이 성취해 낸 것은 무엇이었으며, 아직도 해결하지 못한 과제는 무엇일까? 그 과제를 해결하기 위해서는 어떠한 노력을 하여야 할까?

▶ **1900**년대 서당

다양한 연령층의 학생이 유교 경전을 암송하는 서당 교육.

▶ **1910**년대 근대 학교

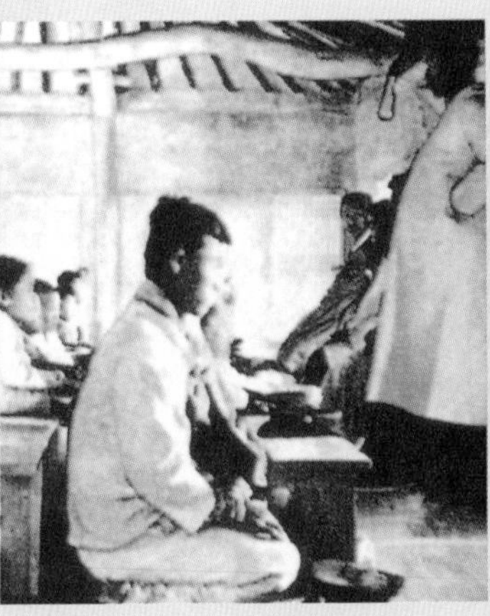

동일한 교과서를 가지고 같은 내용을 일제히 수업하는 신식 학교.

▶ **1950**년대 천막 학교

전쟁 중에도 교육은 중단될 수 없다는 의지로 모여든 천막 교실.

| 100년 동안의 결실 |

우리 민족은 일제 식민 지배와 동족간 전쟁이라는 엄청난 시련과 고난을 겪으면서도 꾸준히 진보와 번영을 이루어 왔다. 일제로부터 해방됨과 동시에 남북이 갈라지면서 두 체제는 서로 다른 길을 걸었다.

남한에서는 시행 착오를 거치면서 민중들의 민주화 노력으로 민주주의 정치 체제가 자리잡았다. 개인의 자유와 인권도 크게 신장되었다.

경제 발전은 눈부셨다. 지난 100년간 물질적인 풍요는 비약을 거듭하였다. 절대 빈곤에서 벗어나 풍요로운 생활을 누릴 수 있게 된 것이다. 경제적인 여유를 바탕으로 문화 생활의 폭도 넓어지고 다양해졌다. 교육 기회는 확대되었고 능력과 노력에 따라 지위를 얻을 수 있는 조건이 형성되었다.

분단 후 북한은 발빠른 개혁을 통해 사회주의 체제를 갖추어 갔다. 전쟁으로 철저히 파괴된 사회 건설을 위해 일사불란한 사회 조직을 운영하였다. 주체 의식을 앞세우며 북한식 사회주의 체제를 유지하기 위한 노력으로 북한은 자주 노선을 견지할 수 있었다. 그러나 점차 사회 조직의 효율성이 떨어지면서 체제 위기를 맞고 있다.

"백년 전의 교실과 오늘의 교실"

교실에서도 지난 백 년간의 변화 발전은 눈부셨다. 교육 기회의 확대, 시설의 개선, 교육 내용의 다양화, 학생의 개성과 자율성의 증가 등 발전 양상을 볼 수 있다.

▶ 1960년대 콩나물 교실

교실은 좁고, 학생은 넘쳐나는 1960~70년대의 콩나물 교실.

▶ 2000년대 멀티미디어 교실

첨단 교육 장비를 갖추고 자율적으로 탐구하는 오늘날의 교실.

| 20세기 말 한민족의 시련 |

1990년대 중반 한반도는 세계의 동정어린 주목을 받았다. 북한이 심각한 식량난을 겪은 일과 남한이 IMF 체제로 들어간 일 때문이었다. 새로운 세기를 눈앞에 두고 남북한은 다시 한 번 시련을 겪어야 하였다. 어디서부터 잘못된 것일까?

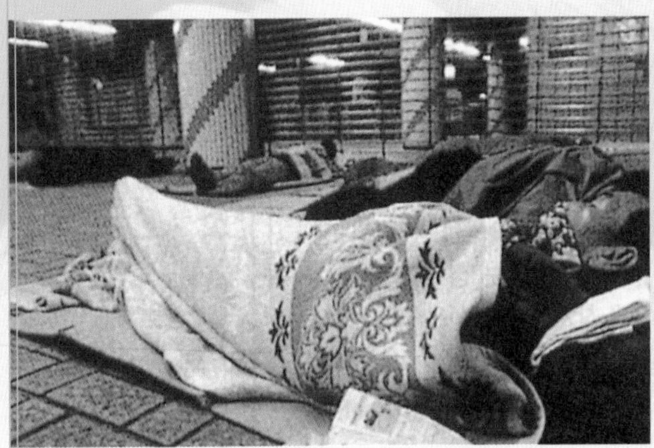

남한, IMF 이후 늘어난 노숙자들(1997)

북한, 심각한 영양 실조를 겪고 있는 어린이(1997)

| 식민과 분단 |

20세기 우리 민족은 일제의 식민 지배 35년과 남북 분단 50여 년이라는 시련을 견뎌 왔다. 35년간의 식민 지배는 우리 민족의 숨통을 짓눌렀으며, 해방이 되어서도 민족의 염원인 자주 통일 국가를 수립하지 못하였다. 이어 분단과 전쟁으로 남북간의 대립은 더욱 심화되었다.

식민지 경험과 청산하지 못한 일제 잔재, 그리고 분단은 우리 민족의 자유와 민주주의의 발전, 창의적인 삶을 펼칠 기회를 제한하였다. 이로 인해 사회 발전이 더디게 진행될 수밖에 없었다.

자주를 내세우며 고립을 택한 북한의 계획 경제, 자립 경제 체제는 세계화 국면에서 한계에 맞닥뜨렸고, 사회주의권의 몰락으로 곤경은 심화되었다. 급기야 인민들이 굶주림으로 고통당하고 죽어 가는 상황에 이르게 된 것이다.

군사력 대결과 체제 경쟁은 민족의 역량을 크게 감소시켰다. 전쟁 재발 가능성은 한민족의 평화로운 삶을 위협하여 불안에 떨게 하였으며, 자유와 민주주의 체제의 발전을 가로막아 왔다. 이처럼 20세기 말 남한

'서울 불바다' 발언 파문

1994년 특사 교환 실무 접촉 때, 북한 대표가 "전쟁이 발발하면 서울은 불바다가 될 것"이라고 말하여 남북의 갈등이 심각해졌다.

남북 이산 가족 상봉

과 북한에 닥친 시련은 20세기 민족사 전개 과정에서 잉태된 모순들이 누적된 결과였다.

나도 역사가

학교와 우리 주변 생활에서 식민지 경험이나 분단으로 인해 자유와 권리가 제한받는 사례를 찾아 보고, 그 뿌리를 추적해 보자.

2 따로 한 반 세기, 함께하는 21세기

| 칼날 같은 적대감 |

남북 대화의 시작(1972)

남북 대화를 위해 북한을 다녀온 이후락 당시 중앙 정보부장의 발표는 국민들을 놀라움과 흥분에 휩싸이게 하였다.

해방의 감격과 자주 근대 국가 건설의 염원은 이념 대립과 분단, 전쟁으로 좌절되었다. 특히 6 · 25 전쟁은 남북한 사이에 쉽게 치유되기 어려운 적대감과 대결 의식을 형성시켰다. 적대 관계는 1960년대 말까지 변함없었다. 1960년대 남한 박정희 정권의 통일 정책은 '선(先) 건설, 후(後) 통일' 이었다. 경제 개발을 통한 조국 근대화를 앞세웠던 것이다.

북한의 김일성 정권은 '자주 국방' 을 내세우면서 1963년에는 '4대 군사 노선' 을, 1965년에는 '3대 혁명 역량 강화 전략' 을 선언하였다. 이 시기는 남한과 북한이 팽팽히 대립하는 긴장 상태 속에서 교류가 없었다.

1970년대에 냉전 체제가 조금씩 풀렸다. 1972년 7월 4일에는 남북 문제를 자주적, 평화적으로 해결할 것을 선언한 '남북 공동 성명' 을 발표하기에 이르렀다. 그러나 한반도는 여전히 팽팽한 대립 상황에 있었다.

| 과감히, 그리고 천천히 |

이러한 상황에서 민간 차원의 통일 노력이 꾸준히 이어졌다. 1960년 4 · 19 혁명으로 독재 정권이 무너지면서 통일에 대한 관심과 움직임이 활발하게 일었다. 그러나 제3공화국에 들어서면서 다시 민간 차원의 통일 논의는 탄압을 받았다.

임수경의 북한 방문(1989)

1980년대에는 남한과 북한 모두에서 권력 구조의 변화가 일어나면서 남북 관계도 조금씩 변화하였다. 아울러 민간 차원의 통일 운동도 점차 활기를 띠었다. 특히 1989년 3월 문익환 목사에 이어, 그 해 6월 대학생 임수경 씨가 허가 받지 않고 북한을 방문한 사건은 남북 관계에 큰 파문을 일으켰고, 한민족의 화해와 평화 통일에 대한 사람들의 생각이 달라지는 계기가 되었다. 그 후 종교계·문화계 인사들의 북한 방문이 이어졌다. 이제 북한

남북 기본 합의서 교환 합의(1991)

은 가지 못하는 나라가 아니게 되었다.

대립과 긴장 상태에서 조금씩 대화를 트기 시작한 남북한은 1992년 마침내 남북 기본 합의서를 교환하기에 이르렀다. 남북은 적대감을 조금씩 녹여 가며 서로에게 다가서고 있는 것이다.

| 남북 정상, 50년 만에 악수하다 |

2000년 6월 15일, 평양 순안 공항에 내린 김대중 대한 민국 대통령과 마중 나온 김정일 조선 민주주의 인민 공화국 국방 위원장은 악수와 함께 감격스런 포옹을 하였다. 실로 50여 년 만에 이루어진 남북한 두 정상의 악수는 남과 북이 통일 문제를 우리 민족끼리 자주적으로 해결해 나가자는 다짐이었다. 두 정상은 이산 가족의 상봉을 본격 추진하며, 서로의 이해를 증진시킴으로써 평화 통일의 길을 한 걸음씩 다져 나가자는 데 합의하였다.

또한 경제 협력을 통하여 민족 경제를 균형적으로 발전시키고, 사회, 문화, 체육, 보건, 환경 등 여러 분야의 협력과 교류를 활성화하여 신뢰를 다져 나가기로 의견을 모았다.

50년 만의 뜨거운 포옹

길고도 어려운 과정을 거쳐 만났다. 한반도는 물론 전세계의 눈이 여기로 쏠렸다.

| 닮은 점과 다른 점 |

처음 한국에서의 생활은 마치 다른 나라 땅에 온 것처럼 생소하였다. 북한에 있을 때 외국 출장을 가 본 적도 있고 영어도 조금 아는 편이었지만 이 낯선 한국 땅에서는 도저히 적응될 수 없는 이방인이 바로 내가 아닌가 하고 느껴지기도 하였다. 50여 년간의 남북 분단이 가져온 언어의 장벽을 허물기 위해 나는 매일 영어 한 단어, 한자 두 자라는 목표를 세우고 꾸준히 공부하였다. (중략) 지난 2년간의 세월을 돌이켜보는 이 시점에서 자신의 노력과 열성만 있으면 얼마든지 성공할 수 있는 기회의 땅인 한국에 온 것을 다행으로 생각한다. 마지막으로, 탈북자들을 대할 때 이방인 취급하지 말아 주었으면 한다. 탈북자들에 대한 편견을 버리고 같은 한국 사람으로 대하면 사회 적응이 훨씬 빨라질 것이다. 국민의 가슴 속에 진정으로 우리는 하나라는 생각이 자리잡을 때 남북 통일의 대장정이 시작된다고 믿는다.

—탈북자 동지회 홈페이지, 탈북자 이영훈 씨 수기 중에서—

탈북자 동지회
http://www.nkd.or.kr

이렇게 통일로 가는 길은 50여 년간의 갈등과 불신을 치유하고, 상호 이해와 협력의 폭을 넓히는 과정이다. 이를 위해서는 남북한이 정치, 경제, 사회, 문화 등에서 '다른' 점을 서로 인정하고 동질감을 회복해 나갈 필요가 있다.

현재와 미래의 대화

다음은 어느 단체에서 학생들을 대상으로 한 설문 조사이다.

1. 통일의 필요성에 대해서 어떻게 생각하십니까?

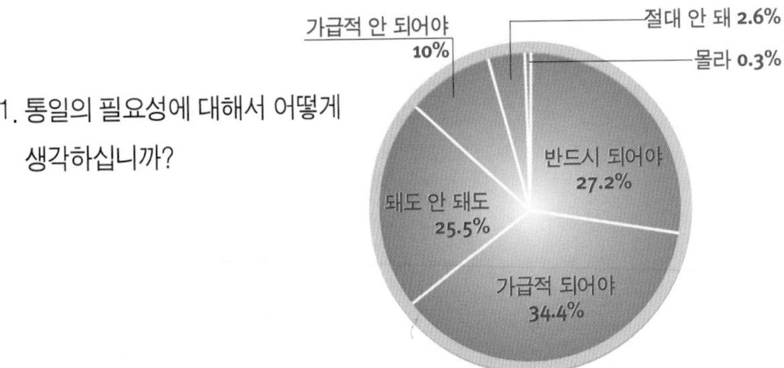

2. 통일이 필요한 이유는 무엇이라고 생각합니까? (두 가지)

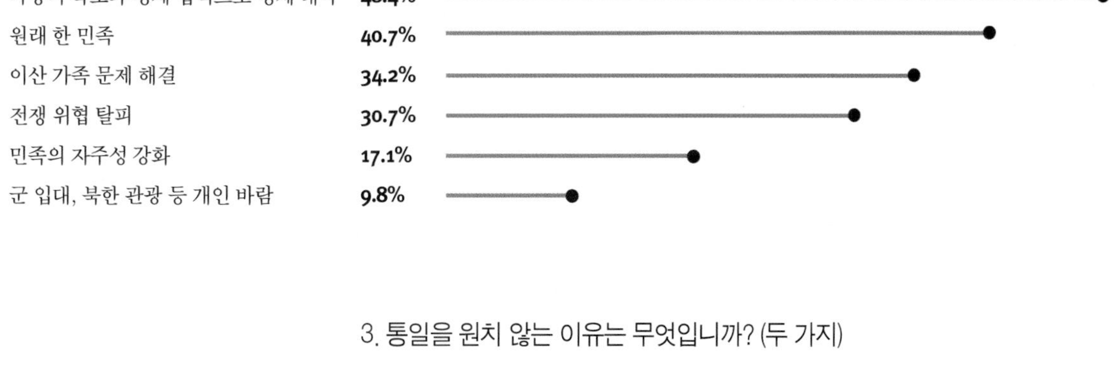

3. 통일을 원치 않는 이유는 무엇입니까? (두 가지)

사회 혼란 야기	50.4%
북한 경제 지원	46.0%
우리는 잘 살고 있는데 괜히	27.5%
공산주의자가 싫어	5.6%
북한 자체가 싫어	3.6%
북한은 침략자	3.3%

—「이 겨레 살리는 통일」, 전교조 출판부—

1. 위 질문에 대해서 각자 자기 생각을 써 보자.
2. 이 통계표에 나타난 내용을 어떻게 해석할 것인가? 스스로 통일 문제 전문가가 되어 설명해 보자.

3 21세기 새로운 민족사를 향하여

| 더불어 사는 사회를 위하여 |

지금까지 우리는 앞만 보고 달려왔다. 급속한 경제 성장과 민주주의 체제를 갖추어 가는 과정에서 심한 진통을 겪었고, 그 과정에서 여러 가지 사회 문제가 누적되어 왔다.

약육강식의 경쟁 논리가 사회를 지배하였으며 더불어 사는 의미를 생각할 겨를이 없었다. 양적 성장과 개발 위주의 정책은 삶의 여러 측면을 파괴하거나 포기함으로써 가능한 것이었다.

파괴의 후유증이 도처에서 드러나고 있다. 가장 큰 문제는 빈부의 격차이다. 남한 사회 내에서도 빈부의 격차는 매우 크며, 사회의 통합과 안정을 위협하는 가장 중요한 요소이다.

통일 이후까지를 생각한다면 남북간 경제력의 차이도 매우 심각한 문제이다. 남한의 비약적인 성장과 북한의 지속적인 둔화로 남북한의 국력 격차는 점점 커지고 있는 것이 현실이다.

우리 사회 구성원 모두의 인간다운 삶을 보장해 주는 쪽으로 제도 개

압축 성장의 후유증, 성수 대교 붕괴

경제 성장의 빛과 그림자, 2002년 현재 달동네와 아파트 단지

선과 지원이 필요하다. 약자도 살 만한 사회를 만들어야 할 것이다. 여성, 청소년, 노인, 장애인들에 대한 처우 개선에 힘써야 할 것이다. 빈부의 격차를 줄이고, 사회 보장 제도를 더욱 확대해 나가는 일이다. '인간'이 존중받는 사회, 양적 성장보다는 삶의 질이 우선시되는 사회로 개선하여야 한다. 보수와 진보의 갈등, 지역 감정, 여성 문제, 환경 문제 등도 앞으로 풀어 나가야 할 과제들이다.

| 민주 시민이 주체가 되는 사회 |

경제 정의 실천 시민 연합(경실련)의 활동

우리 사회는 민주주의를 표방하여 왔다. 그러나 지금까지는 권력을 장악한 측이 '국가'와 '민족'을 내세우며 정치를 좌우하여 왔다. 진정한 민주주의는 시민들의 자발적이고 적극적인 참여에 의해 완성된다. 이를 풀뿌리 민주주의라고 한다. 이런 의미에서 지방 자치제의 실시는 성숙한 민주주의를 향한 진전이라고 할 수 있을 것이다.

근래에는 시민 운동이 점차 활성화되고 있다. 특정 정치 권력의 독선을 견제하고, 다양한 세력 집단 간의 이해 충돌을 조절하며 대안을 제시할 수 있는 시민 운동 단체의 활동은 민주주의 발전의 토대라 할 수 있다.

과도한 개발로 인한 환경의 파괴, 약자들에 대한 차별 대우를 감시하고 개선하는 데 시민 단체의 활동은 대단히 중요하다. 더불어 사는 사회는 시민들의 자발적인 참여와 시민 단체의 적극적인 활동이 있을 때 가능할 것이다.

| 세계화 시대, 우리가 나아갈 길은? |

21세기는 교통 · 통신의 발달로 지구촌 사회가 되었다. WTO 체제는 관세의 장벽을 무너뜨리고 세계를 단일 무역 시장화하였다. 생존을 위해 '세계화'가 필요하다는 목소리도 점점 높아지고 있다. 이전에는 국가 공동체를 울타리로 국민 생활이 이루어졌으나 이제 지구 공동체의 구성원으로 다양한 집단을 좀더 가까이에서 접하며 살아가게 된 것이다.

그렇다고 해서 국경이 소멸되고 국가가 사라지는 것은 아니다. '세계화' 를 외치다 보면 '자기' 가 누구인가를 잃어 버릴 수 있다. 우리의 삶을 보장해 주는 '세계화' 일 때 의미를 가지는 것이다.

진정한 세계화는 여러 지역 사람들의 다양한 삶이 존중되고 보호될 때 이루어지는 것이다. 우리 공동체의 가치관이나 삶을 보호할 수 있는 방향으로 세계화를 모색하여야 할 것이다.

쌀 수입 개방 반대 시위

미래의 현장 탐구

세상에는 더 나은 사회를 만들어 가고자 노력하는 사람들이 많이 있다. 다음 단체를 방문하여 그들이 만들어 가고자 하는 사회가 무엇인지를 조사해 보고 활동 참여 방안을 생각해 보자.

환경 운동 연합 (http://www.kfem.or.kr/)

"지역 운동의 확산과 국가간 연대를 내걸고 시민 환경 운동을 벌여온 환경 운동 연합은 새 천년, 환경의 세기를 맞이하여 환경 문제를 사회적인 문제로 제기하고, 이를 사회적으로 해결하기 위한 적극적인 활동을 벌여 나갈 것입니다. 이는 감시자의 역할에서 정책의 기획과 실행까지 시민 환경 운동의 영역을 확대한다는 의미입니다. 앞으로도 환경 운동 연합은 환경과 생명을 지키는 녹색의 길에서 시민과 함께 하겠습니다."

방독면 쓴 이순신 동상

환경의 중요성을 깨우치기 위한 노력이다.

민주 노총 (http://www.nodong.org/)

민주 노총의 집회

생산의 주역이며 사회 개혁과 역사 발전의 원동력인 우리들 노동자는 오늘 자주적이고 민주적인 노동 조합의 전국 중앙 조직, 전국 민주 노동 조합 총연맹의 창립을 선언한다. (중략) 민주 노총으로 결집한 우리는 인간다운 삶과 존엄성을 유지할 수 있는 노동 조건의 확보, 노동 기본권의 쟁취, 노동 현장의 비민주적 요소 척결, 산업 재해 추방과 남녀 평등의 실현을 위해 가열차게 투쟁할 것이다.

참여 연대
http://www.peoplepower21.org
민주 사회를 위한 변호사 모임
http://www.minbyun.jinbo.net
소비자 문제를 연구하는 시민의 모임
http://www.cacpk.org

위와 유사한 활동을 하는 단체들을 찾아 활동 내용을 조사하여 보고서를 작성해 보자.

한국사 연표

B.C.

약 **70**만 년 전	구석기 문화 시작
약 **50**만 년 전	검은모루 동굴 유적 형성
8000년경	신석기 문화 시작 (부산 동삼동)
5000년경	서울 암사동 유적 형성
2333년	단군 왕검, 고조선 건국(삼국유사)
1000년경	청동기 문화 시작
300년경	철기 문화 시작
194년	위만이 준왕을 몰아내고 고조선 왕이 됨. 준왕은 남쪽으로 내려와 한(韓)왕이 됨.
108년	한 나라 침략으로 고조선 멸망 · 한군현 설치
82년	한 나라가 설치한 임둔, 진번군 몰아냄.
1세기	삼국의 성립

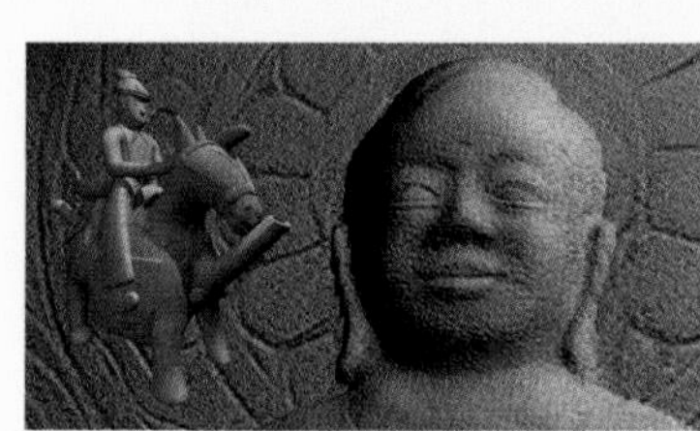

194	고구려, 진대법 실시
313	고구려, 낙랑군 몰아냄.
371	백제, 고구려 평양성 공격
372	고구려, 불교 전래, 태학 설치
384	백제에 불교 전래
427	고구려, 평양 천도
433	나 · 제 동맹 성립
475	고구려, 백제 한성 점령. 백제, 웅진으로 천도
527	신라, 불교 공인
538	백제, 사비성으로 천도
552	백제, 일본에 불교 전래
553	신라, 한강 유역 점령
562	신라, 대가야 정복
612	고구려, 살수에서 수 나라군을 크게 물리침(살수 대첩).
624	고구려, 도교 받아들임.
645	고구려, 안시성에서 당 나라군을 물리침.
660	백제 멸망
668	고구려 멸망

676	신라, 삼국 통일
685	신라, **9**주 **5**소경 설치
698	발해 건국
722	신라, 정전 지급
732	발해, 당의 덩조우(등주) 공격
751	신라, 불국사와 석굴암 건립

756 발해, 상경 천도

780 신라, 혜공왕 피살

828 신라, 장보고가 청해진 설치

---

900 견훤, 후백제 건국

901 궁예, 후고구려 건국

918 왕건, 고려 건국

926 발해 멸망

935 신라 경순왕, 고려에 항복

936 후백제 멸망, 후삼국 통일

956 광종, 노비 안검법 실시

958 광종, 과거 제도 실시

982 최승로, 시무 **28**조 올림.

993 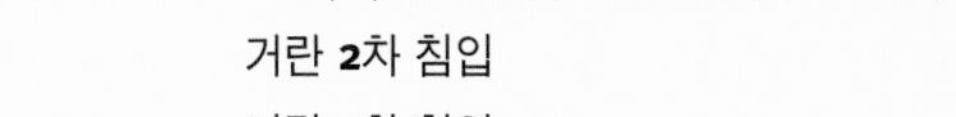
거란(요) **1**차 침입**,** 서희의 담판으로 해결

1010 거란 **2**차 침입

1018 거란 **3**차 침입

1019 강감찬, 귀주 싸움에서 거란을 물리침(귀주 대첩).

1107 윤관, 여진을 정벌하고 **9**성 건설

1126 이자겸의 난

1135 묘청, 서경 천도 운동

1145 김부식, 「삼국사기」 편찬

1170 무신 정변

1176 망이 · 망소이의 난

1193 김사미와 효심 봉기

1196 최충헌, 정권 장악

1198 만적의 난

1231 몽고의 **1**차 침입

1232 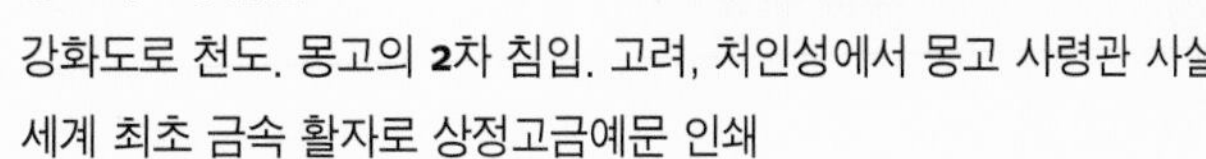
강화도로 천도. 몽고의 **2**차 침입. 고려, 처인성에서 몽고 사령관 사살

1234 세계 최초 금속 활자로 상정고금예문 인쇄

1236 팔만 대장경 새김(~**1251**).

1238 몽고군, 황룡사 **9**층탑 불태움.

1259 고려 태자(원종), 몽고에 항복

1270 개경으로 환도. 삼별초의 항쟁

1274 원과 고려, 일본 정벌

1285 일연, 「삼국유사」 완성

1359 홍건적, 고려에 침입(~**1361**)

1363 문익점, 원에서 목화씨를 가져옴.
1366 전민변정도감 설치. 신돈, 개혁 추진
1376 왜구 침입, 최영 격퇴
1377 왜구 침입, 이성계 격퇴. 「직지심체요절」간행

1388 위화도 회군
1389 박위, 쓰시마 섬 정벌
1391 과전법 공포
1392 고려 멸망, 조선 건국
1394 한양 천도. 정도전, 「조선경국전」 편찬

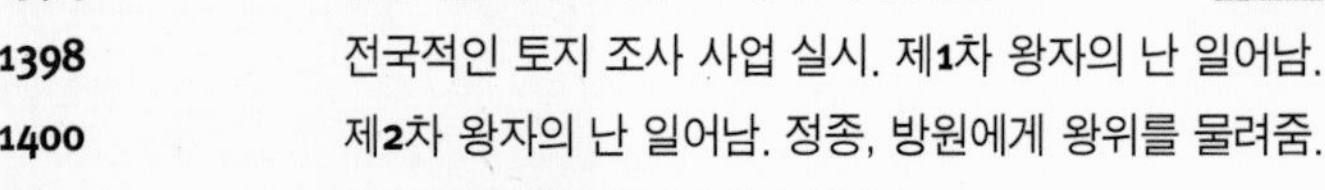

1398 전국적인 토지 조사 사업 실시. 제1차 왕자의 난 일어남.
1400 제2차 왕자의 난 일어남. 정종, 방원에게 왕위를 물려줌.
1405 의정부의 일을 6조에 귀속시킴.
1413 조선 8도의 지방 행정 조직을 완성. 호패법을 정함. 「태조 실록」 편찬
1419 이종무, 왜구의 근거지인 쓰시마 섬 정벌
1432 「삼강행실도」 편찬
1433 4군 설치
1437 6진 설치
1441 측우기 제작
1444 공법 제도를 정함.
1445 「용비어천가」 완성
1446 훈민정음 반포

1453 수양대군, 김종서 · 황보인 등을 죽이고 정권을 장악
1456 사육신, 단종을 복위하려다 처형됨.
1466 과전의 지급 대상을 현직 관리로 한정
1467 함경도에서 이시애의 난이 일어남.
1469 「경국대전」 완성
1504 언문(한글)의 사용을 금함.
1506 중종 반정이 일어남.
1519 향약 실시. 조광조가 사약을 받고 죽음(기묘사화).
1529 비변사, 큰 사건을 의정부와 같이 의논하기로 결정
1543 풍기군수 주세붕, 최초의 서원인 백운동 서원을 세움.
1559 황해도에서 민란(임꺽정의 난)이 일어남(~1562).
1583 이이, 10만 양병설을 건의
1589 붕당 정치 시작
1592 일본군 21만 조선에 침입(임진왜란 발발)

1597 **20**만의 일본군 조선을 다시 침략(정유재란)
1609 일본과 국교 재개
1610 허준, 동의보감 완성. 경기도에 대동법 시행
1623 이귀 등 서인, 광해군을 폐하고 정권을 잡음(인조 반정).
1627 이괄의 난. 여진족의 금 조선을 침략(정묘호란)
1628 벨테브레, 제주도 표착
1636 청 나라, 대대적인 침입(병자호란).
1645 소현세자, 서양 서적과 여지구 · 천주상을 가지고 서울로 돌아옴.
1653 하멜, 제주도 표착

1678 상평통보 주조
1708 전국적으로 대동법 시행
1712 백두산 정계비 건립
1725 영조, 탕평책 실시
1742 탕평비 세움.
1750 균역청을 설치하고 균역법 실시
1763 고구마 전래
1769 유형원, 「반계수록」 간행
1776 규장각 설치
1778 박제가, 「북학의」 저술
1786 서학을 금함.
1791 6의전 이외 시전의 금난전권 폐지
1792 정약용, 거중기 발명
1796 화성 완성

1801 천주교에 대한 대대적인 탄압. **6**만 **6**천 명의 공노비 해방
1805 안동 김씨의 세도 정치 시작(~**1863**)
1811 평안도 곡산 농민들이 난을 일으킴.
홍경래 등이 지휘하는 평안도 농민 전쟁이 일어남(~**1812**).
1818 정약용, 유배지에서 「목민심서」 완성
1833 서울에 쌀값이 폭등하여 서울 도시 빈민의 폭동이 일어남.
1848 이양선, 경상 · 전라 · 황해 · 함경 **5**도에 나타남.
1860 최제우, 동학 창시
1861 김정호, 대동여지도 간행
1862 **1862**년 농민 항쟁이 일어남. 민란, 전국 각지로 확대. 삼정이정청 설치

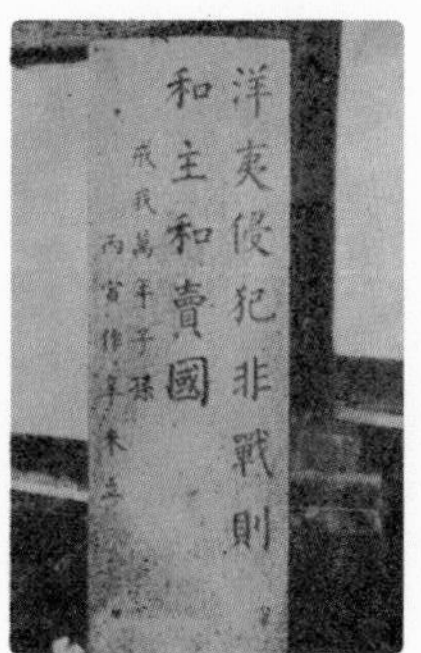

1865 경복궁 중건(~**1872**)

1866 제너럴 셔먼 호 사건. 프랑스와의 전쟁

1868 대원군, 서원을 **47**개만 남기고 폐쇄

1871 미국과의 전쟁, 척화비 세움.

1876 일본과 강화도 조약 맺음.

1881 일본에 신사유람단, 청에 영선사 파견. 영남의 유학자 척사 운동 전개

1882 임오군란. 청의 간섭 강화

1883 한성 순보 발간. 원산 학사 설립

1884 우정국 설치. 갑신정변이 일어남.

1885 서양식 병원(광혜원) 설립. 영국, 거문도 불법 점령(~**1887**)

1889 함경도, 곡식의 수출을 금지함(방곡령).

1893 전국 **65**곳에서 민란. 보은 · 금구 집회

1894 갑오 농민 전쟁 일어남. 청 · 일 전쟁 발발. 갑오개혁 추진. 공문서에 처음 한글 사용

1895 을미사변, 단발령, 항일 의병 운동

1896 양력 사용. 아관 파천. 독립 신문 창간. 독립 협회 창립

1897 대한 제국 선포

1898 만민 공동회 개최. 독립 협회 해산

1899 대한국 국제 반포, 최초의 철도(경인선) 개통. 경복궁에 전등 설치

1900 활빈당 활동 활발

1904 러 · 일 전쟁 발발, 한 · 일 의정서 맺음. 경부선 준공. 항일 의병 운동 재개

1905 을사조약 체결

1906 대한 자강회 조직. 최익현 · 신돌석 의병 봉기. 이인직, 신소설 발표

1907 국채 보상 운동 전개. 헤이그 특사 파견. 군대 해산. 신민회 결성. **13**도 창의군 활동

1908 동양 척식 주식 회사 설립

1909 안중근, 이토 히로부미 사살. 나철, 대종교 창시. 일본군, 남한 대토벌 벌임.

1910 홍범도 등, 연해주 의병 국내 진격 작전. 주권을 빼앗김.

1912 임병찬, 대한 독립 의군부 조직. 토지 조사 사업 시작(~**1918**)

1914 박용만, 하와이에서 국민 군단 조직

1915 대한 광복회 조직

1919 **3 · 1** 운동. 대한 민국 임시 정부 수립. 의열단 조직. 한국인에 의한 영화 제작 시작

1920 봉오동과 청산리에서 일본군 격파. 조만식, 조선 물산 장려회 조직. 조선 일보 · 동아 일보 창간

1922 민립 대학 설립 운동 추진. 이광수, 민족 개조론 발표. 어린이 날 행사를 치름.

1923 암태도 농민 항쟁(~**1924**). 관동 조선인 대학살

1924 북률 농민 항쟁 일어남. 조선 청년 동맹, 조선 노 · 농 총동맹 결성

1925 조선 공산당 결성

1926 6 · 10 만세 운동. 나석주, 동양 척식 회사에 폭탄을 던짐. 경성 제국 대학 개교

1927 신간회 결성. 라디오 방송 시작

1928 원산 총파업(~1929)

1929 광주 학생 항일 운동

1931 일제의 만주 침략. 신간회 해소. 동아 일보 브 나로드 운동 전개(~1934)

1932 이봉창, 윤봉길의 의거, 조선 혁명군과 한국 독립군이 한 · 중 연합군 조직

1933 한글 맞춤법 통일안 제정. 조선 총독부, 농촌 진흥 운동 시작

1936 손기정, 베를린 올림픽 대회 마라톤 우승. 동아 일보 일장기 말살 사건

1937 중 · 일 전쟁 시작. 황국 신민의 서사 제정. 신사 참배 강요. 화신 백화점 개점

1938 김원봉 등, 조선 의용대 조직. 한글 교육 금지

1939 강제 연행 시작(국민 징용령), 1945년까지 45만 명

1940 한국 광복군 창설. 창씨 개명 실시. 조선 · 동아 일보 폐간

1941 임시 정부, 건국 강령 발표 및 대일 선전 포고

1942 독립 동맹 및 조선 의용군 결성. 조선어 학회 사건. 서울 인구 100만을 넘어 섬.

1943 일제, 징병제 · 학병제 실시로 조선 청년을 일본군으로 끌고 감.

1944 조선 총독부, 여자 정신대 근무령 공포 · 시행. 여운형, 건국 동맹 결성

1945 해방. 건국 준비 위원회 발족. 미 · 소 군정 실시. 모스크바 3상 회의 개최

1946 북조선 임시 인민 위원회 발족. 북한, 토지 개혁 실시. 제1차 미 · 소 공동 위원회 소집. 38선 이북으로 통행 금지.

1947 제2차 미 · 소 공동위 개최. 여운형 피살

1948 김구 · 김규식 등 남북 협상에 참가. 제주 4 · 3 항쟁 시작. 유엔 감시 하에 남한 총선거 실시. 대한 민국 정부 수립. 조선 민주주의 인민 공화국 수립

1949 정부, 농지 개혁법 공포. 김구 순국

1950 한 · 미 상호 방위 원조 협정 조인. 북한 남침으로 6 · 25 전쟁 발발. 중국군, 한국전 개입

1951 소련 유엔 대표, 38선 정전 회담 제의

1952 국회, 경찰 포위 속에 발췌 개헌안 통과

1953 포로 교환 협정 조인. 휴전 협정 조인

1954 국회, 개헌안 사사 오입 통과 처리

1956 제3대 정 · 부통령 선거로 대통령에 자유당 이승만, 부통령에 민주당의 장면 당선. 북한, 천리마 운동 시작

1958 진보당 사건 발생, 위원장 조봉암 등 간부 **7**명 간첩 혐의로 구속

1960 제**5**대 정 · 부통령 선거 실시, 대통령 이승만 · 부통령 이기붕 당선. 마산에서 부정 선거 규탄 시위. 서울 시내 대규모 학생 총궐기. **4.19** 혁명 발발

1961 군사 정변 일어남. 북한, 제**1**차 **7**개년 계획 시작(~**1970**)

1962 제**1**차 경제 개발 **5**개년 계획 시작(~**1966**). 공용 연호 서기로 변경. 북한, **4**대 군사 노선 채택

1963 대통령 선거 실시해 박정희 당선

1964 한 · 일 회담 반대 시위. 월남 지원을 위한 국군 파견에 관한 협정 체결. 미터법 실시

1965 한 · 일 협정 조인, 일본과 국교 정상화

1966 한 · 미 행정 협정 조인

1968 미국 정보함 푸에블로 호 사건 발발. 국민 교육 헌장 선포

1969 **3**선 개헌 국민 투표 법안 국회서 변칙 통과.

1970 경부 고속 도로 개통. 새마을 운동 시작. 서울 평화 시장 노동자 전태일 노동 조건 개선을 요구하며 분신

1972 **7.4** 남북 공동 성명 발표. 유신 헌법 확정. 북한, 사회주의 헌법 공포, 주석제 신설

1975 대통령 긴급 조치 **9**호 발표. 북한 비동맹 회원국 가입

1977 한국 등반대 에베레스트 등정 성공. 수출 **100**억 불 달성

1978 자연 보호 헌장 선포

1979 부 · 마 항쟁. 박정희 대통령 김재규 정보부장에 의해 피격 사망. 신군부 쿠데타, 정승화 육참 체포

1980 광주 민중 항쟁

1981 전두환, 대통령에 당선

1982 야간 통행 금지 전면 해제. 정부, 일본에 역사 교과서 왜곡 내용 시정을 요구

1983 **KBS** 이산 가족 찾기 **TV** 생방송

1985 남북 고향 방문단 상호 교류. 북한, 핵확산 금지 조약(**NPT**) 가입

1986 아시아 경기 대회 개최

1987 **6**월 민주 항쟁. **7 · 8 · 9**월 노동자 대투쟁

1988 노태우, 대통령에 당선. 제**24**회 서울 올림픽 경기 대회 개막

1989	헝가리, 폴란드 등 동구권 국가와 수교. 정주영 현대 그룹 명예 회장 방북, 남북 경제 협력 논의
1990	소련과 국교 수립
1991	유엔 총회, 남북한 유엔 가입안을 만장일치로 통과
1992	중국과 국교 수립. 김영삼, **14**대 대통령에 당선
1993	금융 실명제 실시. 북한, 핵확산 금지 조약(**NPT**) 탈퇴
1994	북한, 김일성 주석 사망
1995	지방 자치제 확대(자치 단체장 선거) 실시. 옛 총독부 건물 해체
1998	김대중 정부 출범

필자 소개와 탈고 후기

김육훈(1권 11단원, 2권 1-6단원 집필)

"늘 공부하길 요구받는 학생들에게 쉽고 재미있는 교과서, 기다려지는 수업이 불가능한 일은 아니라고 믿으며 산다. 수업을 위해 쓸 자료와 교과서를 만드는 일, 그리고 수업은 내 삶 그 자체였다."
서울대 역사교육과 졸업. 상계 고등학교 교사.『쟁점으로 본 한국사』와 『새로 엮은 국사 수업 지도안』의 저자이고, 중학교 사회와 고등학교 사회 검정 교과서를 집필하였다.
yhkim2u@hanmail.net

안정애(1권 3-4단원 집필)

"나 개인이 아니라 전국역사교사모임의 이름으로 쓰는 일이 얼마나 부담스러운 일이었던가. 끊임없이 역사를 가르친다는 것이 무엇인지, 청소년들에게 역사는 무엇인지를 되물었다."
서강대 사학과 졸업. 연천 중학교 교사. 전교조 활동으로 해직 시절 『중국사 100장면』과 『미술로 보는 우리 역사』를 공저로 출간하였고, 복직 후 『살아있는 국토박물관』을 썼다.
ajmoon04@chollian.net

양정현(2권 7-11단원 집필)

"설익은 내용을 어설프게 끌어내고 있다는 생각이 끊임없이 들었다. 모든 교사들이 자기 나름의 교재를 가지고 학생들을 만나는 날을 기대하며 또 한 걸음을 내딛는다."
서울대 역사교육과 졸업. 구일 고등학교 교사. 중학교 사회 검정 교과서와 국정 국사 교과서를 집필하였고, 『중국사 100장면』과 『미술로 보는 우리 역사』를 공저로 출간하였다.
yjh6181@hanmail.net

윤종배(1권 1,2,5,6단원 집필)

"새로운 출발이다. 살아있는 우리의 교과서로 공부하면서 학생들의 숨결까지 담아내며 정말로 신바람나게 가르쳐 보고 싶다. 이 가슴 벅찬 흥분이 꿈이 아니기를!"
서울대 역사교육과 졸업. 가락중학교 교사. 『사료로 보는 우리역사』, 『한국사 새로 보기』, 『경복궁 나들이』를 공저로 출간하였고, 『5교시 국사시간』을 썼다.
sunpine@hanmail.net

신선호(1권 7-10단원 집필)

"교과서 집필로 보낸 지난 2년 동안은 내게 생지옥과도 같은 나날이었다. 이제 이 무거운 짐을 내려놓고 실컷 빈둥대고 싶다. 그런데 내일이 개학이란다."
서울대 역사교육과 졸업. 국악 고등학교 교사. 『역사신문』4권, 『한국 최초의 인물 1,2』와 한국을 이끄는 사람들 시리즈의 『김구』, 『신채호』, 『정약용』을 집필하였다.
meoru87@orgio.net

살아있는 한국사 교과서 2

지은이 | 전국역사교사모임

1판 1쇄 발행일 2002년 3월 12일
2판 1쇄 발행일 2002년 5월 21일
2판 25쇄 발행일 2007년 8월 6일
2판 25쇄 발행부수 5,000부 총 141,000부 발행

발행인 | 김학원
편집인 | 한필훈 이재민 선완규
기획 | 홍승호 황서현 유소영 유은경 박태근 유소연
디자인 | 송법성
마케팅 | 이상용 하석진
저자 · 독자 서비스 | 조다영(humanist@hmcv.com)
스캔 · 표지 출력 | 이희수 com.
사식 | 강인경
용지 | 화인페이퍼
인쇄 | 청아문화사
제본 | 정민제책

발행처 | (주)휴머니스트 출판그룹
출판등록 제313-2007-000007호(2007년 1월 5일)
주소 | 서울시 마포구 연남동 564-40 121-869
전화 | 02-335-4422 팩스 | 02-334-3427

ISBN 978-89-5862-022-8 03900
ISBN 978-89-5862-023-5(세트)